D0525692

BUR

851,
Italian Poetry
(-4.3 75)

Ritratto di Dante, da un'edizione veneziana del 1521.

Dante Alighieri

Vita Nuova

introduzione di GIORGIO PETROCCHI
nota al testo e commento di MARCELLO CICCUTO

Biblioteca Universale Rizzoli

FLL99/4453

851.1 DAN

Proprietà letteraria riservata
© 1984 RCS Rizzoli Libri S.p.A., Milano
© 1994 R.C.S. Libri & Grandi Opere S.p.A., Milano

ISBN 88-17-12458-3

prima edizione: gennaio 1984
quinta edizione: maggio 1996

INTRODUZIONE

Conviene rintracciare le origini della *Vita Nuova* prima che nella enunciazione di lemmi culturali esibiti nel *Convivio* quale originaria fase della riflessione letteraria e filosofica (Cicerone e Boezio), piuttosto nel fondale della memoria poetica che già il sonetto *A ciascun'alma* e la replica sulla visione *Savete giudicar* denunciano abbastanza scopertamente. È evidente che la segmentazione della produzione letteraria di Dante non è mai operabile nella complessa struttura di un'opera ed è perniciosa nel contesto generale dell'intero organismo della vita d'un poeta come Dante e della vicenda d'amore narrata nel libro e che si pone come struttura segreta del referente memorialistico, eliminativo d'ogni concretezza di materialità quotidiana e alimentato da un giuoco di alternative psicologiche che è il giuoco di un intelletto inquieto a un tempo e razionalmente solido, fermo, sì da escludere qualsiasi messaggio mistico-iniziatico.

Siciliani e guittoniani, provenzali e bolognesi, il francese del *Roman de la Rose* e di Brunetto Latini, prodromi letterari proto-fiorentini, vicinanza ad un primo momento sconvolgente del Cavalcanti, trattati di retorica e di lingua, realismi e simbolismi hanno costituito le fondazioni di un appressamento all'esercizio delle lettere il quale fu per Dante giovane esclusivamente poetico, come prodotto finito della sua primissima officina, ma si nutrì consentaneamente di poesia e di prosa, di modo che le rime antecedenti la *Vita Nuova* possono essere valutate in eguale misura antefatto concreto tanto delle rime inserite nel *libello* o per esso scritte, quanto della prosa d'esso. Il poeta si serve d'ogni elemento della *fabula* narrativa, cioè del suo intimo essere e voler essere poeta-prosatore per conservar desta la propria acuta, sovente sofferta sensibilità, e per rintracciare, al fondo della coscienza, una serie di notazioni morali, tutte concretamente riconducibili all'uomo-poeta, e perciò naturalmente adatte ad accogliere quel che di «nuovo» s'agita nei sentimenti: singolarità di stato morale, autenticità delle inquietudini, consapevolezza di godere una «novella età», godimento di vocaboli e immagini in un clima di rarefazione della realtà e di trasfigurazione d'ogni simbolo.

Nella *Vita Nuova* si condensano una serie di esperienze della *Consolatio* di Boezio, incentrate soprattutto nelle proposizioni filosofiche, ma notevoli anche nell'offerta di sistemi coibenti e differenzianti per il rapporto tra poesia e prosa, nella «fiducia nella possibilità di una soluzione poetica»[1] sin dall'immagine dell'apparizione di Amore accanto al letto in «bianchissime vestimenta» per proseguire in echi di maggiore concentrazione nell'effigie dello smarrimento di Dante. Il ciceroniano *Laelius* e la boeziana *Consolatio* (giacché va esclusa la conoscenza delle *Saturae Menippeae* di Varrone) fermano sin dal primo momento in un rigoroso schema letterario il proposito di comparare l'autobiografia col ragionamento morale e la poesia con la prosa, sia quando i primi elementi determinano i secondi, sia allorché sono i secondi a funzionare da fomite retorico e stilistico, nella generale cornice della visione. La diversità sostanziale con la struttura di Boezio sta nello sfasamento cronologico dell'esecuzione letteraria: la meditazione di Boezio scaturisce da un'alternanza di forme in poesia e in prosa (prosimetro

[1] Vedi D. De Robertis, *Il libro della « V. N. »*, Firenze 1961, p. 18.

6

sincronico), la riflessione dantesca si distanzia nel tempo in quanto la prosa, per lo più, rievoca uno *status* emozionale che era già stato espresso in poesia e che perviene dunque alla condizione poetica attraverso una lunga scansione temporale (prosimetro diacronico): il che non vieta che esistano momenti del «libello» in cui la prosa inizia il tema, lo modula, ne stabilisce gli elementi essenziali, affidando poi alla poesia l'ulteriore sviluppo del tema stesso e la sua risistemazione in poesia, soprattutto a partire dal cap. XX.

Là dove non un grammatico o un retore hanno effettuato in forma asciutta una citazione funzionale alle loro intenzioni, allora un prosatore emerge in quanto ha inserito la specificità del verso, suo o citato, in un opportuno contesto di prosa. Penso al *Critone*, quando Platone fa dire a Socrate non senza ironia: «Mi pareva che mi si avvicinasse una donna, bella e graziosa, vestita di bianco, la qual mi dicesse: Socrate, *Fra tre giorni vedrai la pingue Ftia*»; Platone è consapevole che la citazione non stacca, ma anzi coniuga la medesima tenuta del dialogato. Evidentemente ciò non va affermato rigidamente, ma quale piuttosto un modulo con cui presentarsi al lettore, confrontare se stesso nel breve giro d'un'univoca esperienza personale (Boezio) o in un lungo monologo narrativo che coinvolge tutte le occasioni della propria giovinezza e persin puerizia (Dante); un libro di un uomo prossimo a chiudere la vita (Boezio) e un uomo che si apre per la prima volta ad una grande avventura terrena (Dante); un libro dove la morte è sentita entro la coscienza dell'autore e la Filosofia consola un disilluso che ha ben poche speranze dinanzi a sé, e un libro dove la morte è della persona amata e semina nel cuore del poeta, conscio del dolore che l'ha per sempre colpito, i progetti d'una vita da dedicare tutta alla confortante Filosofia e al fomentante Amore, congiunti in un superiore disegno di «mirabile visione» che sarà un altro modo, questa volta affidato alle «parole sciolte» del *Convivio* e alla totale poesia della *Divina Commedia*, di rievocare la propria storia umana in un quadro reso immenso anche in virtù dell'eccezionale accumulo di molte altre esperienze oltre quelle, sublimi ma pur limitate nel fine ultimo, dell'Amore. Proprio per questo motivo la struttura del *Convivio* non proclama un raffronto diretto di poesia e prosa, ma quest'ultima è un minuzioso commento a quella, è da considerare un necessario *gradus ad Parnassum* dalla mescolanza diretta di poesia e prosa della *Vita Nuova* alla globalità del pensare, vivere, esprimersi in sola poesia del *sacrato poema*, all'interno del quale la fermezza «tetragona» della terza rima distrugge qualsiasi residuo di *oratio soluta*, di *verba soluta modis*, non consentendo più nemmeno un barlume di locuzioni di nascita o elaborazione prosastica, affidandosi ad uno strumento sempre e ovunque lirico, liricizzante persino le digressioni filosofiche e teologiche pur echeggiate da una remota memoria prosastica.

Anche nel *milieu* dei *nouveaux critiques* l'attenzione alla struttura della *Vita Nuova* è costante, proprio per le molte peculiarità che presenta rispetto alle forme del romanzo francese contemporaneo. Philippe Sollers[2], sulla scia di Althusser e di Derrida e nel momento in cui si volge all'esame dei testi partendo da un'astratta teorizzazione, incontra nella *Vita Nuova* la presenza di distinti livelli d'enunciazione: un primo, che è il processo d'intersezione in cui la vita dell'individuo narrante, possiamo proprio dire dell'io narrante, s'incontra con la vita d'una figura, Beatrice (in questo momento avviene «la nascita linguistica del soggetto, in una dimensione quotidiana e cosmologica»[3]). Il Sollers avanza l'equazione, che Benel-

[2] Vedi Ph. Sollers, *Sur le matérialisme*, Parigi 1973, trad. it. Milano 1973.

[3] Vedi anche G. Benelli, *La nouvelle critique. Il dibattito critico in Francia dal 1980 ad oggi*, Bologna 1981, p. 135.

li definisce paradossale: «qualcuno fa parlare, egli parla, egli parla per qualcuno», motivo che effettua la triplice conseguenza di Dante autore-vittima, traduttore e destinatario, e di Beatrice sollecitatrice delle tre condizioni, autrice di tutti i moti del poeta-prosatore, destinata a sparire (ripetizione del mito di Euridice) pur conservando una costante identità anche nell'ultima parte del «libello». Scrive Sollers: «Si direbbe che per Dante l'essenziale sia di non esser mai in riposo, di poter spiegare ogni fenomeno, ogni tratto dei suoi poemi, ma per trasferire la comprensione e il risultato provvisorio che ha ottenuto nel movimento perpetuo del desiderio: creazione e critica non saprebbero star separate. L'amore non possiede nulla e non vuol posseder nulla: la sua sola verità (ma infinita) è di affidarsi alla morte. In questo senso, la morte di Beatrice è la chiave del linguaggio di Dante, giacché più che la morte di un altro, essa è la sola maniera che egli ha di vivere la sua e di parlarla. A partire da questa morte, il commento passa d'altronde al livello di racconto, lasciando che il poema termini in silenzio»[4].

Certamente la triplice composizione della *Vita Nuova* (poesia, prosa narrativa, critica letteraria) è un *unicum* irrepetibile nel suo genere, come il *De consolatione* di Boezio è un *unicum tripharium* di poesia, prosa autobiografica, prosa filosofica: e forse la triplicità di Boezio è stata fomite incessante per l'autore della *Vita Nuova* nel momento in cui inserisce l'autobiografia d'amore nel dettato poetico, per poi sottoporre questo ad un giudizio stilistico-metrico e attraverso l'esame della forma e del metro risalire ai valori della testimonianza morale, anzi sia morale che religiosa, e contemporaneamente ai valori del linguaggio, alla cui coerenza di modulo espressivo dell'amore e della morte non rinuncia mai, creando uno stupefacente miracolo di supremo modello letterario, che

4 Vedi Ph. Sollers, *op. cit.*, p. 59.

conserva e consacra tutti i requisiti, aspetti, costanti e varianti della operazione letteraria.

L'evidente impossibilità di procedere secondo una direzione univoca, che conglobi diacronicamente e sincronicamente l'attività dell'uomo politico a contatto con una situazione etico-sociale in continuo fermento e l'impegno del letterato, il quale alle prime letture di Provenza e di Francia, di Sicilia e di Toscana va unendo un interesse sempre più profondo alla filosofia della Scolastica e alle voci degli *auctores* classici, è complicata da altro ostacolo che ora ci interessa in modo specifico per definire la specie del dantesco *prosimetrum*: disporre le *Rime* e in esse i componimenti poetici della *Vita Nuova* lungo un ordine cronologico anche approssimativo e in quanto tale confrontabile con l'ordine di composizione indubbiamente molto più lineare e coordinato della prosa della *Vita Nuova* e riscontrare assetti e fasi di chiara autonomia formale e concettuale, oltrepassando il momento del melodioso afflato amicale rappresentato dal sonetto *Guido, i' vorrei*, e tracciando un itinerario tutt'affatto personale e originale, con sempre più accentuato superamento tanto del pensiero quanto dell'esperienza che i suoi coetanei avevano del volgare illustre.

Insomma la *Vita Nuova* non è opera di chi come Boezio, nella solitudine del carcere, opera una complessa *recherche* di sé e in poesia e in prosa, ma piuttosto il prodotto di un uomo che attende contestualmente a vivere una vita letteraria ed una politica sin dal lavoro attorno al volgarizzamento del *Roman de la Rose* (se esso è opera del primo periodo, non si vede come possa essere collocato verso le ultime battute del sec. XIII). La necessità di attingere a moduli espressivi estranei alle scuole cortesi (o di Guittone o del primo Guido), i frequenti imprestiti linguistici allotri all'*usus* della cultura fiorentina di metà Duecento, esigenze grammaticali e sintattiche inaudite, esperimenti particolarmente difficili sulla rima, istanze di conservazione dei gallicismi onde poter meglio rendere la patina del testo originale e una certa qual atmosfera aulica, creano nel «Ser Durante» del *Fiore* e quindi del *Detto d'amore* l'obbligo di raccogliere tutti i materiali utili anche nel settore della tradizione realistica post-giullaresca e post-goliardica. L'autore del *Fiore* non aveva dinanzi a sé gran copia di elementi in volgare: il *Tesoretto* e il *Favolello* (ma non tutto), le rime comiche e quelle cortesi di Rustico messe a confronto di modo che già in Firenze Dante trovava prova della necessità di misurare nei due stili, il *volvol* e lo *sturbignon* minacciati sul capo della *vecchia rabbiosa* dal Guinizzelli, infine le prove anomale del Cavalcanti, sempreché il sonetto sulla *scrignutuzza* non sia esso stesso sotto l'influsso di Dante giovane e magari dello stesso *Fiore*, e non ne anticipi toni e scelte lessicali. Doveva quindi effettuare una ponderosa fatica di adattamento della lingua del *Roman de la Rose*, ricchissima, al repertorio lessicale italiano troppo scarno, se non proprio povero, rispetto al patrimonio culturale e linguistico francese.

Il particolarissimo impegno dell'autore del *Fiore* non dovrà essere, tuttavia, chiamato a giudizio per accrescere le difficoltà che lo studioso incontra nel tentativo di assegnare un ordine approssimativo a quei testi che non divennero mai pezzi d'un 'canzoniere'. Si dovrà per converso riconoscere che un'ipotesi di maggiore intensità del *divertissement* comico (e comico ed elegiaco!) nella zona centrale del periodo della giovinezza letteraria di Dante, e cioè il momento saliente ed eccellentemente costruttivo della *Tenzone* è pienamente ammissibile, corrisponda o no alle clausole e alle peculiarità del cosiddetto «traviamento». In una sede come questa, dunque, accennare ai problemi basilari della *Vita Nuova*, rispetto a quelli delle rime realistiche, infine delle rime dottrinali, ha un senso non del tutto generico, e risponde da un lato alla varietà d'interessi e di costumanze di vita della Firenze tardoduecentesca ove le classi magnatizie e popolari si fronteggiano con un'evidente maggior fruizione della poesia da parte dei nobili, ma anche si permeano a vicenda degli ideali e del gusto d'entrambi i fronti, d'altro lato anche ad un'ineliminabile ricerca di linee di sviluppo linguistico-stilistico, nell'analoga direzione perseguita dal Contini nell'indagare il «nodo» *Roman de la Rose-Fiore-Commedia*, un «nodo» ov'è notevole il transito da un'opera di due autori ad un'opera che più univoca non potrebb'essere attraverso l'ulteriore *replicatio* di un «io» narrante. S'intende che per la borghesia e la parte popolare più evoluta la scelta della prosa era assai più parlante.

Quanto all'elemento elegiaco nella versione del *Roman de la Rose* (assai attraente per chi scandagli i lacerti dell'esperienza della satira latina, non riuscirei qui a parlare di *spoudogeloion*), difficile è discettare sulle caratteristiche che Dante, nella parte concepita ma non scritta del *De vulgari Eloquentia*, avrebbe assegnato allo stile elegiaco: assai probabilmente egli aveva dinanzi a sé soltanto la tradizione giullaresca e goliardica, ma non è da escludere qualche lacerto di conoscenza frammentaria di Terenzio, di «Orazio satiro», di Persio e di Giovenale. Ma non è irricevibile l'ipotesi che il giovane Alighieri, almeno sino alla *Tenzone* con Forese Donati meno attratto dalle possibilità del tono mediano e assai più dall'icastica contrapposizione tra il tragico e l'elegiaco, attribuisca ai suoi giuochi realistici e alla corposa natura delle *contentiones* e del *vituperium* il valore che in sede teorica, una decina d'anni più tardi, si preparava ad assegnare al terzo e infimo stile. Si intuisce dalla contemporaneità di diversissimi esercizi letterari (tragico di *Guido, i' vorrei*, comico di *Sonar bracchetti*, elegiaco di *Chi udisse tossir la malfatata*) il piacere delle nette antitesi stilistiche, in gran parte non recuperabili dai depositi della letteratura toscana di metà Duecento, ma da inventare ovvero da scoprire attraverso coeve consultazioni dei Francesi e dei Provenzali e prelievi di calchi demotici anche plebei, d'un plebeo ricuperato a livello d'*usus* di *masnade* aristocratiche che hanno gusto a trivializzarsi anche nell'espressione verbale.

Tutte le opere giovanili di Dante vivono al tempo medesimo nella società pubblica e in quella letteraria (le quali possono incontrarsi più volte, mai coincidere in ogni impulso e interesse), sì da vedere nella *Vita Nuova* la forma suprema d'un civile consorzio, il quale conversa attraverso i vari personaggi dell'opera (Beatrice, le donne dello schermo, la donna pietosa, ecc.) con un pubblico pronto a recepire la veste allegorica e l'argomentare dottrinario, e tributare onori all'autore per aver unificato poesia e prosa del *libello*, parole legate e *parole sciolte*, la raffinata enunciazione di concetti amorosi nel chiuso della speculazione individuale del poeta e l'animato discorso romanzesco aperto alle richieste narrative della collettività: insomma tutte le aspirazioni d'una *élite* che aveva conservato come sacro il patrimonio dell'antica cultura (da Cicerone a Boezio) e pur era volto ad allegoricizzare e spiritualizzare i problemi dell'umano amore nella visione religiosa della vita attuale. «Il dialogo poesia-prosa» ha scritto il De Robertis «assume, su un diverso piano, il carattere di dialogo tra poesia e prosa, tra poesia di ieri e poesia di oggi, fra tradizione e innovazione»; e in effetti l'elegante racconto e la timida presentazione del tema concettuale costituiscono elementi d'una forte attrazione verso il nuovo *stilo* della poesia, destando l'interesse del pubblico «non specializzato» dell'Italia duecentesca e incoraggiandolo a penetrare nei misteri d'una nuova concezione dell'amore cortese. Anche il tessuto prosastico, tuttavia, assimila ed esprime a quel pubblico novità sostanziali, presentando rispetto alla prosa dottrinaria del tempo una chiarezza di locuzioni, una scioltezza di ritmo, un fascino «romanzesco» destinati a costituire il vero «successo» letterario dell'opera, più che i testi poetici, i quali comunque presentavano fatti nuovi d'indiscutibile presa sul lettore borghese di fine Duecento. Eppure dinanzi c'è, è vero, un Dante del quale noi possiamo identificare gli *auctores* classici (si pensi allo sforzo notevole e ardimentoso che la dantologia contemporanea ha fatto in direzione di Orazio e di Persio, di Giovenale e di *flores* della commedia latina, persino delle *Bacchides* plautine), ma questo Dante vive in un consorzio letterario che può non aver lasciato tracce in scritti, ma aver maggior sentore della prosa poetica di quanto non si possa evincere dalle orme che, lievissime, sono rimaste nel sabbione infuocato della *Commedia*, in un crogiuolo di *auctoritates* che non vuol essere un repertorio di tutte le cose lette.

Ordunque, all'avido pubblico duecentesco che vuole un suo *liber*, non in latino o in francese, ma nella sua propria lingua, la *Vita Nuova*, nell'offrire una struttura assai originale di «romanzo-poemetto allegorico», rivelava il netto superamento e, al tempo medesimo, il perentorio inveramento dei fermenti innovatori che le prime rime avevano potuto esprimere soltanto in modo episodico; il superamento è nell'ordine stesso della struttura letteraria che abbandona le occasioni (inchieste e referendum di Dante da Maiano, tenzoni cortesi con Chiaro Davanzati, dubbi comunicati a Puccio Bellondi — se son di Dante *Tre pensier' aggio, Già non m'agenza, Chiaro*, e infine *Saper vorria, da voi*) per diversa e più alta occasione, conquistata mediante la disciplina del *labor limae* sui prodotti giovanili, penserei in gran parte riscritti e aggiornati stilisticamente all'atto di inserirli nel racconto, e nel complesso impegnando quella «tecnica dolce» di cui ebbe a parlare il Contini, e che riesce a «cancellare il suo sforzo», risolvendosi su di un «piano tessuto scrittorio modulato senza dislivelli». La disposizione simmetrica delle parole e dei costrutti, l'inconfondibile melodia di attacchi famosi quanto irripetibili nella storia della nostra lirica avanti la nuova musica verbale del Petrarca (*Tanto gentile e tanto onesta pare* ne è soltanto l'esempio più flagrante, ma *Venite a intender li sospiri miei* è il caso contrappuntisticamente centrale di questo dantesco *itinerarium*), l'abile transito tra il ritmo del verso e il tono dell'*oratio soluta*, la maestria della rima e l'asciutta *concinnitas* delle glosse esegetiche in tema di retorica o di dottrina, la consumata abilità che ormai ha Dante nell'assimilare gli elementi della cultura classica sino a spingersi a citare Omero (sono *auctores* ora consultati direttamente, ora mutuati attraverso la chiosa dei dittatori e le *disputazioni de li filosofanti*, perfettamente equilibrati con l'insegnamento dei Padri e dei Dottori della Chiesa): tutti questi elementi risultano guidati e riplasmati da una personale concezione dell'amore, che deve al Guinizzelli e al Cavalcanti nella misura in cui originalmente li trasforma e intimizza, e risulta sempre in perfetta coerenza con l'«ispirazione» d'amore d'uno spirito assetato di assolutezza ragionativa e di purezza affettiva, eppur continuamente richiamato dalle proprie ragioni letterarie alla poetica della «oggettivazione» dei sentimenti, e cioè alla perspicua e dinamica funzionalità concettuale della *loda* di Beatrice, per la qual *loda* non sono sufficienti la sola poesia ovvero la sola prosa, ma debbono essere chiamate ad esprimersi entrambe e assieme, in un tutto unico, assommabile in un'opera *fervida e passionata*, scritta *a l'entrata de la gioventute* (*Conv.* II, 16-18), ma che è già più che matura prova di un precocissimo ingegno poetico.

L'essenza di questo tutto unico, poesia più prosa, e prosa più poesia, si disvela nell'armonica distribuzione del materiale poetico nella «cornice» della *Vita Nuova*, con vistosi effetti derivati da innata predisposizione al racconto (il «romanzo» che sarà poi la *Commedia*), sì che si sarebbe tentati, qualche volta almeno, di credere col lettore del *libello* che le rime sottintendano alla ragione narrativa, mentre questa è in effetti, come tutte le cornici, un supremo adattamento, un esercizio *post factum* rispetto alla poesia, una misura squisitamente letteraria che serve a concretare il «momento della realtà» rispetto al «momento dell'immaginazione» (De Robertis), annullando tutte le *lectiones* varianti del lavoro in un *unicum* testuale. Vero è che noi sappiamo, e sapremo, assai poco sulle fasi di elaborazione della *Vita Nuova*, ma forse potrebbe esser giustificato chi pensasse non soltanto che la poesia, precedente la prosa nel suo primario concepimento, è stata sottoposta a definitivo assetto al momento dell'inserimento nel *journal* della vita giovanile e rinnovata, ma anche che è coevo il processo ispirativo rispetto a quello dottrinario, la causa del poetare rispetto all'effettivo verseggiamento, e inoltre nascono in momenti estremamente ravvicinati se non affatto coincidenti le rime per Beatrice e quelle per le donne dello schermo o per la donna pietosa.

Unica tra le varie opere dantesche ad apparirci del tutto fiorentina, nella lingua come nel fondale narrativo ovvero nel tipo di cultura da cui nasce, la *Vita Nuova* esprime, per i moduli di letture che la dominano, dischiusi ad influssi di Sicilia e di Provenza, di Bologna e di varie città toscane, ma fondamentalmente consegnati ad un processo di mediazione stilistica che è fiorentina, ad un orizzonte cittadino che è quello del pubblico cui *in primis* l'autore si rivolge nei suoi appelli al lettore, insomma agli spettatori-attori d'una luttuosa storia d'amore che s'erano preparati alla vicenda dolorosa mediante una precedente vicissitudine e che ora il poeta chiama a testimoni.

Conclusa la vicenda letteraria del «libello», il giovane poeta si pone obbiettivi diversi, anche se per il momento non maggiori (quasi tre lustri separano la fine della *Vita Nuova* dall'inizio effettivo dell'*Inferno*); e non è quindi possibile passare di colpo dalla struttura del romanzo-poemetto (ovvero, se posso correggermi, romanzo-piccolo canzoniere) a quell'invenzione di *tragedia* virgiliana accresciuta da moderne esigenze di *comedia*, a quel *monstrum* di *variationes* spaziali-temporali-culturali che sarà il poema: si può dire d'un passaggio dalla Firenze duecentesca del libro giovanile ad un'Europa trecentesca della *Commedia*, in perfetta analogia con quanto si verifica tra l'«elegia» fiorentina della *Tenzone* e il realismo toscano ed extra-toscano dell'*Inferno*. Con questa differenza di prospettiva: che la *Vita Nuova* è un'opera conclusa in se stessa, anche come panorama d'una vita aristocratica in Firenze (la città non era allora scevra di lutti politici, ma questi sembrano relegati in una zona morta che non macula il clima estatico della storia d'amore), mentre gli esperimenti realistici sono più dichiaratamente fiorentini, dall'onomastica alla toponomastica, dalle usanze demotiche al lessico becero, ma con pur sempre saggi o assaggi d'una materia stilistico-letteraria che sarà destinata a confluire in un'occasione più grande, sì da esserne, come pare, non autorizzata la divulgazione. La *Vita Nuova*, invece, è stata scritta per essere divulgata a molti, nel senso che induce a riflettere sulla vasta funzione educativa che Dante si proponeva d'esercitare con un'opera «attraente» e organica, qual è il «romanzo» della vita giovanile rispetto alle minori possibilità insegnative che potevano esprimere gli aristocratici canzonieri dei bolognesi e degli amici fiorentini. In tal senso ho tentato la definizione «romanzo-piccolo canzoniere», con questa diversità e sostanziale e formale: che le rime della *Vita Nuova* hanno una loro struttura autonoma di *rerum vulgarium fragmenta* rispetto alla prosa, mentre quest'ultima non può pretendere al rango di «racconto lungo» svincolabile da quel complesso poetico e assurto a *pièce* narrativa a sé stante.

S'è detto precedentemente qualche cosa sul rapporto

non solo strutturale, ma anche stilistico-linguistico tra poesia e prosa della *Vita Nuova*. È opportuno osservare da vicino alcuni elementi tecnici [5], tenendo presente la circostanza già annunciata che il rapporto poesia-prosa si fa flagrante a partire dal cap. XX, per infittirsi nella zona successiva, in particolare sul XXIII, nella canzone *Donna pietosa e di novella etate*, mentre tutta la prima parte del romanzo è per lo più in forma di chiosa amplificativa della lirica o in una posizione nettamente divergente. «Il discorso in poesia e quello in prosa dispongono gli stessi temi in maniera assai diversa. Dante nella prosa comincia con la sua infermità, poi il suo sogno, e in fine l'intervento della *donna giovane e gentile* e delle altre donne; nella canzone comincia invece con l'intervento della donna pietosa e delle altre donne, e dal verso 30 espone il sogno sotto forma di narrazione tenuta dalle donne. La prosa si attiene cioè a una successione cronologica delle azioni, la poesia porta il sogno nel dialogo con le donne, col gusto stilnovistico del dialogo, e si avvia sulla presenza della *Donna pietosa* e sul pianto del poeta, realizzando l'attesa per conoscere la ragione di quel pianto. [...] La prosa della *Vita Nuova*, se dà scarsissime indicazioni locali, s'indugia talora su precisazioni temporali. [...] Tali indicazioni temporali non sono presenti nella canzone; come sono anche della sola prosa i particolari realistici *andare per vedere lo corpo ne lo quale era stata quella nobilissima e beata anima* (par. 8); *quando io avea veduto compiere tutti li dolorosi mestieri che a le corpora de li morti s'usano fare, mi parea tornare ne la mia camera* (par. 10); e della sola prosa sono anche le precisazioni, l'una localistica, l'altra, per così dire, anagrafica della Donna Gentile.» L'esame fitto e concreto del Baldelli ha posto in rilievo la collocazione, nella pro-

[5] La gran parte d'essi sono dedotti dalla minuziosa analisi condotta da I. Baldelli, *Lingua e stile delle opere in volgare di Dante*, in «Enciclopedia Dantesca», vol. VI, *Appendice*, Roma 1978, pp. 57-112.

sa, di vocaboli quali *corpo, faccia, testa, visi di donne scapigliate, visi diversi e orribili*, mentre il linguaggio poetico rifugge da una siffatta scelta lessicale: a *scapigliate* si opporrà *disciolte*, e si condensa in parole non prosastiche quali *frale, smagati, caunoscenza*.

L'effetto della differenziazione poesia-prosa è considerato dallo stesso autore nel rapporto tra il sonetto *Deh peregrini che pensosi andate* e la misura del proposito manifestato dal poeta, la sua giustificazione *a posteriori*: il che contrasta, nella prima parte della *Vita Nuova* con l'esistenza di prose amplissime, di vasta tessitura sintattica, a premessa e *commento* di sonetti, e con la sua specie latineggiante, anzi col fitto insorgere di flagranti latinismi sconosciuti alla poesia, tutta strutturata sulle consuetudini del verseggiare «nuovo», ricche di echi di stile «dolce» di recente coniazione, e che non gradiscono gran copia di elementi estraibili dalla retorica classica e dalle reminiscenze scritturali, le quali non hanno ancora (all'altezza cronologica della *Vita Nuova*) grande possibilità di collocazione all'interno del linguaggio poetico: il che non sarà a partire dagli ultimi canti del *Purgatorio* all'intera terza cantica.

Se si potesse aprire con una operazione culturalmente lecita verso il futuro di Dante, noteremmo che la prosa della *Vita Nuova* travalica nella prosa del *Convivio*, cioè in un notevolissimo fatto culturale che tuttavia resterà circoscritto all'esperienza dantesca culta e non avrà molto da insegnare ai successivi prosatori volgari, anche fuori della trattatistica filosofica, mentre la poesia del «libello» troverà una spontanea foce nel gran mare del linguaggio «tragico» della *Commedia*, nei prodigiosi recuperi del canto V dell'*Inferno* e di tutta la compagine stilistico-linguistica del *Purgatorio*, all'interno di un'opera che, al pari della *Vita Nuova*, si svolge lungo un allegorico itinerario spirituale, anche se muteranno le prospettive del messaggio personale.

GIORGIO PETROCCHI

GIUDIZI CRITICI

I

Poesia di scuola

« Piuttosto che poesia, i componimenti danteschi giovanili — e non solo i primi nel vecchio gusto, ma anche le rime posteriori alla canzone che egli designa come il vero principio del suo stil nuovo (*Donne che avete intelletto d'amore*), e le altre ancora non incluse nella *Vita nuova* — si direbbero atti d'un culto, adempimenti di riti, cerimonie, drammi liturgici, in cui l'amore e gli altri affetti e operazioni dell'anima sono personificati; e la donna-angelo si comporta in questo e quel modo verso l'innamorato, il quale ha attorno, nelle sofferenze che sopporta e nelle azioni che compie, spettatori e spettatrici compassionanti e soccorrenti. Si descrivono così gli effetti mirabili che ella produce su colui che l'ama e su tutte le genti: si sciolgono le lodi della Gentilissima; si trema al suo cospetto; si adora, si piange, si chiede pietà o perdono. In siffatto atteggiamento di culto cortese o religioso non è possibile altro che eloquenza e colori rettorici: l'animo si è collocato, poeticamente, in una situazione falsa, che per altro falsa non è sotto l'aspetto pratico, in quanto deliberata esecuzione del programma della scuola e di ciò che al fedele di essa tornava gradito e gradiva ad altri e suscitava approvazioni ed entusiasmi: come si vede sem-

pre in questi casi, e ciascuno in ogni tempo può speri-
mentare, osservando la letteratura che gli fiorisce dintorno e le nuove scuole d'arte, che hanno cangiato e cangia-
no programmi, ma non mai andamento e carattere.

Ma la rettorica ha anch'essa gradi e forme varie; e
questa di Dante (e di alcuni tra i suoi amici e contempo-
ranei) non è quella rettorica meccanica, fastidiosa e ripu-
gnante, che ci si presenta soprattutto nei meri letterati e
ripetitori, e nelle fasi tarde e ultime delle scuole. È una
rettorica giovanile, e, in quanto tale, da una parte non è
tutta rettorica, e dall'altra, rettorica quale pur è in sostanza, è trattata con ingenuità, da spiriti che ci credono,
che se ne vogliono persuadere, se ne lasciano persuadere,
non ancora forti a indagare e a discernere in sé il profondo e il superficiale, il serio e il voluto serio, ciò che è
schietto e ciò che è alquanto artificiale. La donna-angelo
è una costruzione di testa; ma accanto a essa pur si muove il vago sogno giovanile di bellezza, di virtù, di soavità,
di purità: sogno arditissimo nei suoi voli pei cieli del perfetto e del sublime e accompagnato da altrettanta timi-
dezza nella vita reale; e tutto codesto non è escogitazione, ma affetto, aspirazione, sospiro, esaltazione, cosa, insomma, spontanea e sincera. Certo, quest'affetto non si
crea la propria forma, e ne toglie una già esistente e perciò disadatta, troppo ampia, troppo architettata, conven-
zionale; ma pur in qualche modo, circondando e abbrac-
ciando questa forma estranea, vi penetra dentro e l'anima di tratti vivi e commossi. L'escogitazione dell'intelletto prende figura in una giovane donna, dal "color di per-
la", dal sorriso estasiante; una figura che si vede e non si
vede, indeterminata, sfuggente; il sentimento, che ella
sparge, di beatitudine, è ineffabile: intender non lo può
chi non lo prova. E questa giovane donna, che così poco
dimostra di se stessa, fuori dell'incanto che diffonde col
suo apparire, ha la storia che le si confà, la storia delle
apparizioni angeliche; perché, come essere che non è del-

la terra, che non ha niente da fare né da amare sulla terra, presto muore, o piuttosto trapassa. L'ammirazione per la bellissima, per la divina parvenza, il dolore pel suo sparire, il rimpianto per lei che non c'è più, che non è più sulla terra eppure è sempre nel cielo e nel cuore di chi l'ha amata, il dominio che ella, morta e lontana, tuttavia esercita su lui, e l'abito di vita e di sentire che gl'impone, ammorbidiscono e ravvivano la poesia di scuola, che il poeta le consacra.»

(B. Croce, *La poesia di Dante* [1920], Bari 1952[7], pp. 29-31).

II

Una dolorosa concentrazione

«L'unità della poesia giovanile di Dante, che è ancor più evidente in altri componimenti dai motivi più concreti e meglio determinati, non ha dunque carattere razionale, ma di visione; e come le immagini di cui è composta una poesia sono evocate nella loro interezza reale, dal centro del loro essere, e non con l'accatastarne i contrassegni, così esse producono appunto quell'effetto; portano in sé forza di irraggiamento, pretendono potenza e la ottengono. Dappertutto la voce di Dante parla dal centro di una situazione ben determinata e inconfondibilmente unica; dappertutto egli vuol costringere l'ascoltatore a entrare in questa situazione; non gli basta la simpatia del sentimento o il consenso, o anche l'ammirazione del pensiero; egli pretende di essere seguito fin nell'estrema particolarità della situazione reale che evoca. Sarebbe inesatto e forse ingiusto, se si dicesse che egli viveva e sentiva con più forza e immediatezza dei poeti precedenti del medioevo; nei suoi versi c'è anche molto di forzato e di esagerato, il che non nasce dalla moda dominante, bensì dalla sua volontà di esprimersi ad ogni costo; piuttosto è che i poeti precedenti sono portati ad espandere largamente la loro esperienza, adducendo, mediante nessi associativi o logici, tutto ciò che ha riferimento a quell'esperienza o è capace di spiegarla e adornarla metaforicamente; Dante invece si tiene stretto al punto di partenza concreto, elimina ogni altra cosa estranea, affine, consimile, non si muove mai in ampiezza, ma sempre in profondità, lascia cadere tutti gli elementi circostanti e con testarda e spesso dolorosa concentrazione scava sempre più a fondo nell'unico motivo determinato. Molto caratteristiche sono a questo proposito le sue metafore. Nella lirica della *Vita Nuova* esse non hanno quasi mai un valore poetico autonomo, come nei provenzali o nel Guinizelli; non conducono mai su un terreno nuovo, non introducono un quadro nuovo e non creano distensione o riposo; spesso sono brevi e parche, sempre rimangono all'interno del fatto e il loro scopo non è puro godimento poetico, né spiegazione di concetti, e neppure una combinazione di entrambi; non sono altro che espressione e non compaiono che dove servono ad essa. In questo modo la composizione della maggior parte delle poesie è di una precisione e di una compattezza che alla generazione precedente sarà certo sembrata misera e insieme involuta. Raramente vi appariva una delle usuali immagini poetiche esornative; ma se appariva, non era elegante e dilettevole, anzi era esagerata a dismisura e trasportata nel reale con tanto impegno che spaventava e ripugnava; ma insieme tutta la poesia, proprio per il suo limitarsi al fatto unico concreto, in cui si rivelavano senza ritegni gli elementi personali e autobiografici, aveva assunto tale intensità che inquietava e feriva l'ascoltatore che non fosse disposto a lasciarsi trascinare con passione.

In confronto ai suoi predecessori, lo stile della poesia giovanile di Dante costituisce una limitazione, ma anche un arricchimento: una limitazione quanto al motivo, che era molto più determinato e specifico e che nel corso della poesia era mantenuto molto più rigorosamente e fermamente; e qui bisogna ricordare che un simile procedimento, che per sua natura ha un effetto più immediato e realistico, anche quando tratta cose quanto mai ardite e non quotidiane, era noto e diffuso da lungo tempo: ma non nello stile elevato; ché contenuti comici, pastorali o polemici erano stati spesso trattati così; anzi proprio in Italia esisteva una tendenza naturale a questo genere di poesia, e nel corso di questa indagine abbiamo già citato due componimenti, uno di Bonagiunta ("Voi ch'avete mutata la manera"), uno del Guinizelli ("Chi vedesse") in cui quella limitazione al concreto e al determinato viene usata con una certa maestria. Soltanto lo stile elevato della poesia profana non gli era stato accessibile perché ad esso si collegava l'idea di qualcosa di artificioso, non realistico, retorico, idea molto antica, da cui Dante si liberò solo a poco a poco e mai con consapevole coerenza. L'arricchimento invece sta nella profondità e nella coesione interna del motivo unitario, che si adatta meglio alla molteplice realtà del fatto e la sviluppa in modo più naturale.»

(E. Auerbach, *La poesia giovanile di Dante* [1929], in *Studi su Dante*, Milano 1971³, pp. 40-42.)

III

La Legenda di Santa Beatrice

«Dante giovane, accedendo alla scuola iniziata dal Guinizelli, e che doveva perfezionare e rappresentare come il più insigne campione, se ne assimila i motivi e gli schemi (*res nullius*), senza però riuscire a sorpassarli e trasformarli del tutto nell'individualità dell'opera sua: non nella corrente promossa dagli stilnovisti, e non in quell'età giovanile, era possibile al Poeta trovare la propria strada ed esprimere compiutamente se stesso.

Poiché Dante accoglie dalla sua scuola il concetto della donna agguagliata ad angiolo, beata e beatifica — e va anche oltre in questa spiritualizzazione dell'amore — si capisce come le poesie ispirate dalla celeste creatura siano state definite "atti d'un culto" cortese o religioso, e quindi tali che lasciano a volte adito (essendosi "l'animo... collocato, poeticamente in una situazione falsa") all'eloquenza e alla rettorica; sebbene però sia stata soggiunta, ad attenuazione, la chiosa, che a ogni modo si tratta di una rettorica giovanile, la quale pertanto o non è tutta rettorica, o, quando è tale, viene seguìta ingenuamente e senza l'uggioso ed esteriore meccanicismo dei puri letterati e degl'impersonali ripetitori.

Anche la *Vita Nuova* è un "atto di culto" ed è paragonabile a "un libretto di devozione" — questo è l'unico sottotitolo calzante, — steso in un'aura mistica, a ricordo onore e gloria di una beata o santa, la Beatrice del Poeta, "angiola giovanissima", "non figliuola d'uomo mortale ma di Deo", "distruggitrice di tutti li vizi e regina de le virtudi". "Uno angelo" è Beatrice così quando il Poeta, dopo il trapasso di lei, disegna "sopra certe tavolette", come quando prende la penna. (Forse, per l'utile positivo che viene da una definizione, come orientamento generale, si potrebbe scegliere a sottotitolo della giovanile operetta dantesca senz'altro quello di "Vita miracolosa, o Laude, o *Legenda*, di santa Beatrice"). Così si intendono meglio i sogni, le estasi, le visioni, le allegorie rettoriche (o metafore protratte, senza un senso riposto), le personificazioni, "il parlare per enimmi, le rilevate rispondenze astronomiche, i simboli dei colori e dei numeri", che si vengono mescolando al racconto della *Vita Nuova*; si giustificano il ripetersi instancabile delle parole *miracolo* — "miracolo è la nota predominante di questo sinfonico poemetto" — e *maraviglia* e l'uso conseguente di espressioni superlative; si capisce come i fatti reali siano lasciati nell'ombra, tanto che, per esempio, Firenze non è che *una* città e l'Arno è solo "un fiume bello e corrente e chiarissimo", e si capisce come, "per non parere troppo individuali, cioè troppo esclusivamente legati alla persona del giovine, di nome Dante e, di linguaggio, fiorentino", quei personaggi che sono Amore e spiriti parlino la lingua latina; si legittima la chiusa mistica, uguale a quella che leggiamo in moltissime Vite di Santi.

Ora, a sollevare e immergere il racconto in quella luce devota e mistica dalla quale Dante, specie dopo che Beatrice fu partita di questo secolo, vide illuminarsi le vicende del proprio amore e la vita, la fine e il fine della Donna della sua mente, non poteva che convenire e giovare l'esempio della prosa latina rimata. Tenere innanzi un modello, e ricalcarlo particolarmente nelle sue qualità più tipiche, era quasi indispensabile, mentre la prosa d'arte italiana moveva cautamente i primi passi. E ponendosi mano al volgare, quasi era impossibile (nella scelta degli esemplari non si può andare proprio a capriccio) rimanere immuni dall'infatuamento per la moda della divulgatissima prosa rimata, di un fascino così captivante e che, con gradazione di sfumature, rivestiva opere latine di pensiero, di passione, di fede. Di più, nel caso della *Vita Nuova*, tale prosa, ricca di ritmi e di suoni, si accordava alla musicalità e allo stile delle poesie sparse che erano da collegare in serto, e soprattutto si accordava alla musica di "un'anima commossa soavemente e rapita", come quella dell'estasiato giovane che scriveva il libello amoroso; e con i particolari procedimenti stilistici di cui era abbellita, con gli schemi onde si compiaceva e traeva profitto, con qualcuno dei suoi lenocinii rettorici, all'abilità del Poeta additava i mezzi opportuni per esprimere e cantare la lode della benedetta. »

(A. Schiaffini, *La « Vita Nuova » come Legenda Sanctae Beatricis*, in *Tradizione e poesia nella prosa d'arte italiana dalla latinità medievale a G. Boccaccio*, Genova 1934, pp. 91-94.)

IV

Una poesia adrammatica

«*Il sonetto XV ("Tanto gentile e tanto onesta pare")*
Auerbach, nel suo libro su Dante [...], ha confrontato la
nostra poesia con i due sonetti di Guido Guinizelli
"Voglio del ver la mia donna laudare" e "Lo Vostro bel
saluto e 'l gentil sguardo", e con il "Chi è questa che ven
ch'ogni om la mira" di Cavalcanti e ha rilevato magistralmente la "voce del giovane Dante": il poeta vede
"l'evento del salutare e del passare oltre e i suoi effetti
immediati", egli crea "l'illusione di un evento ininterrot-
to", facendo succedere a una specie di riflessione — ricordo il comparire della donna, e dopo la sua scomparsa
il ricordo e la meditazione, mentre le poesie antecedenti
o comunicano la loro intenzione e accumulano paragoni o
analizzano un'impressione globale, ricorrono ad inizi non
artistici e in ogni caso non sono in grado di presentare un
evento unitario, di mantenere un determinato stato d'animo.

Vorrei soltanto aggiungere che lo stesso evento meravi-
glioso/miracoloso inteso a mostrare la donna nella sua
funzione operativa (*pare*, v. sopra, n. VIII) viene rappresentato con misura estrema, che sta in contrasto non diciamo proprio "stridente", ma profondamente avvertibile, rispetto alla grossolanità massiccia, limitata all'aspetto materiale, dell'interpretazione di Guinizelli avido di
scoperte sensazionali: là dove nel vecchio "stilnovista" lo
sguardo e il saluto uccidono, e poi ancora tagliano, bru-
ciano, spezzano, fendono (*hysteron proteron*?!), trasfor-
mando il poeta non nella biblica statua di sale, ma in una
moderna "statua d'ottone" (!), qui lo spiritello che si libera dal volto di Beatrice impone a Dante soltanto il sospiro. La donna cammina chiusa in se stessa (il *si va* indica una beatitudine in sé conchiusa), noncurante dei

suoi effetti (mentre Guinizelli la fa apparire più consapevole: "ch'abassa orgoglio a cui dona salute") e, benché
senza "propositi sociali", socialmente efficace: il saluto è
un'azione sociale minima, che non sacrifica nulla del proprio io. Eppure i suoi effetti si avvertono, forti e dolci,
ciò che è la vera forza (troviamo per tre volte *pare*!). La
poesia si svolge tra il saluto della donna e il sospiro
dell'anima che la contempla, espressioni cioè del tutto in-
teriori, senza parola né suono; perché il parlare dello
"spirito d'amore" con l'anima è un parlare appena accen-
nato e l'imperativo: *sospira*!, ultima parola della poesia,
è in fondo un ordine che l'osservatore impartisce a se
stesso. Nella ballata "Veggio negli occhi della donna
mia" di Cavalcanti, assai vicina al sonetto di Dante, lo
stesso ordine parte dai sospiri:

> Cosa m'avien, quand i' le son presente,
> ch'i' no la posso a lo 'ntelletto dire:
> veder mi par de la sua labbia uscire
> una sì bella donna, che la mente
> comprendere no la può; ché 'nmantenente
> ne nasce un'altra di bellezza nova,
> da la qual par ch'una stella si mova
> e dica: «la salute tua è apparita»
>
> E movonsi ne l'anima sospiri,
> *che dicon*: «guarda! se tu costei miri,
> vedrai la sua vertù nel ciel salita».

Si tratta probabilmente di comandi espressi che in ultima analisi si modellano sui comandi della Creazione nella *Genesi*: "E Dio disse: sia fatta la luce e la luce fu": la
parola avente forza creatrice deve intervenire in ogni atto di creazione (come ogni nome secondo la filosofia biblica della lingua è creazione, vedi sopra). I potenti im-
perativi di Dio in Dante sono temperati e ridotti a obbli-

go interiore, la forza imperativa proviene dall'anima e ciò che viene comandato è qualche cosa di totalmente dolce e intimo: in realtà né un sospiro può comandare di guardare, né uno spirito d'amore destato dallo sguardo può comandare di sospirare. Eppure l'imperativo è necessario a questa poesia completamente adrammatica, che rappresenta una attività interiore (cfr. il *si mova* al v. 12): la forma imperativa pòssiede una sua forza attiva che — attraverso la cosa dolce, quasi impalpabile che viene ingiunta e le potenze del tutto spirituali tra le quali si articola il comando (spirito d'amore-anima) — rappresenta il più puro processo psichico nella sua potente necessità. Nello stesso tempo il sospiro, nella sua ambiguità tra dolore e dolcezza, costituisce una conclusione piena di presentimenti, decisa e insieme sospirosa della tensione causata dalla apparizione della "benedetta". Considerando infine che i sospiri che si liberano dal cuore sussurrano il nome dell'amata, si potrebbe affermare che si tratta di un riflusso dell'effetto di Beatrice su colei da cui ha preso le mosse. La rappresentazione dell'influenza della virtù, dell'apparizione virtuosa, che per la verità potrebbe riuscire discordante, viene resa con la commossa descrizione di una tenera contemplazione lirica. E tuttavia questa indicazione e manifestazione dell'effetto miracoloso viene chiaramente messa in rilievo da Dante mediante il riallacciarsi fonico delle parole *mirare* e *mostrare* dalle quartine alle terzine:

[una cosa venuta] da cielo in terra *a miracol mostrare* (v. 8);
Mòstrasi sì piacente a chi la *mira* (v. 9).

Si tratta dell'artificio delle *coblas capfinidas*, della *imbrication*, la quale, elaborata in Provenza, trovò tanta fortuna in Italia. Non per niente Dante avrà collocato proprio *questa* ripetizione di parola nel bel mezzo del sonetto: il *mostrare* è altrettanto significativo del *fare ono-*

re collocato nella stessa posizione in quel sonetto che, come si è visto sopra, è stato criticato da Auerbach. Esso si trova nel punto in cui la visione di Beatrice che compare e scompare si conclude e inizia la contemplazione, o meglio, il miracolo del destarsi dello *spirito d'amore*. Il poeta segna nettamente la divisione della poesia in due parti: l'apparizione di Beatrice — il miracolo che si compie nell'anima dell'osservatore (in modo del tutto simile sono divisi in due anche altri sonetti, come il xvi e il xxv: in quest'ultimo si riprende non testualmente ma concettualmente l'ultimo verso della fronte nella sirima (v. 8): "lo peregrino spirito la *mira — vèdela tal...*", dove anche il lettore, all'indugiare della contemplazione di Dante, deve soffermarsi); questa divisione in due corrisponde ai binomi potenzia-atto, maraviglia-miracolo, essere-parer, onestà-onore, vertute-operazione. E tutto il "libello" nel suo atteggiamento di culto è una conseguenza della grazia che emana da Beatrice, un "atto" poetico che scaturisce dalla vertù di lei. »

(L. Spitzer, *Osservazioni sulla « Vita Nuova » di Dante*, [1937], in *Studi italiani*, Milano 1976, pp. 143-146.)

V

Res e verba

«La dialettica che Dante istituisce, al cominciamento della *Vita Nuova*, tra la metafora, squisitamente medioevale, del "libro" della memoria e il "libello" medesimo, dice qualcosa di assolutamente essenziale intorno alla struttura del narrato dantesco. Essa esprime, per intanto, un sistema di corrispondenze che viene a ripercuotersi, con perfetto calcolo di proporzioni, nel nesso che si propone, ad un tempo, tra le "parole" (del "libro") e l'operazione dello "assemplare" (nel "libello"), traducendo con rigorosa evidenza il principio rettorico della 'convenientia', e riportandolo, in questo modo, per via di immagine, al suo limite estremo: e il nesso ancora si riflette, ulteriormente esplicandosi, nella relazione anche più complessa (ma qui espressa nella forma immediatissima di una 'storica', o vogliamo dire 'cronica' didascalia, molto facile e aperta), che congiunge i momenti operativamente distinti dello 'scrivere' ("sotto la quale rubrica io trovo scritte le parole"), del 'leggere' ("quella parte del libro de la mia memoria dinanzi a la quale poco si potrebbe leggere"), e infine, precisamente, dello 'assemplare' ("le parole le quali è mio intendimento d'assemplare in questo libello"). È offerta così, per via di immagine sempre, una conversione della dialettica culturalmente istituzionale di *'res'* e di *'verba'*, in una univoca, essenzialmente inedita relazione, e folta di implicazioni in sede di poetica, da *'verba'* a *'verba'* (dal "libro", insomma al "libello"): anche la celebre dottrina di Amore "dittatore" (in *Purg.* XXIV) è una delle possibili esplicazioni, e certo la più celebrata, di tale principio.

Tutto ciò, come avvertivamo, per via di immagine: ma a dimostrare che la forza del documento non può veramente ridursi al calcolo tutto esterno di un indifferente 'colore rettorico', non è necessario giungere sino alle pagine tarde del colloquio con Bonagiunta: la dialettica di *'res'* e *'verba'*, in questa nuova dimensione dantesca, importa infatti un immediato rovesciamento del moto, del pari istituzionale, che conduce dalla "sentenzia" alle "parole"; le "parole" stanno ora in prima sede, e la "sentenzia" ha smarrito il proprio privilegio di 'primum' categoriale, ponendosi come estrema ("le parole le quali è mio intendimento d'assemplare in questo libello; e se non tutte, almeno la loro sentenzia"): e il rovesciamento è precisamente legittimato dalla proclamata riduzione a fatto 'verbale' (da *'verba'* a *'verba'*) dell'intiero processo espressivo.

Si rende così comprensibile appieno il motivo per cui, soltanto dopo aver posta tale garanzia rettorica e decisa tale dialettica, il testo potrà veramente inaugurarsi sopra la illustre, e organizzatissima, *'descriptio temporis'*: "nove fiate già appresso lo mio nascimento...". In analoga situazione inaugurale, a principio della *Commedia*, la dichiarazione rettorica che deve condizionare l'intera struttura del narrato dantesco riuscirà come bruciata e consumata nel testo, come vedremo più oltre, risolta in aperto racconto, senza doversi ormai più raccogliere, per sporgere provocante, in margine alla pagina d'apertura. Alla *'descriptio'* parallela sarà allora concessa una condizione di anche più energico rilievo ("nel mezzo del cammin di nostra vita..."), anche se tale *'descriptio'* sarà consumata, in qualche modo, in palese contrazione; identico persisterà, finalmente, il rapporto diretto del narrato al narratore (o nei termini cari alla critica proustiana, e l'adattamento sembra felice, al 'personaggio che dice io'), rapporto risolto e approfondito nel riportarsi del termine oggettivamente relato per via simbolica ("nove fiate") alla immediatezza del possessivo ("nostra vita"), *possessive* — secondo che ama dire lo Spitzer — *of human solidarity*". »

(E. Sanguineti, *Dante «praesens historicum»*, in *Tre studi danteschi*, Firenze 1961, pp. 53-54.)

VI

Un libro chiuso

«Libro nuovo, dunque, doppiamente nuovo; per ciò che propone, e per il modo come lo propone, per ciò che rivela e per ciò che nasconde, per quel continuo rapporto tra realtà e "finzione" (in duplice senso anch'essa); o diciamo per la realtà che la finzione continuamente ricrea.

Anche il più candido e "devoto" dei lettori non si fa ormai illusioni circa la rete di relazioni che attraversano il racconto, circa le condizioni che determinano lo stesso suo accostamento. Come se poi Dante ammettesse, avesse mai presupposto, egli, un lettore candido. E poteva, a distanza d'anni, nel metter mano al *Convivio*, guardare senza incertezze all'opera giovanile, e dichiarare di non volere "a quella in parte alcuna derogare", proprio in quanto frutto di un'età precisa, in quanto prodotto "fervido e passionato": in quanto, cioè, valida per il tempo in cui fu scritta e a cui appartenevano quegli ideali, quei valori che in essa aveva difeso: i valori di una poesia "pura", che ha in sé la propria ragione, e in cui si riassommava per allora ogni perfezione e nobiltà: e la poesia era chiamata ora a celebrare e testimoniare la ricerca di una perfezione che era fuori di lei, la battaglia dell'uomo per la conquista della sua dignità (e finiva coll'aspirare a una sorta di sublime prosasticità). Direi che se la *Vita Nuova* non avesse sempre avuto questa segreta dimensione storica, se essa avesse aspirato a nient'altro che a una rappresentazione *una tantum*, Dante nel *Convivio* non avrebbe potuto che rifiutarla in blocco. Le ragioni del *Convivio* rappresentavano invece un superamento delle ragioni della *Vita Nuova*, così come quelle della *Vita Nuova* costituivano il superamento di altre ragioni; e la *Vita Nuova* rappresenta l'atto, e il travaglio di questo superamento, include, riassume, trasforma in sé quelle ragioni. Il primo libro della letteratura italiana non è, questo è certo, un libro candido. È anzi un libro estremamente tendenzioso. Tanto più in quanto ciò che Dante affermava di sé, e presentava come esperienza singolare, si configurava, per la natura stessa degli oggetti, in termini di giudizio, secondo un percorso e uno sviluppo ben chiari alla sua mente, e illuminanti; e la "storia" era un'interpretazione di fatti e di testi, portava un suo ben netto accento. Sotto la specie di una vicenda esemplare, la *Vita Nuova* proponeva e agitava idee ed esempi di carattere attuale, scottante, fissava alcune posizioni, alcuni rapporti vivissimi. La storia che stava soprattutto a cuore a Dante era la storia della sua poesia, della poesia del suo tempo.

Legata a una stagione, interprete di essa, la *Vita Nuova* stessa è frutto dei tempi. E aveva mai avuto, la nostra lirica, una stagione innocente? Lo spettacolo che ci offre la tradizione a cui Dante appartiene (giovanissima, come egli ben sapeva), è quello di un'arte nata adulta, cresciuta sotto il segno del più squisito intellettualismo, ed elaboratrice di un'idea e di una forma di linguaggio poetico come supremo diletto mentale, come esaltazione, sulla realtà occasionale, di un ritmo perfetto di pensieri e di atteggiamenti. L'ideale "cortese" si traduce a un certo momento in ideale espressivo, di cultura e di linguaggio, tende per se stesso a individuare un giro di rapporti ben definiti. E se il problema dell'amore "apre" verso una più vasta realtà spirituale, accentra in sé, fin d'allora, altre domande, altri rapporti, sembra addirittura interpretare più complesse istanze sociali (si pensi al "tema" della "nobiltà", la soluzione è sempre nel senso di un'intesa particolare, di un'iniziazione, di una scelta. La *Vita Nuova* è in effetti un libro chiuso, destinato a un'*élite*; che non è nemmeno sempre la stessa, dei lettori in genere di poesia, o dei "fedeli d'amore", ma a volta a volta "chi intende", "coloro a cui mi piace che ciò sia aperto", "questo mio primo amico a cui io ciò scrivo". Oltre le frontiere dell' "intelletto d'amore" si levano nuovi recinti, si intravedono più strette intese. Una storia d'amore innalzata ad esempio di vita perfetta; e questo che si appunta nella scoperta di un individualissimo segreto.

Il momento di tale rivelazione costituisce l'intimo nodo di quest'opera. E corrisponde, come è noto, all'identificazione delle ragioni del proprio amore con le parole della lode. È chiaro che la posizione assunta nel cap. XVIII è quella che la *Vita Nuova* intende rappresentare; e aggiungiamo subito che quella scoperta, prima che invenzione e mito, era un fatto di tono e di stile, delle rime della lode appunto, di quella rappresentazione o dimostrazione fermissima. La beatitudine è dunque nell'amore stesso, amare è tutto nell'inno. Le ragioni dell'uomo e quelle del poeta coincidono: la poesia è quella perfezione di vita. Ma tutta la favola è estremamente allusiva. Il filo è dato dalle vicende e dalle occasioni del lavoro poetico dantesco (la validità cioè di quell'amore sta in ciò che rende alla poesia); e se tutto era chiamato a confluire nella celebrazione di un unico ed eterno ideale, di fatto è questo ideale che deve venire di volta in volta a patti coi dati di un'esperienza poetica già acquisita. Non è certo che ai termini dell'avventura sentimentale si debba dare un preciso equivalente storico, che la protagonista, o protagonisti, siano anagraficamente identificabili. Ma quegli altri personaggi che sono le rime accolte nel libro, essi sì costituiscono storia; e i partecipanti dell'altra avventura, quella poetica, Cavalcanti per primo, noi li riconosceremmo anche se Dante non ce ne avesse fornito i connotati. E c'è, ripeto, quel rapporto vivo da prosa a verso (da storia a storia) che continuamente si ripropone, che s'intreccia e modula attraverso la favola. Come se poi Dante non avesse badato a puntualizzarne, di volta in volta, i termini, coi suoi interventi, i suoi riferimenti, le sue didascalie.

Ora che a Dante, della toccata certezza, non bastasse di riassumere i significati supremi, il simbolico trionfo, e quel raggiungimento si ridisegnasse secondo le tappe di un'esperienza esemplare e addirittura secondo un ordine provvidenziale, in forma insomma di "dimostrazione", risponde appunto a quell'idea di una perfezione in atto, oltre che all'esigenza di rappresentazione che le rime portavano con sé. E possiamo comprendere anche che aspetti e momenti diversi, e non facilmente riducibili, della sua esperienza poetica tendessero a collocarsi sotto quel segno, a disporsi lungo quel progresso; e che la dimostrazione finisse col caricarsi di più termini che in realtà non sopportasse. Un poeta sa che nulla è veramente perduto per la poesia. È appunto questa storia a più ampio raggio che Dante coraggiosamente affronta qui, storia, come sapeva, già consegnata agli atti, con dei significati già compromessi, e che non era facile riportare ad un'univoca ragione: un coraggio e una consapevolezza mal ripagati da tanti dei suoi critici, esercitatisi, più assai che a rilevar contrasti e ad individuar suture e interpolazioni, a cercar di appianare, di pareggiare tutto, a far tornare tutti i conti. In Dante, al contrario, pur nella ricerca di una giustificazione unitaria, è vivissimo il senso della natura delle testimonianze che aveva davanti. La *Vita Nuova* è in sostanza un'antologia della sua poesia giovanile; un'antologia come poteva concepirla uno dell'età sua, facendo correre le ragioni al livello delle occasioni, un'antologia a soggetto, diciamo; ma senza che l'autore faccia mai nulla perché questo aspetto rimanga sommerso, sprofondato nella favola, né per dissimulare l'intento culturale, letterario che lo sorregge, il carattere appunto del "libro". L'anteriorità della poesia rispetto alla prosa è esplicitamente dichiarata, i due tempi sono tenuti ben distinti; e dal primo istante è sottolineato questo carattere di ritorno sulla propria esperienza, di sguardo volto al passato (anche se per risollevarlo alla nuova luce, al suo più vero senso), di dialogo con se stesso. E perfino serbato, a certe "occasioni", il loro autentico volto. »

(D. De Robertis, *Il libro della « Vita Nuova »*, Firenze 1961, pp. 7-11.)

VII

Dall'amore-passione all'amore-carità

« È un itinerario chiarissimo ed evidente, già del resto intravisto dal Parodi, già ragionato magistralmente da Bruno Nardi: dall'amore-passione all'amore-carità, dalla contemplazione sensibile alla visione ultrasensibile nel "libro della memoria". E tale elevazione avviene gradualmente proprio secondo le teorie dei maestri più cari a Dante "francescano" e fiorentino: cioè di quei Vittorini che avevano approfondito l'elemento psicologico dell' *"itinerarium mentis in Dominum"*. *"Si ergo et tu scrutari paras profunda Dei, scrutare prius profunda spiritus tui"* esortava agostinianamente Riccardo nel *De gratia contemplationis* (I, 3, 8); e insegnava proprio a condurre la mente dalla visione delle cose sensibili (*cogitatio*) alla comprensione dei valori spirituali che vi sono inerenti (*meditatio*) fino a penetrare in "mirabile visione" nella essenza del creato e in Dio (*contemplatio*). La triplice divisione vittorina (e bonaventuriana) è riflessa, sia pur indirettamente e genericamente, nella *Vita Nuova*; dove per opera della sua "gloriosa donna" la "mente" è condotta dalla contemplazione sensibile alla contemplazione spirituale e alla lode, e quindi alla esaltazione dell'essenza incorporea e angelica di "Beatrice beate", e, attraverso di lei, alla visione della gloria di Dio. Ma il punto di partenza, coerentemente al pensiero vittorino, è del tutto umano: il poeta vede in una creatura eccellente, ma sensibile, lo specchio di Dio e ne celebra le lodi. Vede cioè in Beatrice non certo Dio o Cristo, ma soltanto, secondo il linguaggio allora corrente, uno *"speculum Christi"*; come deve essere ogni uomo, come è in effetti ogni santo. Non era necessaria, per questa visione, nessuna complessa o impegnata costruzione filosofico-teologica, che sarebbe estranea alla limitata cultura giovanile di Dante, ma soltanto un'elementare e corrente sensibilità cristiana. Proprio la mistica e la pietà francescane amavano proporre non concezioni o vie astratte di perfezione, ma concreti esempi di *"specula"*; e all'affisarsi diretto nel modello di Dio incarnato, troppo arduo e sublime, preferivano l'umile considerazione di uno *"speculum Christi"* che in qualche modo facesse da mediatore fra la materialità dell'uomo e la trascendenza divina. »

(V. Branca, *Poetica del rinnovamento e tradizione agiografica nella « Vita Nuova»*, in AA.VV., *Studi in onore di Italo Siciliano*, Firenze 1967, pp. 129-130.)

VIII

Esperienze culturali

«La pluralità delle esperienze, la stratificazione e integrazione delle strutture, lo scambio delle funzioni non mettono solo in evidenza la complessità della realizzazione (e, se si vuole, il gusto dell'esibizione e della contaminazione), ma dicono l'ampiezza dell'orizzonte di Dante e, sotto l'apparente umiltà del testimone e dello scriba, l'altezza del suo confronto, lasciano trasparire un movimento e una partecipazione intellettuali più profondi, altri modelli, altre suggestioni, altre prospettive, altre scoperte. Il *De amicitia* non ci sta solo come *auctoritas* e fonte di dottrina, ma, giusta l'intenzione con cui fu dapprima letto, come esemplare letterario e poetico; così come la frequentazione dei testi sacri e delle discussioni filosofiche non gli fruttò solo il lustro di una citazione di Aristotele *in secundo Metaphysicorum* (capitolo xli, 6), ma una più sottile motivazione delle sue scelte poetiche e delle stesse "ragioni". Cicerone richiama e direi autorizza altre presenze. Che i termini di confronto per l'immaginazione dei poeti volgari siano nel capitolo xxv tutti poeti classici, non è solo per corrispondere a un quadro della tradizione che almeno nel iv dell'*Inferno* risulta immutato. Accanto a Cicerone, nel ii del *Convivio*, compariva del resto Boezio, che doveva fornire lo spunto all'interpretazione della "donna gentile". In confronto al *Convivio*, che stabilisce una volta per tutte, per non tornarvi più sopra, il rapporto tra poesia e "sentenza", il passaggio dal significato letterale all'allegoria, la *Vita Nuova* è un continuo porsi i problemi relativi al linguaggio poetico e ai suoi rapporti col linguaggio comune (si potrebbe anzi dire che, sia pure acerbamente, se li pone tutti); e ciò non solo dove e in quanto analizza e discute le soluzioni poetiche trovate. Quello della *Vita Nuova* è, per dirla con Jakobson, tutt'un "discorso semicitato". E la lettura di Virgilio non fornisce solo un argomento di più in favore della figura della prosopopea, né, fuori del libro, complice ancora una volta Cavalcanti, i primi suggerimenti per una non poi tanto timida appropriazione dell'ecloga bucolica alla poesia volgare. Che colpisce, è che Virgilio funzioni per la prosa, e non per un mero trapianto di moduli. L'eco della IV bucolica proprio a chiusura del libro pone sotto l'augusto segno (nonché sotto la tutela di un preciso *topos* letterario) la suprema aspirazione del poeta, riconosce nel motivo del vagheggiamento di un'opera più alta il senso di una storica perennità della poesia. E l'essersi mosso, all'inizio, sul passo stesso dell'epopea virgiliana e di una delle sue più tipiche riprese, costituiva su ben altro che occasionali fondamenti questo narrare seguendo il filo della memoria, dandogli subito respiro di annuncio e di celebrazione. La *Vita Nuova* prima ancora (e più) che a farsi collezione di *memorabilia* e depositaria di sapienza ambisce alla totalità della parola. La conquista del "bello stile" comincia già di qui, e sotto le figure di un'estrema libertà di scoperta. La scommessa, anche nell'atto del "dire per prosa", era quella della poesia. E della prosa — che potremmo dire ancora sperimentale o pre-sperimentale, tentante di volta in volta, d'occasione in occasione (di capitolo in capitolo) nuove dimensioni, di una "località" che non è certo quella spregiudicatissima delle rime, talvolta arieggiante la poesia, sempre ancella della poesia, anche dove entra in gara con questa, e pur come portata avanti da essa, e in ogni punto così sottilmente intellettuale e didattica — della prosa il fascino, se questa parola è lecita oggi, è proprio la sua allusività. Ogni espressività è puramente casuale, e forse indotta solo dalla nostra lettura. E le componenti più mature di questo stile, di un discorso che cresce sotto i nostri occhi, sono essenzialmente d'ordine concettuale, appartengono, in perfetta coerenza con la funzione riservatasi, e coi caratteri dello "stil novo", al piano dell'intelligibilità. »

(D. De Robertis, *Introduzione* a Dante Alighieri, *Vita Nuova*, Milano-Napoli 1980, pp. 18-19. Il saggio è del 1973.)

IX

La « vita nuova » e la mistica

«Comunque, la linea narrativa c'è, ed è ben tracciata, con vigoria, con robusta sicurezza: il passaggio da un amore ancora cortesemente atteggiato e spesso modulato secondo variazioni di tipo cavalcantesco, ad un amore contemplativo, attinto nell'ansia della suprema verità e della conoscenza di Dio attraverso un amore terreno, è vero, ma che divinamente beatifica, del tutto interiore ed assorto e virtuosamente nobilitante. C'è tutto lo Stil nuovo in questa linea narrativa, e ci sono anche i mistici, specialmente i mariani e i francescani. La *Vita nuova* nel suo svolgimento sembra proprio coincidere col passaggio da un'aristotelica *visio corporalis* come *principium amoris sensibilis* (cioè amore stilnovistico-cortese), ad una tomistica *contemplatio spiritualis pulchritudinis* come *principium amoris spiritualis* (stilo de la lode e glorificazione di Beatrice). E se in questo passaggio non si vogliano schematicamente (che sarebbe rischioso) cogliere i tre gradi dell'ascesi mistica bonaventuriana, di *sensualitas, spiritus* e *mens*, meno difficile dovrebbe poter essere il riconoscervi almeno genericamente o approssimativamente, i principali momenti di ogni atteggiamento misticheggiante; e cioè l'iniziale purificazione dei sensi e dell'immaginazione, condizione necessaria per la lode e la contemplazione spirituale, dalla quale infine solo si può accedere alla contemplazione intellettiva (l' "intelligenza nova" del son. *Oltre la spera*). Così è soprattutto per la prosa, se nella *Vita nuova* "la bellezza diventa il velo di un bene che è pur morale e intellettuale", come, con felice sintesi, ha scritto Ferdinando Neri. Al contrario, in questi ultimi anni, in accordo con una interpretazione dello Stil nuovo tendente a metterne in luce più i legami con la tradizione che gli elementi innovatori, buona parte della migliore critica dantesca sembra insistere sul carattere precipuamente cortese dell'amore cantato nella *Vita nuova*, assecondando un già ricordato giudizio del Barbi, giustificato per altro dalla polemica contro la costruzione mistica e spiritualistica del Pietrobono. L'amor cortese tradizionale è soprattutto, come s'è visto, servizio d'amore per mercede d'amore: le rime della lode (e le successive della glorificazione) insieme con la prosa che le accompagna celebrano invece un amore pago di sé, puramente spirituale e contemplativo, il quale trova mercede solo nell'effetto dell'amore stesso interiormente nobilitante. Celebrano un amore "gratuito", diverso nella sua sostanza da quello tradizionalmente cortese. Ma bisognerebbe anche chiedersi le ragioni di questa novità; e queste ci sembra che non possano cogliersi se non in un mutato atteggiamento interiore, in una nuova concezione dell'amore, non più come reciprocità di "servizio", ma come religioso, cristiano riscatto e affrancamento spirituale, anche se non misticamente ebbro ed annichilante. Dante ricerca nelle creature l'immagine della Trinità ed è guidato dal suo amore *ad speculandum Deum in vestigiis*, onde l'ontologismo teologico di cui s'è già detto.

Certo, nessuno nella *Vita Nuova* s'illuderà di poter cogliere l'*enosis* dello pseudo-Dionigi; ma nessuno vorrà negare neanche la presenza costante e l'influsso profondo di un altro diverso misticismo, quello francescano che si respirava con l'aria intorno. Mistico è l'amore, che, pur mantenuto nella sfera terrena, venga ad assumere i caratteri della *Charitas*, della *dilectio Dei*. E del resto, che cosa di ovidiano rimane nella concezione e nel sentimento dell'amore quali emergono dalla *Vita Nuova*, dal centro ideologico per cui l'operetta è davvero e soltanto se stessa, se si insista a parlare esclusivamente e sostanzialmente d'amor "cortese"? Quali principi, quali segni, quali atteggiamenti che possano essere reperiti nel *De amore* di Andrea Cappellano ("*Amor est passio quaedam ...ob quam aliquis super omnia cupit alterius potiri amplexibus et omnia de utriusque voluntate in ipsius amplexu amoris praecepta compleri*", cap. I), compaiono nelle rime in lode di Beatrice?»

(M. Marti, *Storia dello Stil Nuovo*, Lecce 1973, pp. 462-464).

X

Il ritmo ternario

«Il ritmo compositivo della *Vita Nuova* è tutto quanto sostanzialmente ternario. Già altri lo hanno asserito, ma non vedo che la conseguente ripartizione dei suoi 42 capitoli sia stata neppure tentata: caso mai, si è portata l'attenzione sulle rime, e s'è cercato di vedere in esse, specialmente dal Singleton, un chiarificante ordine di distribuzione. Ma a me sembra che un ordine di ben maggiore chiarezza venga fuori proprio dalla prosa, dove la divisione è per *materie*; e Dante stesso viene esplicitamente in soccorso del lettore.

Intanto: l'esposizione dell'amore di Dante non inizia col cap. I, che costituisce notoriamente il proemio; e neppure col cap. II, che narra del primo incontro con Beatrice; e nemmeno col cap. III, che narra del secondo incontro: i primi tre capitoli narrano nient'altro che l'antefatto e il presagio di quell'amore: di esso, anzi proprio del suo inizio, si comincia a parlare con il capitolo successivo:

Da questa visione innanzi cominciò lo mio spirito naturale ad essere impedito ne la sua operazione, però che l'anima era tutta data nel pensare di questa gentilissima.

Con esso inizia una serie di 15 capitoli (cinque volte 3), in cui si parla dell'amore di Dante che ha per fine il saluto di Beatrice, ma che più propriamente illustrano le poesie "sopra lo mio stato" (XVI, 1), e si concludono col preannuncio d'una nuova materia di canto. Ad essi seguono 9 capitoli (il numero-chiave di Beatrice!), che s'aprono con la canzone *Donne che avete* e la sua *razo*, e parlano dell'amore che ha per fine la *loda* della gentilissima, dell'amore come intimità; e bisognerà anche ricordare che essi terminano con una canzone interrotta: Dante riesce appena a comporne la prima stanza, che Beatrice muore:

Io era nel proponimento ancora di questa canzone, e compiuta n'avea questa soprascritta stanzia, quando lo signore della giustizia chiamoe questa gentilissima a gloriare sotto la insegna di quella regina benedetta virgo Maria, lo cui nome fue in grandissima reverenzia ne le parole di questa Beatrice beata:

si ha proprio l'impressione che anche con tal mezzo, con tale interruzione, Dante abbia voluto simbolicamente comunicarci il senso d'una rottura, d'uno schianto: quella della vita mortale di Beatrice che all'improvviso s'interrompe.

E che col cap. XXVIII inizi l'ultima serie, anch'essa di 15 capitoli come quella dell'amore precedente alla *loda*, lo dichiara Dante stesso, allorché nel XXX ricorda:

io, ancora lagrimando in questa desolata cittade, scrissi a li principi de la terra alquanto de la sua condizione, pigliando quello cominciamento di Geremia profeta che dice: *Quomodo sedet sola civitas*. E questo dico, acciò che altri non si meravigli perché io l'abbia allegato di sopra, quasi come cominciamento de la nuova materia che appresso viene:

con quelle parole di Geremia inizia appunto il capitolo XXVIII, cioè il primo degli ultimi quindici.

Si ottiene dunque la seguente successione seriale, tutta composta di tre o di suoi multipli: di tre capitoli il preludio, di nove la parte più significativa, di quindici quelle che la precedono o seguono: — e neppure il quindici, sia detto qui di passaggio, era un numero insignificante, se è vero che 15 sono gli anni che compongono ogni indizione (cfr. XXIX, 1), a partire dal 313, data dell'Editto di Milano, con cui venne riconosciuta libertà di culto al Cristianesimo.

Ora: se osserviamo all'interno dell'ultima serie quali siano i capitoli dedicati alla "donna gentile", sarà facile accorgersi che essi non sono né 3 né un numero multiplo di 3, e non si aprono né si concludono con un multiplo di 3: essi sono i capp. XXXV-XXXVIII (quattro capitoli) che se ne stanno come rinserrati fra il XXXIV (quello ove Dante si raffigura in atto di dipingere un angelo, e vi commenta poi il sonetto dell'annuale) e il XXXIX, nel quale il pensiero di Beatrice ritorna, così come ritorna il pianto del poeta, stavolta di profondo pentimento.

Il tutto, dicevamo, è durato "alquanti die": un'insignificante parentesi in una vita ben altrimenti strutturata. »

(G. Favati, *Inchiesta sul dolce stil nuovo*, Firenze 1975, pp. 299-301.)

XI

La nuova parola d'amore

«Se per Dante lo stilnovismo è, come s'è detto, essenzialmente fedeltà al "dittatore", e dunque poetica dell'oggettivazione dei sentimenti, il suo culmine e insieme il suo punto d'innovazione è costituito dall'istante in cui l'organizzazione dei fedeli d'Amore si fa completa fino a includere la giustificazione della parola. Il mito è certo fra i più belli che annoveri la storia delle poetiche (*Vita Nuova* XVIII): se la felicità non sta più neppure nel minimo di cosa esterna all'amante, il saluto di madonna, che finora era la causa finale della vita di lui, essa consisterà in qualcosa di permanente, "in quelle parole che lodano la donna" sua; e poiché — tema del "coro" femminile e tema dell' "oggettivazione" del rimorso insieme — le gentili donne lo rimproverano d'avere usate altre parole che le volte a quella lode, propone "di prendere per matera de lo "suo "parlare sempre mai quello che fosse loda di questa gentilissima". È dunque un'esigenza d'unità e totalità quella che muove la mente di Dante e determina le *nove rime* (la *razo* di *Donne ch'avete* ci fa altresì assistere al rapporto fra l'ispirazione, l'*est deus in nobis*, da cui trae origine il "cominciamento", "Allora dico che la mia lingua parlò quasi come per se stessa mossa...", e il lavoro, il pensiero di "alquanti die"). È la stessa esigenza che ispira l'estensione della poesia amorosa alla poesia morale, e dalle *nove rime* fa uscire il *bello stilo*. Un tal passaggio è allegorizzato nel sonetto *Due donne in cima de la mente mia*, in cui l'unicità d'amore si scinde dapprima negli aspetti di bellezza e virtù, e poi torna a comporsi nella solidarietà primitiva, proclamata, si noti bene, da Amore in quanto "fonte del gentil parlare", in quanto "dittatore" insomma.»

(G. Contini, *Introduzione* a D. Alighieri, *Rime*, Torino 1965³, pp. XVIII-XIX.)

BIBLIOGRAFIA

Senza ricorrere all'indicazione di opere generali, storie letterarie e voci dell'*Enciclopedia Dantesca* relative alla *Vita Nuova*, nonché delle introduzioni alle edizioni citate nell'ambito della *Nota al testo*, mi limito a ricostruire senza pretese di esaustività un panorama bibliografico della critica moderna sul libello:

AA. VV., *Studi inediti su Dante Alighieri*, Firenze 1846.

F. De Sanctis, *Lezioni e saggi su Dante*, a cura di S. Romagnoli, I, Torino 1955, pp. 129-145.

A. Lubin, *Intorno all'epoca della Vita Nuova di Dante Allighieri* (*sic*), Graz 1862.

F. S. Orlandini, *Della Vita Nuova di Dante Alighieri...*, in *Dante e il suo secolo*, Firenze 1865, pp. 383-418.

G. Todeschini, *Scritti su Dante*, Vicenza 1872.

G. Puccianti, *La donna nella « Vita Nuova » di Dante e nel « Canzoniere » del Petrarca*, Pisa 1874.

R. Renier, *La Vita Nuova e la Fiammetta*, Torino 1879.

F. Mariotti, *Dante e la statistica delle lingue* , in « Rendiconti dell'Accademia Nazionale dei Lincei », classe di scienze morali, CCLXXVII, 1879-80, pp. 262-290.

R. Fornaciari, *Studi su Dante*, Milano 1883.

F. D'Ovidio, *La Vita Nuova e una recente edizione di essa*, in « Nuova Antologia », XLIII, 15 marzo 1884, pp. 238-268.

P. Rajna, *Per la data della Vita Nuova*, in « Giornale storico della letteratura italiana », VI, 1885, pp. 116-162.

I. Della Giovanna, *Frammenti di studi danteschi* , Piacenza 1886.

G. Gietmann, *Beatrice. Geist und Kern der Dante'schen Dichtungen*, Freiburg 1889.

M. Scherillo, *Alcune fonti provenzali della Vita Nuova*, in « Atti dell'Accademia di Archeologia Lettere e Belle Arti di Napoli », XIV, 1889-1890, pp. 201-316.

P. Rajna, *Per la data della Vita Nuova*, in « Biblioteca delle Scuole Italiane » II, 1890, pp. 161-164.

Idem, *Lo schema della Vita Nuova*, Verona 1890.

G. G. Curcio, *Studi sulla Vita Nuova di Dante*, in « L'Alighieri », 3, 1891-92, pp. 229-246 e 287-301.

I. Del Lungo, *Beatrice nella vita e nella poesia del secolo XIII*, Milano 1891.

A. Cesari, *La morte nella Vita Nuova*, Bologna 1892.

G. Poletto, *Alcuni studi su Dante Alighieri*, Siena 1892.

F. Pasqualigo, *Pensieri sull'allegoria della Vita Nuova*, in « L'Alighieri », 3, 1892, pp. 87-98 e 169-183.

A. Lubin, *Valore della lezione « va » nel paragrafo XLI della Vita Nuova. L'« usanza d'Arabia » del paragrafo XXX, inammissibile*, in « Giornale dantesco » I, 1893-94, pp. 193-211.

F. Ronchetti, *Di un possibile spostamento nella tessitura della Vita Nuova*, in « Giornale dantesco », 2, 1894-95, pp. 221-225.

B. Nogara, *La donna pietosa nella Vita Nuova e nel Convito*, in *Miscellanea per nozze Marietti-Brini*, Milano 1895.

A. Lubin, *Dante e gli astronomi italiani*, Trieste 1895.

G. Maruffi, *Le parole oscure d'amore nel paragrafo XII della Vita Nuova*, in « Giornale dantesco », III, 1895-96, pp. 125-128.

L.F. Mott, *The System of Courtly Love as an Introduction to Vita Nuova*, Boston 1896.

M. Scherillo, *Alcuni capitoli della biografia di Dante*, Torino 1896.

J. Earle, *Dante's Vita Nuova*, in «Quarterly Review» 184, 1896, p. 24.

E. Moore, *Studies in Dante*, First Series, Oxford 1896.

G. Curto, *La Beatrice e la Donna Gentile di D. Alighieri*, Pola 1897.

G. Mazzoni, *Il primo accenno alla Divina Commedia?*, in *Miscellanea Nuziale Rossi-Teiss*, Bergamo 1897, pp. 131 sgg.

A. Dobelli, *Studi letterari*, Modena 1897.

V. Crescini, *Le «razos» provenzali e le prose della Vita Nuova*, in «Giornale storico della letteratura italiana», XXXII, 1898, pp. 463-464.

J. Earle, *La Vita Nuova di Dante*, Bologna 1899 (e cfr. G. Mazzoni nel «Bullettino della Società Dantesca Italiana», VI, 1899, pp. 57-63).

G. Ciuffo, *La visione ultima della Vita Nuova*, Palermo 1899.

G. L. Passerini, *Vita Nova Dantis*. Frammenti di un codice membranaceo del sec. XIV novamente scoperti, Firenze 1899.

E. Gorra, *Il soggettivismo di Dante*, Bologna 1899.

G. Manacorda, *Lisetta è la Donna Gentile?*, in «Giornale dantesco», VIII, 1900, pp. 105-108.

N. Scarano, *Fonti provenzali e italiane della lirica petrarchesca*, in «Studi di filologia romanza», VIII, 1901, pp. 250-360.

M. Scherillo, *Il nome della Beatrice amata da Dante*, in «Rendiconti del Reale Istituto Lombardo di scienze e lettere», II, XXXIV, 1901.

G. Pascoli, *La mirabile visione*, Messina 1902 (poi in *Prose*, a cura di A. Vicinelli, Milano 1952, II, pp. 783-904; *Sotto il velame*, I, pp. 740-756).

M. Martinozzi, *Sopra la partizione della Vita Nuova*, Modena 1902.

K. Federn, *Dante and his Time*, New York 1902.

G. Federzoni, *Questioni dantesche: vecchie e nuove con-*

siderazioni sul disegno simmetrico della Vita Nuova, in «Il Fanfulla della Domenica», 24, n. 43, 26 ottobre 1902.

E. Lamma, *Questioni dantesche*, Bologna 1902.

G. S. Lisio, *L'arte del periodo nelle opere volgari di Dante Alighieri e del secolo XIII*, Bologna 1902.

C. H. Grandgent, *Dante and St. Paul*, in «Romania», XXXI, 1902, pp. 14-27.

N. Simonetti, *L'amore e la virtù d'immaginazione in Dante*, Spoleto 1902.

N. Scarano, *Beatrice*, Siena 1902.

P. Rajna, *Per le «divisioni» della Vita Nuova*, in *Strenna dantesca*, a cura di O. Bacci e G. L. Passerini, I, Firenze 1902, pp. 111-114.

M. Barbi, *La data della Vita Nuova e i primi germi della «Commedia»*, in «Bullettino della Società Dantesca italiana», X, 1903, pp. 89-102 (poi in *Problemi di critica dantesca*, I, Firenze 1934, pp. 99-113, assieme ai saggi *La questione di Beatrice*, del 1905, pp. 204-223; *Una nuova opera sintetica su Dante*, dal «Bullettino della Società Dantesca Italiana», n.s. XI, pp. 1-58, del 1904).

P. Chistoni, *La seconda fase del pensiero dantesco*, Livorno 1903 (e la recensione di M. Barbi, in *Problemi di critica dantesca*... cit, I, pp. 87-97).

K. McKenzie, *The Symmetrical Structure of Dante's Vita Nuova*, in «PMLA», 18, 1903, pp. 341-355.

C. Grasso, *La Beatrice di Dante*, Palermo 1903.

G. Gargano Cosenza, *La varia fortuna di Beatrice*, Castelvetrano 1903.

Idem, *Il simbolo di Beatrice*, Messina 1903.

A. Gaspary, *The meaning character of the Vita Nuova*, in *Aids to the Study of Dante*, ed. C. A. Dinsmore, Boston-New York 1903, pp. 172-187.

V. Zappia, *Studi sulla Vita Nuova — Della questione di Beatrice*, Roma 1904.

K. Vossler, *Der süsse neue Stil*, Heidelberg 1904.

A. Corbellini, *Quistioni ciniane e la Vita Nuova di Dante*, Pistoia 1904.

Idem, *Un passo del Convivio di Dante e la data della Vita Nuova*, Pavia 1905.

Idem, *Il « trattato » della « partita » di Beatrice*, in « Rivista ligure », XXVII, 1905, 30 sgg.

F. Pellegrini, *Noterella dantesca*, in « Ebe », 13, 1905.

V. Grazzani, *Spiegazione dell'allegoria della Vita Nuova*, Città di Castello 1905.

G. Salvadori, *Sulla vita giovanile di Dante*, Roma 1906.

G. A. Cesareo, *Un romanzo d'amore del secolo XIII*, in « Zeitschrift für romanische Philologie », XXX, 1906, pp. 681-697 (poi in *Studi e ricerche di letteratura italiana*, Palermo 1929).

C. E. Norton, *Note on the Vocabulary of the Vita Nuova*, in « Annual Report of the Dante Society », 25, 1906, p. 117.

E. Proto, *Beatrice beata*, in « Giornale dantesco », XIV, 1906, pp. 60-89.

F. Beck, *Ueber die Wesenähnlichkeit zwischen Beatrice und der « donna gentile »*, in *Festschrift zum XII. Allgemeinen deutschen Neuphilologentage in München*, ed. E. Stollreither, Erlangen 1906.

D. Guerri, *Per un nuovo commento alla Vita Nuova*, in « Giornale dantesco », XIV, 1906, pp. 191-197.

G. Picciola, *La Vita Nuova*, in AA. VV., *Lectura Dantis*, Firenze 1906, pp. 99-130 (poi in *La Vita Nuova di Dante Alighieri*, Firenze 1920).

A. Cossio, *Sulla Vita Nuova di Dante*, Firenze 1907.

F. Flamini, *Un passo della Vita Nuova e il « De spiritu et respiratione » di Alberto Magno*, in « Rassegna Bibliografica della letteratura italiana », XVIII, 1910, pp. 168-174.

A. G. H. Spiers, *Dolce stil nuovo, the Case for Opposition*, in « PMLA », 25, 1910, pp. 657-675.

J. E. Matzke, *The Legend of the Eaten Heart*, in «Modern Language Notes», XXVI, 1911, pp. 1-8.

G. Puccianti, *Saggi danteschi*, Città di Castello 1911.

G. Federzoni, *Il romanzo di Beatrice Portinari*, Rocca san Casciano 1911 (3° ed.).

E. Proto, *Note sulla Vita Nuova*, in «Giornale dantesco», XX, 1912, pp. 57-65; e XXIII, 1915, pp. 172-180.

J. B. Fletcher, *The Allegory of the Vita Nuova*, in «Modern Philology», 11, 1913, pp. 25-26.

A. D'Ancona, *Scritti danteschi*, Firenze 1912-1913.

A. Santi, *Il ravvedimento di Dante e l'inganno del Convivio*, in «Giornale dantesco» XXII, 1914, pp. 117-29 e 173-181.

K. McKenzie, *Recent Editions of Dante's Vita Nuova*, in «Modern Language Notes», XXIX, 1914, pp. 250-256.

G. Bertoni, *La prosa della Vita Nuova di Dante*, Genova 1914.

J. B. Fletcher, *Dante's second Love*, in «Modern Philology», 13, 1915, pp. 129-142.

J. E. Shaw, *Dante's «gentile donna»*, in «Modern Language Review», 10, 1915, pp. 129-149 e 320-337.

G. Livi, *Dante, suoi primi cultori, sua gente in Bologna*, Bologna 1918.

F. Lora, *Nuova interpretazione della Vita Nuova di Dante*, Napoli 1918.

A. Marigo, *Amore intellettivo nell'evoluzione filosofica di Dante*, in *Raccolta di studi di storia e critica letteraria*, Pisa 1918.

E. Ciafardini, *Tra gli amori e tra le rime di Dante*, Napoli 1919.

F. Beck, *Texcritische und grammatisch-exegetische Bemerkungen su Dantes Vita Nuova*, in «Zeitschrift für romanische Philologie», 40, 1920, pp. 257-285.

R. De Labusquette, *Les Béatrices*, Paris 1920.

J. B. Fletcher, *The «true meaning» of Dante's Vita*

Nuova, in «Romanic Review», 11, 1920, pp. 95-148.

M. Barbi, *La questione di Lisetta*, in «Studi danteschi», I, 1920, pp. 17-63, poi in *Problemi di critica dantesca...* cit. I, pp. 215-251.

D. Guerri, *Chiosa dantesca: Vita Nuova, XII*, in «La rassegna», 28, 1920, pp. 54-55.

Idem, *Chiose dantesche: Vita Nuova, XXI e XXXII*, in «La rassegna», 28, 1920, pp. 388-390.

S. Santangelo, *Dante e i trovatori provenzali*, Catania 1921 (poi Padova 1959).

B. Croce, *La poesia di Dante*, Bari 1921.

G. Zonta, *La lirica di Dante*, «Giornale storico della letteratura italiana», suppl. 19-21, 1921, pp. 1-203.

R. Allulli, *Lo spirito francescano nella Vita Nuova di Dante*, Milano 1921.

M. Barbi, *« Ricovrai la vista della mia donna» (Vita Nuova, XXXVIII, 1)*, in «Studi danteschi», III, 1921, pp. 139-145.

A. Jeanroy, *Dante et les troubadours*, in *Dante. Recueil d'études publiées pour le VIe centenaire du poète*, Paris 1921.

F. Cavallera, *Dante et son oeuvre: Vita Nuova. Il Convivio*, in «Les études», 5 juillet 1921.

A. Grasso, *L'allegoria della prima canzone del Convivio*, Palermo 1921.

H. Cochin, *Le centenaire de Dante: Au lecteur de la Vita Nuova*, in «Le Figaro», 17 septembre 1921.

P. Toynbee, *« Tisrin primo» nella Vita Nuova*, in *Dante Studies*, Oxford 1921, pp. 37-42.

E. Sicardi, *Appunti sul testo della Vita Nuova*, in «Giornale dantesco», 24, 1921, pp. 120-126.

Idem, *Il negato saluto di Beatrice e la realtà storica della Vita Nuova*, in «Rassegna critica della letteratura italiana», 26, 1921, pp. 1-36.

E. Levi, *Vita fiorentina nella Vita Nuova*, in «Il marzocco», 18, 1921.

G. Titta Rosa, *La poesia della Vita Nuova*, in «Il primato artistico italiano», 3, pp. 1-2, 1921.

A. Travers, *Le rameau d'or: En marge de la Vita Nuova*, in «Le correspondant», 10 septembre 1921.

S. Udny, *Dante's Modern Mysticism: a Study in the Vita Nuova*, in «The Contemporary Review», 1921.

N. Von Suchtelen, *Introduzione alla Vita Nuova*, in *Dante Alighieri, 1321-1921*, Omaggio dell'Olanda, Den Haag 1921, pp. 119-130.

I. Van Dijk, *Il misticismo nel dolce stil nuovo della Vita Nuova, ibidem*, pp. 131-139.

E. V. Zappia, *Il problema fondamentale della Vita Nuova e l'estetica dell'intuizione pura*, in «Rassegna critica della letteratura italiana», 26, 1921, pp. 56-90.

G. Zuccante, *Figure e dottrine nell'opera di Dante*, Milano 1921.

G. Livi, *Dante e Bologna*, Bologna 1921.

P. H. Wicksteed, *From Vita Nuova to Paradiso*, Manchester 1922.

P. Misciattelli, *Un'edizione della Vita Nuova*, in «Rassegna d'arte antica e moderna», 9, 1922, pp. 11-18.

G. Bertoni, *Poeti e poesia del Medioevo e del Rinascimento*, Modena 1922, pp. 117-202.

E. Sicardi, *Appunti sul testo della Vita Nuova: IX e XVII*, in «Giornale dantesco», 25, 1922, pp. 310-317.

L. Di Benedetto, *Monna Lagia e Monna Bice*, in «Giornale dantesco», 25, 1922, pp. 330-337.

G. Franceschini, *La Vita Nuova e la filosofia dell'amore di Dante*, Roma 1922.

R. Borchardt, *Einleitung in die Vita Nuova*, Berlin 1923.

T. Gallarati Scotti, *Vita Nova*, in AA. VV., *Dante*, Raccolta di studi a cura di A. Res, Gorizia 1923, pp. 15-28.

L. Azzolina, *La Vita Nuova e la Commedia*, in *Studi critici in onore di G. A. Cesareo*, Palermo 1924.

S. Pellegrini, *Alcune considerazioni sull'arte della Vita Nuova di Dante*, in «Giornale dantesco», 27, 1924, pp. 320-333.

F. Beck, *Das neue Vita Nuova-Problem*, in «Zeitschrift für romanische Philologie», XLV, 1925, pp. 28 sgg. — *Ueber die Wesensähnlichkeit zwischen Beatrice und der «donna gentile» nach Dantes Vita nuova und Convito*, in «Deutsches Dante-Jahrbuch», IX, 1925, pp. 68-97.

W. Kuechler, *Zum Verständnis von Dantes Vita Nuova*, in «Die neueren Sprachen», 33, 1925, pp. 88-104.

A. Vezin, *Dantes Vita Nuova as Erlebnis und Dichtung*, in «Der Wächter», 8, 1925, pp. 228-240.

F. D'Ovidio, *La realtà di Beatrice e la data di composizione della Vita Nuova*, in *L'ultimo volume dantesco*, Roma 1926, pp. 1-41.

B. Croce, *Un premio alla Vita Nuova*, in «La critica», 14, 1926, pp. 47-49.

L. Mascetta Caracci, *Madonna la Pietà*, in «Giornale dantesco», 29, 1926, pp. 207-274.

F. Beck, *Die rätselhaften Worte in Dantes Vita Nuova (Ego tamquam centrum circuli, ecc.)*, in «Zeitschrift für romanische Philologie», XLVII, 1927, pp. 1-27.

G. E. Baldwin, *The New Beatrice, or the Virtue that Counsels. A study in Dante*, New York 1928.

C. Formichi, *Il simbolismo nella Vita Nuova e nel Canzoniere di Dante Alighieri*, in «Italica», 5, 1928, pp. 81-85.

K. Federn, *Zur ersten Vision der Vita Nuova*, in «Deutsches Dante Jahrbuch», N. S., 1, 1928, pp. 71-75.

C. Schloss, *Dante e il suo secondo amore*, Bologna 1928.

L. Valli, *Il linguaggio segreto di Dante e dei «fedeli d'amore»*, Roma 1928.

J. E. Shaw, *Essays on the Vita Nuova*, Princeton 1929.

G. A. Cesareo, *Un romanzo d'amore nel secolo XIII: La Vita Nuova*, in *Studi e ricerche di letteratura italiana*, Palermo 1929, pp. 53-88 (assieme ai saggi *Nota polemica a proposito della Vita Nuova*, pp. 89-99; e *«Amor mi spira...»*, pp. 145-173).

B. Nardi, *« Nomina sunt consequentia rerum »*, in « Giornale storico della letteratura italiana », 93, 1929, pp. 101-105.

A. E. Trombly, *Two Notes on Dante's Vita Nuova*, in « Modern Language Notes », 44, 1929, pp. 242-244.

F. Torraca, *Due enigmi danteschi*, in « Studi Medievali », II, 1929, pp. 275-288.

E. Auerbach, *Dante als Dichter der irdischen Welt*, Berlin-Leipzig 1929 (traduzione italiana *Studi su Dante*, Milano 1963, pp. 23-62).

N. Sapegno, *La Vita Nuova di Dante*, in « Pegaso », I, 1930, pp. 102-110 (e v., dello stesso, *La Vita Nuova*, in *Pagine di storia letteraria*, Palermo 1960, pp. 7-27). — *Per il testo critico della Vita Nuova di Dante*, in « La Nuova Italia » 1932, pp. 369-374.

F. Biondolillo, *Il problema critico della Vita Nuova di Dante*, Palermo 1932.

B. Croce, *Intorno a Dante e al Petrarca*, in *Conversazioni critiche*, Bari 1932, pp. 187-229.

E. G. Gardner, *Imagination and Memory in the Psychology of Dante*, in AA. VV., *A Miscellany of Studies... to L. E. Kastner*, Cambridge 1932.

S. Santangelo, *La composizione della Vita Nuova* , in « Atti della Reale Accademia di Palermo », XVII, 1932, pp. 167 sgg. (poi in *Saggi danteschi*... cit.).

G. Leigh, *The passing of Beatrice. A study in the heterodoxy of Dante*, London 1933.

M. Barbi, *Razionalismo e misticismo in Dante*, in « Studi danteschi », 17, 1933, pp. 5-44; e 21, 1937, 5-92.

F. Figurelli, *Il sentire amoroso di Dante*, in *Il dolce stil novo*, Milano-Napoli, 1933.

L. Pietrobono, *La Vita Nuova*, in « Giornale dantesco », 34, 1933, pp. 113-137 (poi in *Saggi danteschi*, Torino 1954, pp. 1-24).

K. McKenzie, *Observations on Dante's Lyrical Poems*, « Annual Report of the Dante Society », 49-51, 1934, pp. 1-28.

A. Schiaffini, *Tradizione e poesia nella prosa d'arte italiana dalla latinità medievale a G. Boccaccio*, Genova 1934 (seconda edizione 1943).

L. Pietrobono, *Il rifacimento della Vita Nuova e le due fasi del pensiero dantesco*, in «Giornale dantesco», XXXV, 1934, pp. 1-82 (poi in *Saggi danteschi...* , cit., pp. 25-98).

R. Fauci, *La lettera, il gergo mistico e i fondamenti allegorici della Vita Nuova*, Palermo 1934.

G. Busnelli, *Le contraddizioni tra la Vita Nuova e il Convivio*, in «La Civiltà Cattolica», LXXXV, 1934, pp. 147-153.

P. Ladewig, *Dantes Vita Nova bei Goethe*, Darmstadt 1935.

G. Federzoni, *Studi e diporti danteschi*, Bologna 1935.

G. Bosticca, *La Beatrice della Vita Nuova non è che la fedę oggettiva*, Pescia, 1935-1936.

R. Mutolo, *Tenzoni poetiche nella Vita Nuova di Dante*, Palermo 1935.

G. Bosticca, *La Beatrice della Vita Nuova e del Poema sacro svelata*, Pescia 1936.

F. Schneider, *Vita Nuova-Studien*, in «Deutsches Dante-Jahrbuch», XIX, 1937.

G. Mieli, *Chi è Beatrice?* Saggio critico di Vita Nuova, Roma 1937.

O. A. Schmidt, *Zum Verständnis der Vita Nuova* , in «Deutsches Dante-Jahrbuch», 19, 1937, pp. 7-28.

L. Spitzer, *Bemerkungen zur Dantes Vita Nuova*, in «Romanoloji Semineri Dergisi», Istambul 1937, pp. 162-208 (con il titolo *Osservazioni sulla Vita Nuova di Dante* in *Studi italiani*, Milano 1976, pp. 95-146).

F. Maggini, *Quistioni critiche sulla Vita Nuova di Dante*, in *Annuario della Università Cattolica* , Milano 1937, pp. 137-150 (poi in *Due letture dantesche inedite e altri saggi poco noti*, Firenze 1965, pp. 32-49).

F. Laurenzi, *Vita Nuova. Dottrina estetica di Dante*, Paola 1938.

E. H. Wilkins, *« Incipit Vita Nuova »*, in « The Wellesley Magazine », 22, 1938. pp. 487-490.

F. Maggini, *Dalle « Rime » alla lirica del « Paradiso » dantesco*, Firenze 1938.

E. Gilson, *Dante et la philosophie*, Paris 1939.

E. H. Wilkins, *Salutation and Revelation*, ora in *The Invention of the Sonnet and Other Studies in Italian Literature*, Roma 1959, pp. 115-118 (il saggio è del 1939).

A. Capasso, *Valore narrativo della Vita Nuova*, in *Ricerche, distinzioni, discussioni*, Genova 1940, pp. 73-226.

S. Pellegrini, *L'arte della Vita Nuova di Dante* , in *Appunti di storia letteraria e civile italiana*, Torino 1940.

L. Pietrobono, *La Vita Nuova*, in « Atti dell'Accademia degli Arcadi », XXI-XXII, 1940-41, pp. 63-84.

Idem, *Realtà e idealità nella Vita Nuova* in « Giornale dantesco », XLII, 1941, pp. 107-118 (poi in *Nuovi saggi danteschi*, Torino, s.a., pp. 1-12).

G. Bertoni, *La Vita Nuova*, in « Nuova Antologia » CDXV, 1941, pp. 254-263.

G. Baumer, *Beatrice*, in « Deutsches Dante-Jahrbuch », 23, 1941, pp. 1-35.

F. Koenen, *Beatrice in der Vita Nuova*, in « Deutsches Dante-Jahrbuch », 23, 1941, pp. 202-216.

B. Nardi, *Filosofia dell'amore nei rimatori italiani del '200 e in Dante*, in *Dante e la cultura medievale*, Bari 1942 (seconda edizione 1949).

C. Williams, *The Figure of Beatrice. A Study in Dante*, London 1943.

M. Casella, *L' « amico mio e non de la ventura »* , in « Studi danteschi », XXVII, 1943, pp. 123-128.

Sister Rosa, *Realistic Elements in Dante's Vita Nuova*, in « Modern Language Journal », 28, 1944, pp. 413-421.

C. S. Singleton, *Vita Nuova XII: Love's Obscure Words*, in « Romanic Review », 36, 1945, pp. 89-102.

M. Sticco, *Dalla Vita Nuova al Convivio* (La divinità

nelle opere minori di Dante), Milano 1945, pp. 28-40.

C. S. Singleton, *The Use of Latin in the Vita Nuova*, in «Modern Language Notes» 61, 1946, pp. 108-112.

G. Contini, *Esercizio d'interpretazione sopra un sonetto di Dante*, in «L'immagine», V, 1947, pp. 291-295 (poi in *Varianti e altra linguistica*, Torino 1970, pp. 161-168 e in *Un'idea di Dante*, Torino 1976, pp. 21-31).

M. Rossi, *La Vita Nuova come preludio del poema* , in «Civiltà moderna», XV, 1943, pp. 97-101.

B. Nardi, *Nel mondo di Dante*, Roma 1944, pp. 1-40.

J. E. Shaw, *Ego tamquam centrum circuli: Vita Nuova XII*, in «Italica», 24, 1947, pp. 113-118.

A. Pezard, *Avatars de la Donna Gentile*, in «Bulletin de la Société d'Etudes dantesques du C. U.M», II, 1947-48, pp. 173-185.

R. R. Bezzola, *Le rêve terrifiant du jeune Dante*, in *Le sens de l'aventure et de l'amour (Chrétien de Troyes)*, Paris 1947, pp. 11-18.

F. Biondolillo, *Poetica e poesia di Dante*, Firenze-Messina 1948.

F. Figurelli, *Costituzione e caratteri della Vita Nuova*, in «Belfagor», III, 1948, pp. 666-683.

A. Vezin, *Bemerkungen zur Vita Nuova*, «Deutsches Dante-Jahrbuch», XXVII, 1948.

E. Eberwein-Dabcovich, *Das Wort «novus»... in Dantes Vita Nuova*, in «Romanistisches Jahrbuch», II, 2, pp. 171-195.

L. Sinisgalli, *Dante e il libro della memoria*, in «La fiera letteraria», 15 maggio 1949.

C. S. Singleton, *An essay on the Vita Nuova*, Cambridge (Mass.) 1949 (seconda edizione 1958; trad. ital. Bologna 1968).

A. Roncaglia, *Laisat estar lo gazel*, in «Cultura Neolatina», IX, 1949, pp. 74-75.

T. Pignatelli, *La Vita Nuova di Dante*, Padova 1949.

D. Mattalia, *La critica dantesca*, Firenze, 1950, pp. 91-151.

M. Fleury, *L'humanité de Béatrice dans la Vita Nuova et la Divina Commedia*, in «Bulletin de l'Association G. Budé», XI, 1950, pp. 19-39.

D. De Robertis, *Il libro della Vita Nuova e il libro del Convivio*, in «Studi Urbinati», XXV, 1951, 2, pp. 5-27.

J. C. Matthews, *Emerson's Translation of Dante's Vita Nuova*, in «Harvard Library Bulletin», 11, 1951, pp. 208-244.

H. Ostlender, *Scholastisches zu «dunklen Worten» in Dantes Vita Nuova*, in AA. VV., *Mélanges Joseph de Ghellinck, S.J.*, Gembloux 1951, pp. 889-908.

A. Hell, *Der Amorbegriff bei Dante*, in «Deutsches Dante-Jahrbuch», 29-30, 1951, pp. 161-184; 31-32, 1953, pp. 89-147; e 33, 1954, pp. 142-183.

G. Natoli, *Dante rivelato nella Vita Nuova*, Roma 1952.

C. V. Morini, *La teoria del simbolo dantesco nella Vita Nuova*, Firenze 1952.

C. Segre, *La sintassi del periodo nei primi prosatori italiani (Guittone, Brunetto, Dante)*, in «Memorie dell'Accademia Nazionale dei Lincei», IV, 2, 1952, pp. 41-193 (poi in *Lingua, stile e società*, Milano 1963).

E. Ghirlanda, *Lingua poetica e lingua prosastica nella Vita Nuova*, in «Cenobio», II, 6, 1953, pp. 31-38; 7, pp. 26-43; e 8, pp. 24-33.

D. Vittorini, *Luci ed ombre nella Vita Nuova*, in «Letterature moderne», 4, n. 5, 1953, pp. 518-523.

P. Caligaris, *La donna gentile*, in «Lettere italiane», 5, 2, 1953, pp. 126-128.

U. Leo, *Das Sonnet mit zwei Anfängen (Vita Nuova c. XXXIV)*, in «Zeitschrift für romanische Philologie», 70, 5-6, 1954, pp. 376-388.

D. De Robertis, *Il canzoniere escorialense e la tradizione «veneziana» delle rime dello stil novo*, in «Giornale storico della letteratura italiana», supplemento 27, 1954.

T. Van Der Loos, *Beatrice en Donna Gentile*, in « Critish Bulletin », XXI, 1954, pp. 289-300.

F. Figurelli, *Sulle prime rime di Dante*, Trapani 1954.

L. Pietrobono, *Intorno alla data delle opere minori*, in *Nuovi saggi danteschi*, cit., 37-54.

A. Vallone, *Il dialogo nella Vita Nuova e nel Purgatorio*, in *Studi sulla Divina Commedia*, Firenze 1955, pp. 21-38.

U. Bosco, *Il nuovo stile della poesia dugentesca secondo Dante*, in *Medioevo e Rinascimento. Studi in onore di B. Nardi*, I, Firenze 1955, pp. 77-101 (poi in *Dante vicino*, Caltanissetta-Roma 1966, pp. 29-54).

A. Pagliaro, *« Nomina sunt consequentia rerum »*, in « Idea », 43, 1956 (poi in *Nuovi saggi di critica semantica*, Firenze-Messina, 1956, pp. 239-246).

K. Ikeda, *Laude di benedetta Beatrice. Saggio sulla Vita Nuova*, in « Studi Italici », VI, 1957, pp. 52-73.

T.F.M. Iwakura, *L'analisi strutturale della Vita Nuova e del Decameron*, in « Studi Italici », VI, 1957, pp. 91-115.

E. Rivers, *Dante at Dividing Sonnets*, in « Symposium », 11, 2, 1957, pp. 290-295.

J.A. Mazzeo, *The Analogy of Creation in Dante*, in « Speculum », XXXIII, 1957, pp. 706-721.

B. Terracini, *Analisi dello « stile legato » nella Vita Nuova*, in *Pagine e appunti di linguistica storica*, Firenze 1957, pp. 247-263 — *Analisi dei toni narrativi della Vita Nuova e loro interpretazione*, ibidem, pp. 264-272.

M.L. Carloni, *Commento alla Vita Nuova di Dante Alighieri*, Udine 1958.

P. Olson, *Two Sonnets of Heavenly Vision*, « Italica », 35, 1958, pp. 156-161.

A. Coen, *Dante et le contenu initiatique de la Vita Nuova*, Paris 1958.

C.S. Singleton, *Journey to Beatrice*, Cambridge (Mass.) 1958 (trad. ital. *Viaggio a Beatrice*, Bologna 1968).

M.H. Shackford, *An Introduction to Dante's « The New Life »*, Natick (Mass.) 1959.

F. Montanari, *L'esperienza poetica di Dante*, Firenze 1959 (seconda edizione 1968),

C. Stange, *Beatrice in Dantes Jugend-Dichtung*, Göttingen 1959 (e cfr. B. Nardi, *Beatrice e la poesia giovanile di Dante nelle mani di un teologo*, in « Giornale storico della letteratura italiana », LXXIX, 1962, pp. 41-70).

D. De Robertis, *La Vita Nuova in un consanguineo dell'Ashburnhamiano*, in « Studi danteschi », XXXVI, 1959, pp. 213-220.

L. Malagoli, *Motivi e forme dello stile del Duecento*, Pisa 1960.

N. Sapegno, *La Vita Nuova*, in *Pagine di storia letteraria*, Palermo 1960, pp. 7-28.

A. Rossi, *Dante nella prospettiva del Boccaccio*, in « Studi danteschi », XXXVIII, 1960, pp. 63-119.

D. De Robertis, *Censimento dei manoscritti di rime di Dante*, in « Studi danteschi », XXXVIII, 1960; sino al volume XLI, 1964.

P. Potts, *Dante called you Beatrice*, London 1960.

E.R. Curtius, *Gesammelte Aufsätze zur Romanischen Philologie*, Bern 1960, pp. 330-345.

B. Nardi, *Dal Convivio alla Commedia*, Roma 1960, pp. 1-6.

J. Maclennan, *Autocomentario en Dante y comentarismo latino*, in « Vox Romanica », 1960, pp. 81-123.

F. Kenelm, *Studi sul Duecento e su Dante*, in « Le parole e le idee », 2, 1960, pp. 1-2, 35-45.

A.H. Gilbert, *The Interpretation of Dante's New Life*, in « Renaissance Papers », 1961, pp. 11-18.

M. Lot-Borodine, *De l'amour profane à l'amour sacré*, Paris 1961, pp. 89-121.

G. Di Pino, *Poesia e stile nella Vita Nuova*, in *Studi di lingua poetica*, Firenze 1961, pp. 3-29.

M. Marti, *Realismo dantesco e altri studi*, Milano-Napoli 1961.

D. De Robertis, *Il libro della Vita Nuova*, Firenze 1961 (seconda edizione 1970, con l'aggiunta di *Nascita della coscienza letteraria italiana*, 1965, e *Le rime di Dante*, 1966).

E. Scuderi, *Dante e Boezio*, in «Orpheus», 9, 1962, pp. 105-107.

K. Foster, *Beatrice or Medusa*, in *Italian Studies presented to E.R. Vincent*, Cambridge 1962, pp. 41-56.

A. Vezin, *Sonar bracchetti. Ein Dante-Sonett aus der frühen Vita-Nuova-Zeit*, in «Mitteilungen der Deutschen Dante-Gesellschaft», 1, 1962, pp. 4 sgg.

B. Nardi, *Dante e Guido Cavalcanti*, in «Giornale storico della letteratura italiana», 139, 1962, pp. 49-70.

M. Fubini, *Metrica e poesia*, Milano 1962, pp. 139-147.

U. Cosmo, *Guida a Dante*, nuova edizione a cura di B. Maier, Firenze 1962, pp. 41-51.

H. Friedrich, *Epochen der italienischen Lyrik*, Frankfurt 1962, pp. 84-156.

R. Guardini, *Dante visionnaire de l'eternité*, Paris 1962.

P. Da Prati, *Realtà e allegoria nella Vita Nuova di Dante*, seconda edizione, Sanremo 1963.

E. De Negri, *Una leggenda nuova*, in AA.VV., *Wort und Text*. Festschrift für Fritz Schalk, Frankfurt 1963, pp. 142-160.

V. Di Benedetto, *Luoghi controversi nelle opere minori di Dante*, Napoli 1963.

M. Marti, *Lo stilnuovo di Dante e l'unità della Vita Nuova*, in «Annali dell'Università di Lecce», I, 1963-64, pp. 37-56.

A. Vallone, *La prosa della Vita Nuova*, Firenze 1963.

K. Foster, *Courtly Love and Christianity*, London 1963.

C. Grayson, *Dante e la prosa volgare*, in «Il Verri», VIII, 1963, pp. 7-26 (poi in *Cinque saggi su Dante*, Bologna 1972).

P. Reffienna, *La transfiguration de Béatrice*, in «Bulletin de la Société d'Études dantesques du Centre Universitaire Mediterranéen», 13, 1964, pp. 37-51.

G. Mounin, *Le lyrisme de Dante*, Paris 1964.

D. Bigongiari, *Essays on Dante and mediaeval culture*, Firenze 1964.

R. Klein, *Spirito peregrino*, in «Revue d'Ètudes Italiens», n.s., XI, 1965, pp. 1-3, 197-236 (poi in *La forme et l'intelligibile*, Paris 1970, pp. 31-64).

U. Leo, *Ueber die Vita Nuova*, in *Dante Symposium...* a cura di W. De Sua e G. Rizzo, Chapel Hill 1965.

G. Petrocchi, *Gli influssi della spiritualità duecentesca*, in AA.VV., *Dante nella critica d'oggi*, Firenze 1965, pp. 87-93.

M. Puppo, *Beatrice*, ibidem, pp. 356-361.

E. Sanguineti, *Le visioni della Vita Nuova*, in «Ateneo Veneto», dicembre 1965.

J. Murray, *Dante and Mediaeval Irish Visions*, in AA.VV., *An Irish Tribute to Dante on the 7th Centenary of his Birth*, Dublino 1965, pp. 57-75.

C. Vasoli, *Filosofia e teologia in Dante*, in *Dante nella critica d'oggi*, cit. pp. 47-71.

M. Marti, *La Vita Nuova*, in «Terzo Programma», 4, 1965, pp. 73-81.

Idem, *Vita e morte della presunta doppia redazione della Vita Nuova*, in *Studi in onore di Alfredo Schiaffini*, II, Roma 1965, pp. 657-667.

A. Roncaglia, *Ritorno e rettifiche alla tesi vossleriana sui fondamenti filosofici del dolce stil nuovo*, in «Beiträge zur romanischen Philologie», IV, 1965, pp. 113-123.

J.A. Scott, *Religion and the Vita Nuova*, in «Italian Studies», XX, 1965, pp. 17-25.

Idem, *Dante's 'sweet new style' and the Vita Nuova*, in «Italica», XLII, 1965, pp. 98-117.

E.R. Vincent, *The crisis in the Vita Nuova*, in *Centenary*

Essays on Dante by Members of the Oxford Society, Oxford 1965, pp. 132-142.

F. Mazzoni, *Il canto XXXI del Purgatorio*, Firenze 1965, pp. 16-56.

S. Pellegrini, *Dante e la tradizione poetica volgare dai provenzali ai guittoniani*, in *Dante nella critica d'oggi...* cit., pp. 27-35.

AA.VV., *Dante minore. Studio teologico per laici* , a cura di P. Bargellini, Firenze 1965.

S. Battaglia, *Dante fra Vita Nuova e Convivio*, in «Filologia e letteratura», XI, 1965, pp. 113-128.

G. Folena, *La tradizione delle opere di Dante Alighieri*, in *Atti del Congresso internazionale di studi danteschi*, I, Firenze 1965, pp. 14-18.

F. Maggini, *Introduzione allo studio di Dante*, Pisa 1965[4], pp. 47-53.

S. Caramella, *La filosofia della donna pietosa*, in «Labor» VI, 1965, pp. 71-78.

T.G. Bergin, *Approach to Dante*, London 1965.

P. Boyde, *Style and Structure in Dante's canzone «Doglia mi reca»*, in «Italian Studies», XX, 1965, pp. 26-41.

V. Branca, *La Vita Nuova*, in «Cultura e Scuola», IV, 13-14, 1965, pp. 690-97.

A. Carracio, *Note sur le mythe d'Eros et sur l'apparition d'Amour en tant qu'allegorie extérieure à Dante dans la Vita Nuova*, in «Revue des Études Italiennes», XI, 1965, pp. 30-39.

N. Façon, *Remy de Gourmont interprete della Beatrice dantesca*, in «Beiträge zur romanische Philologie», IV, 1965, pp. 49-58.

T.M. Gallino, *Dante e le arti*, in «Annali dei Pontifici Istituti dei Frati Minori», 15-16, 1965-66, pp. 87-96.

J. Jerney, *Intorno alla prima versione serbocroata della Vita Nuova*, in «Studia Romanica et Anglica Zagrabiensia», 19-20, 1965, pp. 171-183.

W.A. Strauss, *New Life, Tree of Life: the Vita Nuova and Nerval's «Aurélia»*, in «Books Abroad», 39, 1965, pp. 144-150.

A.H. Lograsso, *From the «Ballata» of the Vita Nuova to the Carols of the Paradiso: A Study of Hidden Harmonies and Balance*, in «Dante Studies», LXXXIII, 1965, pp. 23-48.

O. Büdel, *Das Publikum der Stilnovisti*, in *Ideen und Formen*, Festschrift für Hugo Friedrich, Franckfurt 1965, pp. 23-29.

D. Cernecca, *L'inversione del soggetto nella prosa della Vita Nuova*, in *Atti del Congresso internazionale di studi danteschi*, Firenze 1965, II, pp. 187-212.

G. Di Pino, *Aspetti della Vita Nuova di Dante*, Messina 1965.

F. Maggini, *Due letture dantesche inedite e altri saggi poco noti*, Firenze 1965.

G. Martellotti, *Dante e i classici*, in AA.VV., *Dante nella critica d'oggi...*, cit., pp. 125-137.

G. Contini, *Cavalcanti in Dante*, introduzione a Guido Cavalcanti, *Rime*, Verona 1966 (poi in *Varianti e altra linguistica...* cit., pp. 433-446; e in *Un'idea di Dante*, Torino 1976, pp. 143-157).

M. Marti, *Con Dante fra i poeti del suo tempo*, Lecce 1966.

B. Terracini, *La prosa poetica della Vita Nuova*, in *Analisi stilistica*, Milano 1966, pp. 207-249.

S. Battaglia, *Esemplarità e antagonismo nel pensiero di Dante*, Napoli 1966, pp. 101-120 e 131-165.

V. Branca, *Poetica del rinnovamento e tradizione agiografica nella Vita Nuova*, in *Studi in onore di Italo Siciliano*, I, Firenze 1966, pp. 123-148.

E. Bartlett-A. Illions, *The young Dante: Opposing Views*, in «Italian Quarterly», 10, 38, 1966, pp. 57-67.

P. Dronke, *Boethius, Alanus and Dante*, «Romanische Forschungen», 78, 1966, pp. 119-125.

C. Hardie, *Dante and the Tradition of Courtly Love*, in AA.VV., *Patterns of Love and Courtesy*, Essays in Memory of C.S. Lewis, Evanston 1966, pp. 26-44.

S. Pasquazi, *All'eterno dal tempo*, Firenze 1966.

F.J.E. Raby, *Some Notes on Dante and Macrobius*, in « Medium Aevum », 35, 1966, pp. 117-121.

C. Schwarze, *Dante et les troubadours*, in « Revue des Langues Romanes », 77, 1966, pp. 151-165.

S. Pellegrini, *La svolta dantesca tra poesia astratta e poesia realistica*, in « Dialoghi », 14, 1966, pp. 253-63 — « *Angelo clama* », in « Studi medievali », VII, 1966, pp. 856-863.

G. Ugolini, *Dante, il mistico pellegrino*, Brescia 1966.

D. De Robertis, *Tradizione veneta e tradizione estravagante nelle rime della Vita Nuova*, in AA.VV., *Dante e la cultura veneta*, Firenze 1966.

S. Pellegrini, *Appunti sulla Vita Nuova*, in *Atti del Congresso di Studi danteschi su aspetti e problemi di critica dantesca*, Roma 1967.

G. Herczeg, *La struttura del periodo nella prosa della Vita Nuova*, ibidem, pp. 125-145.

G. Misch, *Geschichte der Autobiographie*, IV, Frankfurt 1967, pp. 465-480.

A. Di Giovanni, *La filosofia dell'amore nelle opere di Dante*, Roma 1967.

N.L. Goodrich, *The Vita Nuova and Commentary*, in AA.VV., *A Dante Profile*, ed. by F. Schettino, Los Angeles 1967, pp. 5-14.

A. Pézard, *Un sous-entendu de la Vita Nuova; laudare, laudatore (XXVIII.2)*, in « Arcadia Roma », IV, 4, 1967, pp. 369-377.

M. Simonelli, « *Donna pietosa* » e « *Donna gentile* » fra *Vita Nuova e Convivio*, in *Atti del Convegno di studi su aspetti e problemi della critica dantesca*, Roma 1967, pp. 147-159.

E.H. Strauch, *Dante's Vita Nuova as riddle*, in « Symposium », 21, 1967, pp. 324-330.

G. Tamburrino, *Un antico frammento della Vita Nuova*, in «Italia Medievale e Umanistica», X, 1967, pp. 377-383.

D. De Robertis, *Sulla tradizione estravagante delle rime della Vita Nuova*, in «Studi danteschi», XLIV, 1967, pp. 5-84.

R. Guardini, *Studi su Dante*, Brescia 1967.

J. Mazzeo, *Dante's Conception of Love*, in AA.VV., *American Critical Essays on the Divine Comedy*, New York 1967.

A. Pézard, *La rotta gonna. Gloses et corrections aux textes mineurs de Dante*, I, Firenze-Paris 1967.

F. Maurino, *Originality in the Vita Nuova*, in «Forum Italicum», 1, aprile 1967, pp. 60-66.

E. Guidubaldi, *Per una fenomenologia della visione dantesca*, Milano 1967.

P. Nicosia, *« E che ne lo inferno: o malnati », ovvero a quali malnati dovrà parlare Dante*, in *Alla ricerca della coerenza*, Messina-Firenze 1967, pp. 23-52.

S. Meccoli, *Trovato il più antico frammento della Vita Nuova di Dante,* in «Cahiers du Sud», giugno 1967.

G. Nencioni, *Dante e la retorica*, in AA.VV., *Dante e Bologna nei tempi di Dante*, Bologna 1967, pp. 91-112.

U. Leo, *Zum « rifacimento » der Vita Nuova*, in «Romanische Forschungen», LXXXIV, 1967, pp. 281-317.

P. Sollers, *Dante et la traversée de l'écriture*, in *Logiques*, Paris 1968, pp. 44-77.

N. Mineo, *Profetismo e apocalittica in Dante*, Catania 1968.

M. Pazzaglia, *Note sulla metrica delle prime canzoni dantesche*, in «Lingua e Stile», III, 1968, pp. 319-331.

R. Stefanini, *« Ciò che m'incontra ne la mente more »*, in «Italica», XLV, 1968, pp. 421-427.

E. Gilson, *Dante's Mirabil Visione*, in «The Cornell Library Journal», primavera 1968, pp. 1-17.

E. Guidubaldi, *Vita Nuova e inconscio personale*, in *Dante europeo*, Firenze 1968, III, pp. 75-100.

G. Cambon, *Dante's Craft*, Minneapolis 1969.

P. Giannantonio, *L'allegoria nella Divina Commedia e nelle altre opere dantesche*, in *Dante e l'allegorismo*, Firenze 1969, pp. 187-209.

P. Zumthor, *De la circularité du chant*, in «Poétique», II, 1970, pp. 129-140.

S. Filippelli, *Dante minore*, Napoli 1970.

E. Benz, *Vision und Ekstase bei Dante*, in «Deutsches Dante-Jahrbuch», XLVI, 1970, pp. 60-80.

F. Tateo, «*Aprire per prosa*». *Le prem; ~o critiche della poetica dantesca*, in AA.VV., *Studi in onu; ? di Antonio Corsano*, Manduria 1970.

B. Nolan, *The Vita Nuova: Dante's Book of Revelation*, in «Dante Studies», 87, 1970, pp. 60-72.

P. Guiraud, *Les structures étymologiques du « Trobar »*, in «Poétique», VIII, 1971, pp. 417-426.

R. Crespo, «*Color di perle ha quasi*» e «*Alcuno parlare fabuloso*», in «Studi danteschi» XLVIII, 1971, pp. 115-119.

P. Calì, *Allegory and Vision in Dante and Lagland*, Cork 1971.

G. Fallani, *La Vita Nuova nel clima pittorico del Duecento*, in «L'Alighieri» XII, 1, 1971, pp. 3-13.

A. Gualtieri, *Lady Philosophy in Boethius and Dante*, in «Comparative Literature», XXIII, 2, 1971, pp. 141-150.

J.L. Logan, *The poet's central numbers*, in «Modern Language Notes», 86, 1, 1971, pp. 95-98.

S. Pellegrini, *Intorno al primo sonetto della Vita Nuova*, in *Festschrift Palgen*, Frankfurt 1971, pp. 133-135.

V. Russo, *Esperienze e/di letture dantesche*, Napoli 1971.

P. Boyde, *Dante's Style in his Lyric Poetry*, Cambridge 1971 (traduzione ital. Napoli 1979).

G. Barberi Squarotti, *L'artificio dell'eternità*, Verona 1972, pp. 1-130.

F. Tateo, *Questioni di poetica dantesca*, Bari 1972.

M. De Bonfils Templer, *La prima visione della Vita*

Nuova e la dottrina dei tre spiriti, in « La Rassegna della letteratura italiana », 76, 1972, pp. 303-316.

P. Floriani, *Mutare e trasmutare. Alcune osservazioni sul canto XXV dell'Inferno*, in « Giornale storico della letteratura italiana », CXLIX, 1972, pp. 324-32.

N. Sapegno, *Introduzione alla Vita Nuova*, in *Nuove letture dantesche*, VIII, 1972, pp. 27-34.

M. De Bonfils Templer, *La fonte boeziana dell'« Ego tamquam... » e il significato di visione nel contesto della Vita Nuova*, in « Atti dell'Istituto Veneto di Scienze, Lettere e Arti », 131, 1972-73, pp. 437-61.

R. Russell, *Tre versanti della poesia stilnovistica: Guinizelli, Cavalcanti, Dante*, Bari 1973.

G. B. Bronzini, *Riflessi letterari di poesia e vita popolare nella Vita Nuova*, in « Lares », 39, 1973, pp. 111-119.

M. Shapiro, *Society and the Theme of Praise in the Vita Nuova*, in « Neophilologus », 57, 1973, pp. 330-340.

D. De Robertis, *Sulla cultura giovanile di Dante*, in « Letture Classensi », IV, 1973, pp. 229-260 (poi in *Carte d'identità*, Milano 1974, pp. 69-102).

M. Musa, *Dante's Vita Nuova*, Bloomington e London 1973.

R. Crespo, *Il proemio di « Donne ch'avete intelletto d'amore »*, in AA.VV., *Studi di filologia e di letteratura italiana offerti a Carlo Dionisotti*, Milano-Napoli 1973, pp. 3-13.

D. De Robertis, *Intelletto d'amore e conoscenza del Padre*, Firenze 1973.

M. Marti, *Storia dello Stil Nuovo*, Lecce 1973.

M. De Bonfils Templer, *Itinerario di Amore: dialettica di amore e morte nella Vita Nuova*, Chapel Hill 1973.

B.S. Levy, *Beatrice's Greeting and Dante's Sigh in the Vita Nuova*, in « Dante Studies », 92, 1974, pp. 53-62.

O. Ciacci, *Realismo della Vita Nuova*, Lanciano 1974.

H. Nemerov, *The Dream of Dante*, in « Prose », 9, 1974, pp. 113-133.

M. De Bonfils Templer, *Amore e le visioni nella Vita Nuova*, in «Dante Studies», 92, 1974, pp. 19-34.

R. Hollander, *Vita Nuova: Dante's Perception of Beatrice*, in «Dante Studies», 92, 1974, pp. 1-18 (poi in *Studies in Dante*, Ravenna 1980, pp. 11-30).

B. Nolan, *The Vita Nuova and Richard of St. Victor's Phenomenology of Vision*, «Dante Studies», 92, 1974, pp. 35-52.

C. Paolazzi, *Dalle visioni della Vita Nuova alla Commedia*, Trento 1974.

K. Heitmann, *Tiefenpsychologische Beiträge zur Deutung der Vita Nuova*, in «Deutsches Dante-Jahrbuch», 49-50, 1974-75, pp. 7-35.

C. Di Girolamo, *Microscopia di un sonetto di Dante*, in «Modern Language Notes», 90, 1975, pp. 22-37.

K. Howe, *Dante's Beatrice: The Nine and the Ten*, in «Italica», 52, 1975, pp. 364-371.

A. Vallone, *Interpretazioni del «numero» dantesco*, in «Nuova Antologia», 525, 1975, pp. 227-234.

E. Fenzi, *Boezio e Jean de Meun, filosofia e ragione nelle rime allegoriche di Dante*, in AA.VV., *Studi di filologia e letteratura dedicati a Vincenzo Pernicone*, Genova 1975, pp. 9-69.

I. Baldelli, *Sul rapporto fra prosa e poesia nella Vita Nuova*, in «La Rassegna della letteratura italiana», 80, 1976, pp. 325-337.

G. Fallani, *L'esperienza teologica di Dante*, Lecce 1976.

M. Aronoff, *Dream and Non-Dream in Dante's the Vita Nuova*, in «Cithara», 16, 1, 1976, pp. 18-32.

C. Paolazzi, *Il «comico» tra «Donna pietosa» e i canti proemiali dell'Inferno: scheda per l'attribuzione del Fiore a Dante*, in «Lettere italiane», 28, 1976, pp. 137-159.

J. Mazzaro, *The fact of Beatrice in the Vita Nuova*, in AA.VV., *The Literature of Fact*, ed. A. Fletcher, New York 1976, pp. 83-108.

A. Vallone, *Apparizioni e disdegno di Beatrice*, in « Nuove letture dantesche », VIII, Firenze 1976, pp. 35-51.

A. Accame Bobbio, *Presagi di morte e rime della lode*, ibidem, pp. 53-80.

S. Accardo, *Morte di Beatrice e della sua trasfigurazione*, ibidem, pp. 81-98.

G. Gorni, *Lippo amico*, in « Studi di filologia italiana », XXXIV, 1976, pp. 27-44.

M. Pazzaglia, *La Vita Nuova fra agiografia e letteratura*, in « Letture Classensi », VI, 1976, pp. 187-210.

V. Russo, *Il « nodo » del Dolce Stil Nuovo*, in « Medioevo Romanzo », III, 1976, pp. 236-261.

M. Guglielminetti, *La Vita Nuova fra memoria e scrittura*, in *Memoria e scrittura*, Torino 1977, pp. 42-72.

K. Foster, *The Two Dantes and other studies*, Berkeley 1977.

L. Peirone, *Il sonetto dantesco dei due cominciamenti*, in AA.VV., *Studi in memoria di G. Favati*, Padova 1977, pp. 493-501.

M. Picone, *La Vita Nuova e la tradizione poetica* , in « Dante Studies », 95, 1977, pp. 135-147.

Idem, *Strutture poetiche e strutture prosastiche nella Vita Nuova*, in « Modern Language Notes », 97, 1977, pp. 117-129.

R. Blomme, *Il rapporto tematico fra Beatrice e Pietra (Nota di poetica dantesca)*, in « Revue des langues vivantes », XLIII, 1977, pp. 153-159.

A. Chiari, *Ancora con Dante*, Napoli 1977.

M.P. Ginsburg, *Literary Convention and Poetic Technique: The Poetry of Cavalcanti and Dante*, in « Italica », LIV, 4, 1977, pp. 485-501.

G. Beccaria-E. Soletti, *Dalla Vita Nuova al paradiso terrestre: le due Beatrici*, in « Letture Classensi », VIII, Ravenna 1978, pp. 85-103.

D. De Robertis, *Storia della poesia e poesia della propria storia nel XXII della Vita Nuova*, in « Studi danteschi», LI, 1978, pp. 153-177.

C. Hardie, *Dante's Mirabile Visione (Vita Nuova, XLII)*, in AA.VV., *The World of Dante: Essays on Dante and his Times*, a cura di C. Grayson, Oxford 1978, pp. 122-145.

R. Hollander, *Studies in Dante,* Ravenna 1978.

S. Sturm-Maddox, *Transformations of Courtly Love Poetry: Vita Nuova and Canzoniere*, in AA.VV., *The Expansion and Transformations of Courtly Literature*, a cura di N.B. Smith e J.T. Snow, Athens (Georgia), 1978, pp. 128-140.

G. Gorni, *« Guido, i' vorrei che tu e Lippo ed io » (sul canone del Dolce Stil Novo)*, in «Studi di filologia italiana», XXXVI, 1978, pp. 21-37.

R.S. Spraycar, *Dante's lago del cor*, in «Dante Studies», 96, 1978, pp. 1-12.

A. Pezard, *Dante et Macrobe: la tierce voie de béatitude*, in *Orbis Mediaevalis*, Mélanges R.R. Bezzola, Bern 1978, pp. 281 sgg.

E. Kohler, *Gaber et rire*, in *Marche Romane*, Mélanges Jeanne Wathelet-Willem, Liège 1978, pp. 315 sgg.

C. del Popolo, *Dante: Io sento pianger*, in «Giornale storico della letteratura italiana», 156, 1979, pp. 135-136.

M. Picone, *Modelli e struttura. Vita Nuova: l'episodio del «gabbo»*, in «Pacific Coast Philology», 13, 1979, pp. 71-77.

Idem, *Vita Nuova e tradizione romanza*, Padova 1979.

E. Giachery, *Incontro con Beatrice*, in AA.VV., *Medioevo e Rinascimento veneto con altri studi in onore di Lino Lazzarini*, Padova 1979, I, pp. 67-93.

V. Russo, *Strutture innovative delle opere letterarie di Dante nella prospettiva dei generi letterari*, in «L'Alighieri», 2, 1979, pp. 46-63.

M. Santagata, *Dal sonetto al Canzoniere*, Padova 1979.

A.A. Jannucci, *Brunetto Latini: «come l'uom s'etterna»*, in «NEMLA Italian Studies», I, 1979, pp. 17-20.

A.E. Quaglio, *Un'antica reliquia della « Vita Nuova »*, in « Filologia e critica », IV, 1979, 2-3, pp. 169-187.

M. Shapiro, *Figurality in the Vita Nuova: Dante's New Rethoric*, in « Dante Studies », 97, 1979, pp. 107-127.

J. Mazzaro, *The Figure of Dante: An Essay on the Vita Nuova*, Princeton 1981.

G. Gorni, *Il segreto del nome: Beatrice*, in « Versants », 2, 1981, pp. 11-30.

D. Cervigni, *Time and Space in the Vita Nuova*, in « L'Alighieri », 2, 1981, pp. 3-11.

D. De Robertis, *La forma dell'evento. Una (quasi) datazione dantesca*, in « Italyan Filolojisi », XI, 12, 1981, pp. 33-44.

E.L. Fortin, *Dante and the structure of philosophical al legory*, in AA.VV., *Sprache und Erkenntnis in Mittelalter*, Berlin 1981. I, pp. 434-440.

M. Trovato, *Il capitolo XII della Vita Nuova*, in « Forum Italicum », XVI, 1-2, 1982, pp. 19-32.

R. Fasani, *Il codice Hamilton della Divina Commedia e una proposta di filologia testuale*, in « Versants », 3, 1982, pp. 3-22.

M.C.

NOTA AL TESTO

È qui riprodotto il testo dell'edizione critica curata da Michele Barbi per l'«Edizione Nazionale delle Opere di Dante», I, Bemporad, Firenze, 1932, che aggiorna il primo, già decisivo lavoro stampato a Milano per Hoepli nel 1907. Come è noto, anche in base all'accurata disamina di G. Folena (*La tradizione delle opere di Dante Alighieri*, in *Atti del Congresso internazionale di studi danteschi*, Firenze 1965, I, pp. 8-23), il Barbi identificò una dicotomia all'interno della tradizione manoscritta relativa alla *Vita Nuova*, per cui i manoscritti si suddividono in due grandi famiglie (α e β) risalenti a un archetipo «viziato» da pochi errori sicuri (in XXV.1; XXXVII.6; XXXVIII.1). La famiglia α si divide in due gruppi: k, con tre testimoni (l'autorevole Chigiano [Ch], il Trivulziano 1058 [T_1] e l'«indipendente» Ambrosiano R. 95 sup., cinquecentesco [Am]), e b, dipendente da un codice autografo di Giovanni Boccaccio (To), rappresentato da un'ampia e fortunata filiazione nonché generatore di collazioni marginali tramite intermediari (p.e. il codice D. 51 di Ithaca (It'), o i due sottogruppi di b_1 [col Riccardiano 1050 e Magliabechiano VI. 187] e di b_3 con Ch_2 ancora autografo di Boccaccio e il Marciano it. X.26 fonte della edizione 1723 della *Vita Nuova* per le cure di Anton Maria Biscioni, da un lato; e di b_2 e del Laurenziano XC sup. 136 dall'altro). «Notevole il caso di CH_2, che dimostra che il Boccaccio trascrisse servendosi non della prima copia a noi nota, To, ma di una copia derivata da quella attraverso almeno un'altra copia intermediaria (fossero queste copie intermedie sue, non sembra più probabile, o di altri). Va d'altronde ricordato come un ms. emerso recentemente e rimasto ignoto al Barbi (col codice Ginori Conti, su cui cfr. «Studi danteschi», XX, 1937, p. 125), il Landau 172 della Naz. di Firenze, si sia venuto a collocare, accanto al Laur. Ashb. 679 scritto dalla stessa mano, fra i derivati di Ch_2, attraverso l'intermediario del Pal. 561 della Naz. di Firenze, impinguàndo ulteriormente una famiglia già ricchissima e totalmente inoperante per la costituzione del testo» (Folena).

Quanto alla famiglia β essa si presenta divisa in due gruppi s ed x. Il gruppo s (strozziano) comprende i codici Magliabechiano VI.143, trecentesco, e Veronese 445; il gruppo x ha un sottogruppo γ (con Mart, lo Strasburghense L.it.7, e il Vaticano Capponiano 262) e un sottogruppo z, comprendente il Laurenziano Ashburnhamiano 843 e, tramite una contaminazione con b_3, l'insieme dei vari codici Maiocchi, già Pesarese, Magliab. VI.30 e Biblioteca dei Lincei 44.E.34, già Corsiniano. Il Barbi ricavava quindi un complesso stemma, impostando l'edizione su un confronto tra α e β (vedi pagina seguente).

Su questa base è possibile peraltro rilevare come due delle uniche tre edizioni anteriori al secolo XIX, e precisamente l'*editio princeps* «castigata» di Bartolomeo Sermartelli (1576) e quella curata da Anton Maria Biscioni per i tipi Tartini e Franchi (1723), non abbiano rilevanza per la costituzione del testo critico, risalendo la prima per le parti in rima alla Giuntina del 1527 (Gt) e per le prose al codice Laur. XL.42, la seconda soprattutto al Marciano it.IX.26. Questo è in ogni caso il prospetto delle più importanti edizioni della *Vita Nuova*, che si fa iniziare appunto dal primo libro della Giuntina di rime antiche, contenente la sola serie di 31 liriche del «libello».

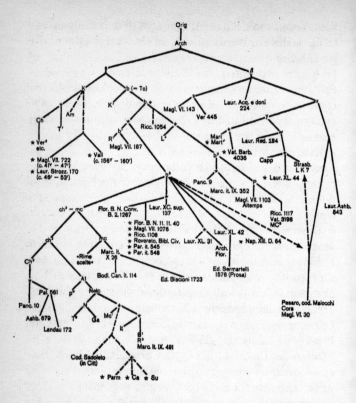

Vita Nuova di Dante Alighieri, nella stamperia di Bartolomeo Sermartelli, in Firenze 1576.

Prose di Dante Alighieri e di messer Gio. Boccacci, con note di A. M. Biscioni, G. G. Tartini e S. Franchi, Firenze 1723.

Delle opere di D. A., t.II, *La Vita Nuova*, con le annotazioni del dottor A. M. Biscioni, G. B. Pasquali, Venezia 1741.

Prose, e Rime liriche edite, ed inedite di D. A., con copiose ed erudite aggiunte, Antonio Zatta, Venezia 1758.

Opere minori di Dante, vol. IV, t. I, Pietro Gatti, Venezia 1793.

Vita Nuova di D. A., ridotta a lezione migliore (a cura di G. G. Trivulzio, V. Monti e A. M. Maggi), Pogliani, Milano 1827.

D. A., *Prose*, t. IV, precedute dal Rimario e dall'indice delle voci e dei nomi propri della Divina Commedia, L. Ciardetti e G. Molini, Firenze 1841 (l'opera, in sei volumi comprendente tutti i testi danteschi in prosa e poesia e di cui le *Prose* rappresentano appunto il tomo IV, fu avviata alle stampe nel 1830).

Vita Nuova, L. Allegrini e G. Mazzoni, Firenze 1839.

Delle prose e poesie liriche di Dante Alighieri, I, *Vita Nuova*, Vannini, Livorno 1843.

Opere minori di Dante Alighieri, a cura di P. Fraticelli, F. Rossi Romano, Napoli 1855.

Vita Nuova, a cura di A. Gotti, Le Monnier, Firenze 1855.

La Vita Nuova di Dante Alighieri col commento di P. J. Fraticelli e con giunta di note di Francesco Prudenzano, Tipografia delle Belle Arti, Napoli 1856.

Opere minori di Dante Alighieri, vol. II, G. Barbèra, Bianchi e C., Firenze 1857.

Vita Nuova, Società Editrice Italiana M. Guigoni, Torino 1858 (con più ristampe).

La Vita Nuova di Dante, riscontrata su codici e stampe a cura di Alessandro D'Ancona, F. Nistri, Pisa 1872 (seconda edizione 1884).

La Vita Nuova di Dante, ricorretta con l'aiuto di testi a penna e illustrata da Carlo Witte, Brockhaus, Leipzig 1876.

Vita Nuova, a cura di Tommaso Casini, G. C. Sansoni, Firenze 1885 (varie edizioni successive, 1890, 1910, 1932, etc.)

Vita Nuova, with notes and comments in English by N. Perini, Hachette and C., London 1893.

Tutte le opere di Dante Alighieri..., rivedute da E. Moore, Oxford, University Press 1894 (rist. 1895, 1897;

seconda edizione 1897; terza edizione 1904, et *Vita Nuova*, Hornby, Ashendene 1895).

Un paragrafo inedito della Vita Nuova trovato fra carte del sec. XIII e pubblicato dal dott. G. Federzoni, N. Zanichelli, Bologna 1895.

Dantes Vita Nuova, a cura di F. Beck, Piloty und Lohele, München 1896.

Vita Nuova, col commento di G. L. Passerini, Paravia, Torino 1897 (rist. 1921).

Vita Nova Dantis. Frammento di un codice membranaceo del sec. XIV pubblicato da G. L. Passerini e L. S. Olschki, L. Franceschini, Firenze 1898 (poi Olschki, Firenze 1899).

Vita Nova, con note di G. Canevazzi, Albrighi, Segati e C., Milano 1900.

Le opere minori di Dante Alighieri, novamente annotate da G. L. Passerini, I, *La Vita Nova*, G. C. Sansoni, Firenze 1900.

Vita Nova, a cura di G. Melodia, Vallardi, Milano 1905.

La Vita Nuova, testo secondo la lezione del codice Strozziano VI 143 trascritto e illustrato da A. Razzolini (con traduzione inglese a fronte di D. G. Rossetti), Tipografia Domenicana, Firenze 1906.

La Vita Nuova, a cura di G. Gröber, J. H. Heitz, Strasbourg 1906 (seconda edizione 1907).

La Vita Nuova, per cura di Michele Barbi (edizione critica della Società Dantesca Italiana), Hoepli, Milano 1907.

Vita Nuova e *Convivio*, con annotazioni di Francesco Flamini, G. Giusti, Livorno 1910.

Vita Nuova, a cura di G. Federzoni e G. Carducci, N. Zanichelli, Bologna 1910.

La Vita Nuova e il Convito con la vita di Dante scritta da G. Boccaccio, Istituto Editoriale Italiano, Milano 1911 (varie ristampe).

Vita Nuova, per cura di M. Scherillo, Hoepli, Milano

1911 (dello stesso anno, curatore e stampatore un'edizione scolastica).

Vita Nuova, con proemio, note e appendice di G. A. Cesareo, Principato, Messina 1914.

La Vita nuova, col commento di G. L. Passerini, sulla lezione della Società Dantesca Italiana procurata di M. Barbi, R. Sandron, Palermo 1919.

Tutte le opere di Dante Alighieri, nuovamente rivedute, con note a cura di A. Della Torre e E. G. Parodi, G. Barbèra, Firenze 1919 (seconda edizione 1921; terza edizione 1926).

La Vita nuova, a cura di G. L. Passerini, G. B. Paravia, Torino 1920.

Dantis Alagherii opera omnia, a cura di H. Wengher, t. II, Insel-Verlag, Leipzig 1921.

Le opere di Dante. Testo critico della Società Dantesca Italiana. A cura di M. Barbi per la *Vita Nuova*, R. Bemporad e figlio, Firenze 1921 (seconda edizione 1960).

Dante Alighieri, *Le opere minori*, a cura di D. Guerri, F. Perrella, Firenze-Città di Castello 1922.

Vita Nuova, a cura di K. McKenzie, Heath, Boston 1922.

Le opere minori di Dante Alighieri, annotate da G. L. Passerini, I, G. C. Sansoni, Firenze 1922.

Il Canzoniere e la Vita Nuova, con il Fiore e le Egloghe latine, G. Barbèra, Firenze 1928.

La Vita Nuova e il Canzoniere, a cura di L. Di Benedetto, UTET, Torino 1928.

La Vita Nuova, seguita da una scelta delle Opere minori, a cura di N. Sapegno, A. Vallecchi, Firenze 1931 (rist. 1949).

La Vita Nuova di Dante Alighieri, edizione critica per cura di Michele Barbi, R. Bemporad e figlio, Firenze 1932.

La Vita Nuova e il Canzoniere..., a cura di L. Di Benedetto, UTET, Torino 1944.

Vita Nuova, Rizzoli, Milano 1952.

D. Alighieri, *Opere minori*, a cura di A. del Monte, Rizzoli, Milano 1960.

Vita Nuova di Dante Alighieri. Prefazione di E. Sanguineti, Lerici, Milano 1965.

D. Alighieri, *Tutte le opere*, a cura di F. Chiappelli, Mursia, Milano 1965.

Dante, *Oeuvres complètes*, a cura di A. Pézard, Gallimard, Paris 1965.

D. Alighieri, *Tutte le opere*, a cura di L. Blasucci, Sansoni, Firenze 1965.

Vita Nuova, con introduzione di A. Vallone, G. A. Caula, Torino 1966.

D. Alighieri, *Opere*, a cura di M. Porena e M. Pazzaglia, Zanichelli, Bologna 1966.

La Vita Nuova..., a cura di G. R. Ceriello, Signorelli, Milano 1968.

Vita Nuova, Rime, Canzoni del Convivio. Prefazione e note al testo di G. Davico Bonino, Club degli Editori, Milano 1971.

Vita Nuova, a cura di D. de Robertis, Ricciardi, Milano-Napoli 1980.

M. C.

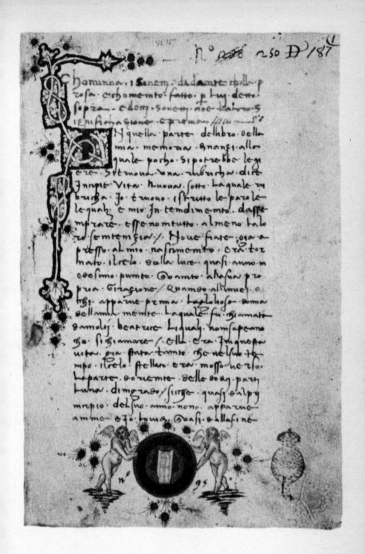

Incipit della *Vita nuova* di Dante Alighieri in un manoscritto del secolo XV. Firenze, Biblioteca Nazionale (ms. Magl. VI, 187, f. 1r).

VITA NVOVA
DI DANTE
ALIGHIERI.

Con xv. Canzoni del medesimo.

*E la vita di esso Dante scritta
da* Giovanni *Boccaccio.*

CON LICENZA, E PRIVILEGIO.

IN FIRENZE,
Nella Stamperia di Bartolomeo Sermartelli.
MDLXXVI.

Frontespizio della *Vita nuova* di Dante in un'edizione del 1576
contenente anche la vita del Boccaccio. Firenze, presso Bartolomeo
Sermartelli.

VITA NUOVA

I. In quella parte del libro de la mia memoria[1] dinanzi a la quale poco si potrebbe leggere[2] si trova una rubrica[3] la quale dice: *Incipit vita nova*[4]. Sotto la quale rubrica io trovo scritte le parole[5] le quali è mio intendimento[6] d'assemplare[7] in questo libello[8] e se non tutte, almeno la loro sentenzia[9].

---

[1] *In quella... memoria*, si fonda con questa espressione, nel probabile ricordo dell'*In tenaci memoriae libro perlegimus* di una lettera diplomatica di Pier della Vigna, l'idea della memoria personale come *libro*, storia organica o insieme coerente di esperienze. L'immagine è già della canzone *E' m'incresce di me*, 58-59 («secondo che si trova / nel libro de la mente che vien meno») e 66 («e se 'l libro non erra»), fortunata in Dante per la scia di metafore su *leggere, scrivere, parole, carta* etc. che il *topos* del «libro come simbolo» ha prodotto: cfr. *Inferno* II.8; XV.88-89; XXIV.4; *Paradiso* II.78; XII.121; XV.50-51; XVII.91; XXIII, 52-54 etc., fino alle misure astrali del «magno volume / u' non si muta mai bianco né bruno» (*Paradiso* XXXIII.86).

[2] *dinanzi... leggere*, prima della quale parte è scarso il leggibile (essendo assai pochi i ricordi definiti, come specifica ad esempio in contesto affine S. Agostino, *Confessiones*, I, VII, 12: «*piget me adnumerare huic vitae meae, quam vivo in hoc saeculo... Sed ecce omitto illud tempus: et quid mihi iam cum eo est, cuius nulla vestigia recolo?*» «questa età l'annovero con riluttanza fra le età della vita che vivo in questo mondo... Ma ecco tralascio quel tempo. Che ho da spartire oggi con lui, se nessuna traccia ne ritrovo?»)

[3] *una rubrica*, un titolo di rubrica. Col termine (da *ruber*, per il color rosso di minio con cui titoli o sommari si vergavano in antico, al pari dei titoli di leggi presto dette *rubricae* secondo Quintiliano, *Institutio oratoria* XX.3.11; e cfr. Marziale, III.2: «*Et cocco rubeat superbus index*») si precisa la metafora del *libro de la mia memoria*, a indicare quella sezione in cui i ricordi hanno un rilievo determinato.

⁴ *Incipit vita nova*, inizia il capitolo intitolato *vita nuova* (si noti il carattere formulare della titolazione, per cui cfr. Dante, *Epistolae* XIII.28: «Libri titulus est: *Incipit Comedia Dantis Alagherii...*»). Sarà la vita rinnovata dall'amore all'unisono con una nuova forma di poetare (secondo coincidenza già di trovatori quali Raimbaut d'Aurenga, *Ab nou cor et ab nou talen*, e altri).

⁵ *le parole*, cioè i ricordi (e cfr. l'*incipit* «Parole mie, che per lo mondo siete»).

⁶ *intendimento*, proposito, intenzione (provenzalismo diffuso: cfr. Notaro, *Io m'aggio posto*, 9; Guittone, *Gentil mia donna*, 66; Bonagiunta, *Fin'amor mi conforta* 25; e in Dante v. *Vita Nuova*, V.4; VIII.12; XXVIII.2, e *Convivio*, IV.II.3).

⁷ *assemplare*, trascrivere da un modello originale (*exemplum*); cfr. *Inferno*, XXIV.4: «...la brina in su la terra assempra / l'imagine di sua sorella bianca»; Cavalcanti, *Io non pensava*, 43-44; Cino, *Io non posso celar* 53: «Canzone, i' t'ho di lagrime assemprata...». In ambito guittoniano v.p.e. Guittone, *O dolce terra aretina*, 15: «norma di cavaler', di donne assempro»; *Magni baroni certo*, 104-106: «...non v'assemprate / a tiranni di lor terra struttori...»; Monte Andrea, *Ai misero tapino*, 76 etc.

⁸ *libello*, vale «libro», senza specificazioni diminutive (come in *Vita Nuova* XII.17; XXV.9; XXVIII.2 e *Convivio* I.V.10; II.II.2). Del resto sono libelli per Dante le *Summulae logicales* di Pietro Ispano (*Paradiso* XII.135), e per Cino, *In fra gli altri difetti*, è libello la stessa *Commedia*. Usatissimo in ambito giuridico, il termine, nel *libello de la Vegliezza*, indica (*Convivio* II.VIII.9) il *Libellus instructionis advocatorum* di Iacopo Baldovino.

⁹ *la loro sentenzia*, il senso generale (tralasciando magari alcune *cosette per rima* scritte per la prima donna dello schermo, cap. V, il serventese per le più belle donne di Firenze (cap. VI), o testi «estravaganti»). Cfr. anche Dante, *Messer Brunetto*, 5; e *Convivio* I.1.15: «... questo pane... sarà la luce la quale ogni colore di loro sentenza farà parvente».

II. [ɪ]. Nove fiate già appresso¹ lo mio nascimento era tornato lo cielo de la luce² quasi a uno medesimo punto, quanto a la sua propria girazione³ quando a li miei occhi⁴ apparve prima la gloriosa donna⁵ de la mia mente, la quale fu chiamata da molti Beatrice⁶ li quali non sapeano che si chiamare⁷. **2** Ella era in questa vita già stata tanto, che ne lo suo tempo⁸ lo cielo stellato era mosso verso la parte d'oriente de le dodici parti l'una d'un grado⁹, sì che quasi dal¹⁰ principio del suo anno nono appar-

ve a me, ed io la vidi quasi da la fine del mio nono [11]. **3**
Apparve vestita di nobilissimo colore, umile e onesto [12],
sanguigno, cinta [13] e ornata a la guisa che a la sua giovanissima etade si convenia. **4** In quello punto [14] dico veracemente che lo spirito de la vita [15], lo quale dimora ne la
secretissima camera de lo cuore [16], cominciò a tremare sì
fortemente [17], che appatia [18] ne li menimi polsi [19] orribilmente [20]; e tremando [21] disse queste parole: «*Ecce deus
fortior me, qui veniens dominabitur michi*» [22]. **5** In quello punto lo spirito animale [23], lo quale dimora ne l'alta
camera [24] ne la quale tutti li spiriti sensitivi portano le loro percezioni, si cominciò a maravigliare molto, e parlando spezialmente a li spiriti del viso [25], sì disse queste parole: «*Apparuit iam beatitudo vestra*» [26]. **6** In quello
punto lo spirito naturale, lo quale dimora in quella parte
ove si ministra lo nutrimento nostro [27], cominciò a piangere, e piangendo disse queste parole: «*Heu miser, quia
frequenter impeditus ero deinceps!*» [28]. **7** D'allora innanzi dico che Amore segnoreggiò la mia anima [29], la quale
fu sì tosto a lui disponsata [30], e cominciò a prendere sopra
me tanta sicurtade [31] e tanta signoria per la vertù [32] che li
dava la mia immaginazione [33], che me convenia [34] fare
tutti li suoi piaceri [35] compiutamente [36]. **8** Elli mi comandava molte volte che io cercasse per vedere [37] questa angiola giovanissima [38], onde io ne la mia puerizia [39] molte
volte l'andai cercando, e vedeala di sì nobili e laudabili
portamenti [40], che certo di lei si potea dire quella parola
del poeta Omero: «Ella non parea figliuola d'uomo mortale, ma di deo» [41]. **9** E avvegna che [42] la sua imagine, la
quale continuatamente meco stava, fosse baldanza
d'Amore a segnoreggiare me [43], tuttavia era di sì nobilissima vertù [44], che nulla volta sofferse [45] che Amore mi
reggesse sanza lo fedele consiglio de la ragione [46] in quelle cose là ove [47] cotale consiglio fosse utile a udire. **10** E
però che [48] soprastare a [49] le passioni e atti di tanta gioventudine [50] pare alcuno parlar fabuloso [51], mi partirò da

esse[52], e trapassando[53] molte cose le quali si potrebbero trarre de l'essemplo[54] onde nascono[55] queste, verrò a quelle parole le quali sono scritte ne la mia memoria sotto maggiori paragrafi[56].

---

[1] *Nove... appresso*, già nove volte dopo (la mia nascita): quindi, anche secondo la precisazione di Boccaccio, a calendimaggio 1274. Il racconto della *Vita Nuova* si apre con il numero altamente simbolico di nove (per cui cfr. XXIX.3 e *Paradiso* XVII.80-81; XIII.59; in XXIX.2 essendo «nove... li cieli che si muovono» e «...tutti e nove li mobili cieli perfettissimamente s'aveano insieme»; su ciò Dante fonderà l'appartenenza della vicenda giovanile alla esemplarità dell'Ordine metafisico.

[2] *lo cielo della luce*, il quarto cielo, del sole (detto *la gran luce* in *Purgatorio* XXXII.53), che ruota con l'astro intorno alla terra (cfr. *Convivio*, II.III.3 sgg.; III.V.3 sgg.).

[3] *quanto... girazione*, infatti «come gli altri pianeti, anche il sole ha una girazione che non è sua propria, ma comunicatagli dal cielo cristallino, ossia primo mobile: *Paradiso* XXVII.106» (Witte); e cfr. *Convivio* II.XIV.15. Il sole è quindi tornato per nove volte allo stesso punto percorrendo l'eclittica annualmente.

[4] *a li miei occhi*, l'organo della vista è tradizionalmente il primo, per la fisiologia cortese, ad essere colpito dalla bellezza femminile. Già per le tematiche di Andrea Cappellano amore è passione «*procedens ex visione et immoderata cogitatione*» («che si origina dalla veduta e da un eccesso di pensiero») (*De Amore*, I.1); e quell'amore che nasce dal vedere regna nel piacere (cfr. p.e. Uc Brunet, *Cortezamen mou*, 1-8; Meo, *Sovente aggio* 21-26 e 35-42; ma soprattutto Notaro, *Amor è un[o] desio*). Con questa indicazione, apparentemente marginale, si determina sin dall'inizio per il lettore il sistema di segni più adeguato all'intelligenza dell'opera.

[5] *la gloriosa donna*, la signora (lat. *domina*) assunta «sotto la 'nsegna di quella reina benedetta Maria» (secondo quanto Dante scrive nel libello). Per l'aggettivo v. almeno *Li occhi dolenti*, 31; *Vita Nuova*, XXII.1; XXXIII; XXXVII.2 e XXXIX.

[6] *Beatrice*, basti, a identificarla anagraficamente, il *Comento* di Boccaccio a *Inferno* II.70: «Fu adunque questa donna (secondo la relazione di fededegna persona, la quale la conobbe, e fu per consanguinità strettissima a lei) figliuola d'un valente uomo chiamato Folco Portinari, antico cittadino di Firenze: e, come che l'autore sempre la nomini Beatrice dal suo primitivo, ella fu chiamata Bice, ed egli acconciamente il testimonia nel *Paradiso*, là dove dice: "Ma quella reverenza, che s'indonna / di tutto me, pur per B e per ice". E fu di costumi e d'onestà laudevole quanto donna esser debba e possa, e di bellezza e di leggiadria assai ornata; e fu moglie d'un cavaliere de' Bardi, chiamato messer Simone [dal 1287]; nel ventiquattresimo anno della sua età passò di questa vita, negli anni di Cristo MCCXC [l'otto di giugno] ».

[7] *li quali... chiamare*, (era chiamata Beatrice, per il suo effetto bea-

tificante, anche da quelli) che non sapevano che nome darle. Sul concetto v. *Donna pietosa*, 83; *Ne li occhi porta*, 11; *Di donne io vidi*, 14; Cino, *Avegna ched el m'aggia*, 8, e i capitoli XXVI e XL della stessa *Vita Nuova*.

[8] *ne lo suo tempo*, nel tempo in cui era stata in vita.

[9] *lo cielo... grado*, il cielo delle stelle fisse (la *stellata spera*) procede di un grado ogni cento anni muovendosi da occidente a oriente; essendosi spostato di un dodicesimo di grado dalla nascita di Beatrice, questa doveva avere otto anni e quattro mesi quando Dante la vide per la prima volta: era insomma all'inizio del suo nono anno. Il dato astronomico proviene dal *Liber de aggregationibus scientiae stellarum* di Alfragano (al-Fergani), tradotto in latino da Giovanni Ispalense, citato ad esempio in *Convivio* II.V.16, e riutilizzato nel capitolo XXIX della *Vita Nuova*.

[10] *dal*, intorno al.

[11] *quasi... nono*, alcuni commentatori rimandano (ma è dato non esattamente coincidente) al sonetto *Io sono stato*, 1-2: «Io sono stato con Amore insieme / da la circulazion del sol mia nona», a *E' m'incresce di me*, 57-61, nonché a *Purgatorio* XXX.41-42 («L'alta virtù che già m'avea trafitto / prima ch'io fuori di puerizia fosse»).

[12] *umile e onesto*, modesto e non vanitoso (cfr. *Tanto gentile*, 1-2 e 5-6, con l'«*Habitum... humilem et honestum*» della *Regula* delle Terziarie pratesi, citato dal Barbi sul versante dei portati mistici; ma è coppia spesso decorativa, intercambiabile cioè con varie altre. Rosso è il colore delle più alte dignità (cfr.*Purgatorio* XXX.32-33: «donna m'apparve... vestita di color di fiamma viva»).

[13] *cinta*, con quella cintura che ornava normalmente l'abbigliamento cortese (e v. *Paradiso*, XV.101-102 e 112-113; *Tre donne*, 36 o anche Ser Garzo, «Cintura fa vesta / parere onesta»; il *Fiore* a sua volta, CXC.12, allega una *cinturetta*. Si ricordi che in antico la cintura possedeva carica simbolica relativa alla verginità, come illustra narrativamente, ad esempio, il fortunato racconto della vergine Claudia nell'*Adversus Jovinianum* di San Girolamo (I.41) e nella *Theologia Christiana* di Abelardo (II.66).

[14] *In quello punto*, replicato all'inizio dei periodi successivi, «mentre fissa il preciso inizio dell'innamoramento e, stabilendo la perfetta simultaneità delle tre manifestazioni della vita psichica in quanto individuanti tre ordini paralleli e distinti..., raccoglie in un unico movimento l'intera realtà interiore (si noti l'esatta corrispondenza delle parti dei tre periodi), viene ad assumere, attraverso la triplice formulazione, valore quasi rituale di scongiuro... e di evocazione di una realtà, nonostante l'apparato naturalistico, sentita come misteriosa» (De Robertis).

[15] *lo spirito de la vita*, la facoltà vitale che, secondo il *De spiritu et respiratione* di Alberto Magno (I.II.2-4) «*a corde oritur et per arterias pulsando per totum corpus dirigitur a sinistro cordis*» («si origina dal cuore e con moto regolare per le arterie attraversa tutto il corpo partendo da la parte sinistra del cuore»). La sollecitazione sarà cavalcantiana, e per la fenomenologia degli spiriti, e per l'immagine dell'anima che trema «per lo cor» di *Io non pensava*, 20.

[16] *ne la secretissima camera de lo cuore*, come «nel lago del cor» di *Inferno*, I.20, specificato da Boccaccio in termini privi dell'accensione metaforica dantesca: «è nel cuore una parte concava sempre abbondante di sangue, nel quale, secondo l'opinione di alcuni, abitano gli spiriti vitali, e di quella, siccome di fonte perpetuo, si somministra alle vene quel sangue e il calore, il quale per tutto il corpo si spande; ed è quella parte ricettacolo d'ogni nostra passione» (ma cfr. Dante, *E' m'increscе di me*, 35; *Tre donne*, 106, per quella parte dell'animo in cui è la disposizione a perdonare; fra le rime dubbie *Donne, i' non so*, 4-5 e 8; *Nulla mi parve mai*, 3). Fondamentali comunque i richiami a Guittone, *O dolce terra aretina*, 9 e 24, e a Inghilfredi, *Del meo volere*, 41: «del mio core la cambra», oltreché, naturalmente, ad Arnaut Daniel.

[17] *sì fortemente*, a tal punto.

[18] *apparia*, (il tremore) risultava visibile.

[19] *ne li menimi polsi*, nelle più intime pulsazioni (*menimo* è forma dissimilata). Cfr. *Spesse fiate*, 13-14: «nel cor mi si comincia uno tremoto, / che fa de' polsi l'anima partire» (ben diverso Guittone, *Eo sono sordo*, 5-6: «...e non batto / lingua né polso, / sì sono conquiso»), e *Inferno*, I.90: «mi fa tremar le vene e i polsi».

[20] *orribilmente*, con effetti terrificanti.

[21] *tremando*, è situazione tutta cavalcantiana, come nella ballata *Gli occhi di quella*, 4-5: «Ella mi fere sì, quando la sguardo, / ch'i' sento li sospir tremar nel core», commisurato al *De Amore* del Cappellano, XVI: «*In repentina coamantis visione cor contremescit amantis*» («Alla improvvisa visione dell'essere amato trema potentemente il cuore dell'amante»).

[22] *Ecce... michi*, «Ecco un dio più forte di me, che verrà a dominarmi». Si ricordano in proposito *Luca*, III.16 «*veniet autem fortior me*» («Ne verrà uno più forte di me»), e *Isaia*, XL.10: «*Ecce Dominus Deus in fortitudine veniet, et brachium eius dominabitur*» («Ecco il Signore Iddio viene, con possanza, il suo braccio trionferà»). Lo *spirito* parlante è ancora trovato cavalcantiano (*Io temo* , 10-11; *I' prego voi*, 8-10 etc.), e parla qui un latino di stampo biblico, lingua valida per tutti gli uomini. La triplice formula litanica saluterà anche la *parousia* di Beatrice, in *Purgatorio* XXX, 11, 19 e 21.

[23] *lo spirito animale*, l'anima sensitiva in generale (per cui Alberto Magno, *De spiritu et respiratione*, I.II.4: «*Animalis spiritus... licet exeat a corde, evolat in vacuitatem cellularum cerebri, et ex illis dirigitur in nervos concavos qui a sensus communis organo ad sensus proprios diriguntur; quorum tamen nervi illi qui optici sive visivi dicuntur, et maiores et magis sunt concavi et plus capiunt de spiritu, et puriorem et lucidiorem, qui solus elevatus, colligunt.*» («Lo spirito animale... esce dal cuore, si spinge nello spazio delle particelle cerebrali, e da quelle si dirige verso i nervi concavi che dall'organo del senso comune si collegano ai vari sensi specifici; tra essi tuttavia quei nervi detti ottici o visivi, più grossi e concavi degli altri e meglio dotati di spirito vitale, ne raccolgono del più raffinato»).

[24] *l'alta camera*, il cervello, dove risiede la *vis animalis*.

[25] *viso*, vista (lat. *visus*), come in XI.2 («li deboletti spiriti del viso») o XIV.5 («non ne rimasero in vita più che li spiriti del viso»).

[26] *Apparuit... vestra*, «Ecco apparsa la vostra beatitudine (cioè "colei che vi renderà beati")»; e v. Cavalcanti, *Veggio negli occhi*, 12: «La salute tua è apparita», oltre a san Paolo, *Tit.* II.11: «*Apparuit enim gratia Dei salvatoris nostri*».

[27] *in quella... nostro*, nel fegato, sede della *virtus naturalis* (per cui cfr. Ugo da San Vittore, *De anima*, II.12). *Si ministra* vale «si provvede a».

[28] *Heu... deinceps!*, «Misero, che d'ora in poi sarò spesso impedito» (con *quia* dichiarativo).

[29] *la mia anima*, tutto il mio essere (e v. Lapo, *Questa rosa novella*, 18-20; Dante, *Voi che 'ntendendo*, 20-26).

[30] *disponsata*, sposata (cfr. *Le dolci rime*, 123; *E' m'incresce*, 27; *Convivio*, II.II.2: «lo mio beneplacito fu contento a disposarsi a quella immagine»; *Purgatorio*, V.136; più preciso ancora Lapo, *Dolc'è il pensier*, 3-4: «per cui si fe' gentil l'anima mia / poi che sposata la congiunse Amore». *Sponsata* ad esempio è in Guittone, *Altra fiata*, 82.

[31] *sicurtade*, baldanza (cfr. *Con l'altre donne*, 8).

[32] *vertù*, forza.

[33] *la mia imaginazione*, la mia costanza nel raffigurarla.

[34] *me convenia*, ero costretto (costruzione impersonale con accusativo e infinito).

[35] *piaceri*, voleri.

[36] *compiutamente*, alla perfezione.

[37] *cercasse per vedere*, mi impegnassi per andare a vedere.

[38] *angiola giovanissima*, motivo stilnovistico della donna-angelo (con un'espressione anche di XXVI.2 e *Di donne io vidi*, 8), anche se «propria di Dante è la sua specificazione puerile» (Contini).

[39] *puerizia*, v. XII.7; *Purgatorio*, XXX.42.

[40] *portamenti*, atteggiamenti, modi di comportamento (per cui v. Notaro, *Io m'aggio posto*, 11-12: «veder lo suo bel portamento, / e lo bel viso e 'l morbido sguardare»; Monte Andrea, *Amante, se tua scusa*, 8; Dante da Maiano, *Gaia donna*, 8; Chiaro, *passim*; Dante, *Convivio*, III.VII.8: «nel parlare e ne li atti che reggimènti e portamenti sogliono essere chiamati»; *La dispietata mente*, 50; *Poscia ch'Amor*, 56; *Fiore*, CIV.10 etc.).

[41] *Ella... di deo*, dall'*Iliade*, XXIV.258, citata attraverso Alberto Magno, *De intellectu et intelligibili*, III.9, o Aristotele, *Etica Nicomachea*, VII (per cui cfr. *Convivio*, III.VII; IV.XX.3-4, e *De Monarchia*, II.3). Omero ancora al capitolo XXV.

[42] *avvegna che*, sebbene.

[43] *fosse... me*, facesse sì che Amore prendesse forza a dominarmi.

[44] *di sì nobilissima vertù*, di tanto elevato potere.

[45] *nulla volta sofferse*, mai tollerò.

[46] *lo fedele... ragione*, l'identificazione fra amore e ragione pare così opporsi al Cavalcanti più «irrazionale» e sensitivo (basti in teoria *Donna me prega*, 29-31: «Non è vertute - ma da quella vène / ch'è perfezione - (ché si pone - tale), / non razionale - ma che sente, dico»), ma

anche all'amore-follia che i guittoniani avevano ereditato dalla scuola siciliana: v.p.e. Guittone, *O tu, de nome Amor*, 25-27; *Onne vogliosa d'omo*, 71-76 etc. Diverso il caso del *Fiore*, XLIX, 5-6: «Guarda che non sie accettato / il consiglio Ragion, ma da te il buglia» (e v. XXXVIII.9-10). Che l'amore fosse affetto razionale sosteneva il *Laelius* ciceroniano, rimandando all'accordo con la *dolcezza* (per cui v. Aelred de Rhidal, *De spirituali amicitia*: «*et sic ratio iungitur affectui, ut amor ex ratione castus sit, dulcis ex affectu*» («e la ragione è unita all'affetto in modo che l'amore riceva castità dalla ragione e dolcezza dall'affetto»).

[47] *là ove*, dove.

[48] *E però che*, e poiché.

[49] *soprastare a*, fermarsi a descrivere (cfr. *Convivio*, III.VIII.14).

[50] *di tanta gioventudine*, di un'età così giovanile. *Gioventudine* è formato sull'uscita di *amaritudine*, *similitudine* etc.

[51] *pare... fabuloso*, sembra un narrar favole (un ricordo di Sigieri di Brabante ostile alla *narratio fabulosa* nelle *Quaestiones in Metaphysicam* 2, q. 23 e 3, q. 17?).

[52] *mi partirò da esse*, non ne farò parola (concordato, come d'uso, al solo *passioni*).

[53] *trapassando*, omettendo.

[54] *de l'essemplo*, dall'originale libro (della memoria, da cui si copia il testo: cfr. *Purgatorio*, XXXII:67: «Come pintor che con esemplo pinga...», o del Notaro «Com'uom che ten la mente / in altro esemplo e pinge / la simile pintura...».

[55] *nascono*, derivano.

[56] *maggiori paragrafi*, paragrafi più importanti (o anche, in prosecuzione della metafora iniziale, «indicati con numero maggiore»).

III.[II]. Poi che fuoro[1] passati tanti die[2], che appunto erano compiuti li nove anni appresso l'apparimento[3] soprascritto di questa gentilissima[4], ne l'ultimo di questi die avvenne che questa mirabile donna apparve a me vestita di colore bianchissimo[5], in mezzo a due gentili donne, le quali erano di più lunga[6] etade; e passando per una via, volse li occhi verso quella parte ov'io era [7] molto pauroso[8], e per la sua ineffabile cortesia[9], la quale è oggi meritata[10] nel grande secolo[11], mi salutoe molto virtuosamente[12], tanto che me parve allora vedere tutti li termini de la beatitudine[13]. **2** L'ora che lo suo dolcissimo salutare mi giunse, era fermamente[14] nona[15] di quello giorno; e però che quella fu la prima volta che le sue parole si mossero[16] per venire a li miei orecchi, presi [17] tanta dolcezza, che come inebriato[18] mi partio[19] da le genti, e ricorsi a lo solingo luogo d'una mia camera[20], e puosimi a pensare di[21] questa cortesissima[22]. **3** E pensando di lei, mi sopragiunse uno soave sonno[23], ne lo quale m'apparve una maravigliosa[24] visione: che[25] me parea vedere ne la mia camera una nebula[26] di colore di fuoco, dentro a la quale io discernea una figura d'uno segnore di pauroso[27] aspetto a chi la guardasse; e pareami con tanta letizia[28], quanto a sé, che mirabile cosa era; e ne le sue parole dicea molte cose, le quali io non intendea se non poche; tra le quali intendea queste[29]: «*Ego dominus tuus*»[30]. **4** Ne le sue braccia mi parea vedere una persona dormire nuda, salvo che involta mi parea in uno drappo sanguigno leggermente[31]; la quale io riguardando[32] molto intentivamente[33], conobbi ch'era la donna de la salute[34], la quale m'avea lo giorno dinanzi degnato di salutare. **5** E ne l'una de le mani mi parea[35] che questi tenesse una cosa la quale ardesse tutta[36], e pareami che mi dicesse queste parole: «*Vide cor tuum*»[37]. **6** E quando elli era stato[38] alquanto, pareami che disvegliasse questa che dormia; e tanto si sforzava per suo ingegno[39], che le facea mangiare questa cosa che in mano li ardea, la quale ella mangiava dubitosamente[40]. **7** Appresso ciò poco dimorava[41] che la sua letizia si convertia[42] in amarissimo pianto; e così piangendo, si ricogliea[43] questa donna ne le sue braccia, e con essa mi parea che si ne gisse[44] verso lo cielo; onde io sostenea[45] sì grande angoscia[46], che lo mio deboletto[47] sonno non poteo sostenere, anzi si ruppe e fui disvegliato[48]. **8** E mantenente[49] cominciai a pensare, e trovai[50] che l'ora ne la quale m'era questa visione apparita[51], era la quarta de la notte stata[52]; sì che appare manifestamente ch'ella fue[53] la prima ora de le nove ultime ore de la notte. **9** Pensando io a ciò che m'era apparuto, propuosi[54] di farlo sentire[55] a molti li quali erano famosi trovatori[56] in quello tempo: e con ciò fosse cosa che[57] io avesse già veduto[58] per me medesimo l'arte del dire parole per rima[59], propuosi di fare[60] uno sonetto, ne lo quale io salutasse tutti li fedeli d'Amore[61] e pregandoli che giudicassero[62] la mia visione, scrissi a loro ciò che io avea nel mio sonno veduto. E cominciai allora questo sonetto[63], lo quale comincia: *A ciascun'alma presa.*

10   A ciascun'alma presa[64] e gentil[65] core
      nel cui cospetto ven lo dir presente[66],
      in ciò che[67] mi rescrivan suo parvente[68],
      salute[69] in lor segnor[70], cioè Amore.   4

11   Già eran quasi che atterzate l'ore[71]
      del tempo che onne stella n'è lucente,
      quando m'apparve Amor subitamente[72],
      cui essenza membrar mi dà orrore[73].   8

12   Allegro mi sembrava Amor tenendo[74]
      meo core in mano, e ne le braccia avea
      madonna[75] involta in un drappo dormendo.   11
      Poi la svegliava, e d'esto[76] core ardendo
      lei paventosa[77] umilmente[78] pascea:
      appresso[79] gir lo ne vedea[80] piangendo.   14

13 Questo sonetto si divide in due parti[81]; che ne la prima parte saluto e domando risponsione[82], ne la seconda significo a che[83] si dee[84] rispondere. La seconda parte comincia quivi: *Già eran.*

14 A questo sonetto fue risposto da molti[85] e di diverse sentenzie[86]; tra li quali fue risponditore quelli cui[87] io chiamo primo de li miei amici[88], e disse[89] allora uno sonetto, lo quale comincia: *Vedeste, al mio parere, onne valore.* E questo fue quasi[90] lo principio de l'amistà[91] tra lui e me, quando elli seppe che io era quelli che li avea ciò mandato. **15** Lo verace giudicio[92] del detto sogno non fue veduto[93] allora per[94] alcuno, ma ora[95] è manifestissimo a li più semplici[96].

¹ *fuoro*, furono (da *fuerunt*).

² *die*, con epitesi, normale in toscano antico (v. poco più avanti *salutoe*).

³ *apparimento*, comparsa, apparizione (cfr. *Convivio*, III.II.8).

⁴ *gentilissima*, al superlativo anche in II.3, 8, 9; III.2; e già per i provenzali quasi antonomasticamente, «*la gensor que anc nasques de maire*» (Guiraut de Bornelh), «*la genser criatura / que anc formes el mon natura*» (Arnaut de Maroill).

⁵ *bianchissimo*, che è colore tipicamente angelico (qui indotto dall'eccezionale *cortesia* della donna): cfr. p.e. *Purgatorio*, XII.88-90: «A noi venia la creatura bella / bianco vestita e ne la faccia quale / par tremolando mattutina stella»; e cfr. il *Vangelo di Marco*, XVI.5 o Giovanni Mosco, *Prato spirituale*, XXXVIII.

⁶ *più lunga*, maggiore, v. *Paradiso* XIX.132, ma soprattutto *Convivio*, IV.XXIV.

⁷ *quella parte ov'io era*, «non dice direttamente "verso di me"; ma ciò non significa che Beatrice non guardasse lui, bensì serve a mettere maggiore distanza fra lei e sé» (De Robertis, che cita *Io mi senti' svegliar*, 9-10: «venire inver lo loco là 'v'io era»).

⁸ *pauroso*, perché «*amorosus semper est timorosus*» per Andrea Cappellano, da Ovidio a tutta l'ontologia dell'amore cortese.

⁹ *cortesia*, nobile liberalità. È virtù tutta cortese (cfr. *Convivio*, II.X.8: «...e larghezza è una speziale, e non generale, cortesia! Cortesia e onestade è tutt'uno»; con Bonagiunta, *Sperando lungiamente*, 16-19: «Da senno ven larghezza e cortesia; / torto oblia, - orgoglio e scaunoscenza / e tutt'altra fallenza / che per raison potesse dispiacere».

¹⁰ *meritata*, ricompensata.

¹¹ *nel grande secolo*, nella vita eterna. Oltre all'*immortale / secolo* di *Inferno*, II.14, cfr. *Li occhi dolenti*, 61 (*secol novo*); *Venite a intender*, 11 (il *secol degno de la sua vertute*), il *secol... tanto noioso* di *Quantunque volte*, 8, e il *secolo* di *Morte villana*, 13.

¹² *mi... virtuosamente*, un saluto che è al contempo operazione virtuosa di nobilitazione.

¹³ *vedere... beatitudine*, toccare il grado massimo della beatitudine. Cfr. *Paradiso*, XV.34-36: «...dentro a li occhi suoi ardea un riso / tal, ch'io pensai co' miei toccar lo fondo / de la mia grazia e del mio paradiso». Per questo significato di *vedere* (= avere esperienza, conoscere) basti l'*incipit* di *Vede perfettamente*, o del cavalcantiano *Vedeste, al mio parere*.

¹⁴ *fermamente*, certamente.

¹⁵ *nona*, come nona delle dodici ore temporali corrisponde alle tre dopo mezzogiorno (cfr. XII.9; XXXIX.1; *Convivio* III.VI.2 e IV. XXIII.15).

¹⁶ *le sue parole... si mossero*, su questo «movimento» cfr. ad esempio *Parole mie che per lo mondo siete, O dolci rime che parlando andate*, etc.

¹⁷ *presi*, provai (cfr. *Donna pietosa*, 35: «Io presi tanto smarrimento...», e i più vulgati *Purgatorio* IX.143 e *Paradiso* XXX.119: «La vi-

sta mia ne l'ampio e ne l'altezza / non si smarriva, ma tutto prendeva / il quanto e 'l quale di quella allegrezza». Ma v. anche Dante da Maiano, *Tanto amorosamente*, 9-10: «il gioire / ch'eo prenderia di mia benvoglienza»; o Panuccio del Bagno, *Considerando la vera partensa*, 72 e 91.

[18] *inebriato*, secondo la terminologia biblica e mistica del colmo d'esaltazione estatica (p.e. *Isaia* XVI.9; XXIX.9; *Ieremia*, XXIII.9 etc.). Ma v. l'*anima* che *s'inebria* di *Convivio* III.VIII.14 e, più ancora pertinenti di *O Francesco, da Deo amato*, 45, Jacopone, *Amor de caritate*, 228 e D. Cavalca, *Volgarizzamento delle Vite dei Santi Padri* (ed. Sorio-Racheli), p. 282: «Quasi inebriati di dolcezza addormentammoci».

[19] *mi partio*, mi allontanai. La lontananza sarà però tradizionalmente pretesto a un'intensificazione del ricordo, come è detto subito dopo (e cfr. p.e. Guittone, *Con più m'allungo*, 1-8).

[20] *a lo... camera*, tradizionale anche il ricorso a *Ezech.*, VIII.12 «*in abscondito cubiculi sui*». Cfr. *Vita Nuova*, III.3; XII.2, 3, 9; XIV.9; XXIII.10, 12.

[21] *pensare di*, costruzione normale in antico (iterata all'inizio del paragrafo successivo).

[22] *cortesissima*, avendo appunto mostrato a Dante *la sua ineffabile cortesia* (paragrafo 1).

[23] *uno soave sonno*, secondo la definizione del *Convivio* (II.VII.5) «un pensiero soave ("soave" è tanto quanto "suaso", cioè abbellito, dolce, piacente e dilettoso)», (e cfr. il «soave e dolce... riposo» di *Quantunque volte*, 11, assieme all'immagine illuminante di Bonagiunta, *Oi amadori*, 42-45: «come nave / che soave / sta in grave tempestanza»; così «vita soave» in Monte Andrea, *Ai Dio, che fosse*, 3). È il preludio naturale, anche se non essenziale, alla visione, e accosta il *dolce sonno* della risposta cavalcantiana (*Vedeste, al mio parere*, 13). Così sulla «trasmutazione» del *pensamento* in sogno v. *Purgatorio*, XVIII, 139-145.

[24] *maravigliosa*, apportatrice di stupore.

[25] *che*, dichiarativo.

[26] *nebula*, nuvola (col diminutivo, *nebuletta bianchissima*, in XXIII.7, a significare l'anima di Beatrice, e *Convivio*, II.XV.5 «nebulette matutine a la faccia del sole»). V. anche la *nuvola di fiori* gettata dagli angeli in *Purgatorio*, XXX.28; Marigo allega l'«*angelum... amictum nube*» di *Apoc.*, X.1, ma la letteratura visionaria medievale è ricca di immagini affini. V. in conclusione Niccolò de' Rossi, *Donzella blanca*, 2.

[27] *pauroso*, terrificante (v. Cavalcanti, «Io vidi gli occhi dove Amor si mise / quando mi fecer di sé pauroso...»).

[28] *con tanta letizia*, tanto lieto.

[29] *e ne le sue... queste*, «notare il procedimento analitico. Prima l'impressione del mistero, poi la rivelazione di quel tanto di mistero che gli è dato conoscere. Ma è anche che Dante cerca di rendere il processo irrazionale del sogno, in cui si comprende che si dicono molte cose e non

s'intende nello stesso tempo. Oltre tutto Dante tentava per la prima volta di rendere in prosa un fatto di pura fantasia» (De Robertis).

[30] *Ego dominus tuus*, «Io sono il tuo signore» (da *Exodus*, XX.2 *«Ego sum Dominus Deus tuus»*). Curioso nel *Fiore*, IV.5 «I' sì son tu' signore».

[31] *leggeramente*, da collegarsi a *involta*: «delicatamente avvolta», con riferimento alla qualità stessa del tessuto, visto che traspaiono le fattezze della persona. Cfr. «Amore... vestito di novo d'un drappo nero» in *Un dì si venne*, 9.

[32] *riguardando*, osservando.

[33] *intentivamente*, con attenzione.

[34] *de la salute*, del saluto, nella duplice specificazione di «donna gentile che mi porse il saluto» (come è detto poco appresso), e di «donna della salvezza cristiana» (cfr. XIX e XXXII; *Di donne io vidi*, 9 e 13; Cino, *L'alta speranza*, 15: «Questa salute voglio chiamar laudando...»). È insomma anche la *«causa salutis»* secondo quanto indicato dal *Liber de distinctionibus* di Alano di Lilla.

[35] *mi parea*, la difficoltà percettiva, tipica del contesto «visionario», è scandita qui dall'uso iterato del verbo «parere».

[36] *una cosa... tutta*, il cuore del poeta, sottoposto ad un'azione anche visivamente feroce, al pari del «core / che Morte... porta 'n man tagliato in croce» (Cavalcanti, *Perché non fuoro*, 13-14). Per il lessico cfr. anche Cino, «Veduto han gli occhi miei sì bella cosa, / che dentro dal mio cor dipinta l'hanno...», con il significato affine di «creatura» per cui v. nota a *Tanto gentile*, 7.

[37] *Vide cor tuum*, «ecco il tuo cuore».

[38] *era stato*, aveva atteso.

[39] *si sforzava per suo ingegno*, si impegnava con ogni mezzo.

[40] *dubitosamente*, con qualche esitazione, impaurita. Il tema del cuore mangiato è di origine celtica; già nel *Lai Guiron* del *Tristan* di Thomas, ebbe enorme diffusione romanza a significare l'atto del possesso, ed è reperibile nel *Roman du Chatelain de Couci* (sullo sfondo delle crociate), nel *Lai d'Ignauré*, nella LXII novella del *Novellino*, nelle novelle di Tancredi e Ghismonda, del Rossiglione e del Guardastagno nella quarta giornata del *Decameron*, nella storia spagnola della marchesa d'Astorga, fino a *Das Herz* di Conrad von Würtzburg e al *Knight of Courtesy*. L'autorizzazione scritturale sarà nell'invito di Cristo a cibarsi della propria carne qualora se ne voglia condividere le sorti eterne (*Giovanni*, VI.22-60). Comunque lo Scherillo cita in proposito un sogno del padre di Elia narrato da Isidoro e riassunto nel *Tresor* di Brunetto.

[41] *dimorava*, stava (cfr. Cavalcanti, *Donna me prega*, 18, 23 e, al v. 48: «poco soggiorna»; con Lapo, *Sì come i Magi*, 7).

[42] *convertia*, trasformava (cfr. Maestro Rinuccino, *D'amore abiendo*, 13 «e riso, lasso, m'è tornato in pianto», assieme al classico *Inferno*, XXVI.136: «Noi ci allegrammo, e tosto tornò in pianto»).

[43] *si ricogliea*, si raccoglieva (prolettico).

[44] *si ne gisse*, se ne andasse.

[45] *sostenea*, pativo.

[46] *angoscia*, «sensazione fisica di affanno e difficoltà di respiro, se-

condo il significato etimologico (lat. *angustia*) (Maggini). Cfr. Cavalcanti, *Voi che per li occhi*, 3; *La forte e nova*, 18.

[47] *deboletto*, diminutivo come sempre in Cavalcanti.

[48] *anzi... disvegliato*, cfr. Cavalcanti, *Vedeste, al mio parere*, 13-14: «fu 'l dolce sonno ch'allor si compiea, / ché 'l su' contraro lo venìa vincendo».

[49] *mantenente*, subito.

[50] *trovai*, capii.

[51] *apparita*, participio debole, come in XXXV.5; *Videro li occhi miei*, 2; Cavalcanti, *Veggio negli occhi*, 12; *Noi siàn le triste penne*, 8; Lapo, *Dolc'è 'l pensier*, 16, etc.

[52] *era... stata*, essendo la notte di dodici ore, la *quarta* di esse è la prima delle ultime nove.

[53] *fue*, fu (regolare da *fuit*).

[54] *propuosi*, mi proposi.

[55] *sentire*, conoscere.

[56] *trovatori*, rimatori (per calco dal provenzale *trobador*; e cfr. Bonagiunta, *Voi, ch'avete*, 4).

[57] *con ciò fosse cosa che*, poiché (normale in antico col congiuntivo).

[58] *veduto*, provato, imparato.

[59] *parole per rima*, versi volgari (mentre *dire per versi*, *Vita Nuova*, XXV.4, indica la poesia in latino).

[60] *fare*, comporre.

[61] *li fedeli d'Amore*, chi è preso dalla signoria del dio d'amore (ma, nel gergo della rimeria cortese, anche chi fa del linguaggio amoroso il proprio naturale). V., nei *Memoriali bolognesi*: «Seguramente / vegna a la nostra danza / chi è fedel d'Amore / e hagli cor e speranza»; e *Purgatorio*, XXXI.133-134.

[62] *giudicassero*, esaminassero per l'interpretazione (e cfr. *Savete giudicar vostra ragione*, o *Voi che 'ntendendo* , 53-54).

[63] *sonetto*, Schema ABBA ABBA, CDC CDC.

[64] *presa*, invaghita, presa dall'amore. È importante che il testo poetico d'esordio allinei subito un termine fra i più 'strutturanti' dell'universo di segni amoroso. Cfr. *La dispietata mente*, 58; *Amor che movi*, 25; *Perché ti vedi*, 8; con gli antecedenti Notaro, *Madonna, dir*, 2; Federico II; *Poi ch'a voi piace*, 52-53; Dante da Maiano, *La dilettosa cera*, 2; Bonagiunta, *Quando apar*, 23; *Ormai lo meo cor*, 43 (ch'Amor m'ha preso e stretto); *Donna, vostre bellezze*, 3; e gli *incipit* di Monte, *D'amore sono preso*, e Guittone, *Amor m'ha priso*. In area stilnovistica v. Cavalcanti, *Dante, un sospiro*, 12; Guinizzelli, *Fra l'altre pene*, 5; Cino, *Se lo cor vostro*, 9, etc. C'è chi rimanda addirittura a Properzio, I.1: «*Cynthia prima suis miserum me cepit ocellis*» («Cinzia fu la prima a prendermi, disgraziato, con i suoi teneri sguardi»).

[65] *gentil*, nobile (dai *gentil corage* di Roberto I d'Alvernia alla canzone guinizzelliana e oltre, segnale di una rivoluzione etica relativa al concetto di nobiltà: cfr. *Vita Nuova*, XX.3).

[66] *lo dir presente*, questa poesia. Tradizionale il ricordo del sonetto d'esordio della Corona di casistica amorosa: «Se 'n questo dir presente si contene alcuna cosa... ». E cfr. *Purgatorio*, XXIII.98.

[67] *in ciò che*, con valore finale.

[68] *mi rescrivan suo parvente*, mi facciano conoscere per scritto il loro parere. Si noti l'assenza di articolo di fronte a possessivo, normale in antico. Sul provenzalismo *parvente* (da *parven*), presto scaduto nella funzione di zeppa *al mio parvente*, v. la stanza *Lo meo servente core*, 10. Il verbo *riscrivere* è tecnico nell'occasione: cfr. la risposta del Maianese, *Di ciò che stato sei dimandatore*, 12, con Guido Orlandi, *Poi che traesti infino al ferro l'arco* (a Dante), 9-10: «Non povramente guadagnar ne voglio / anzi per rima più te ne riscriva».

[69] *salute*, sottinteso «dico». È la forma di *salutatio* che chiarisce nella sua *Rettorica* Brunetto: «dee lo dettatore nominare lo ricevente e la sua degnitate... e poi dee scrivere la sua affezione, cioè quello che desidera che venga a colui che riceve la lettera, sì come salute o altro che sia avenante». V. anche di Guido Cavalcanti, *Gianni, quel Guido salute*, 1-2.

[70] *in lor segnor*, nella persona del signore dei «Fedeli» (come fa il cristiano nella persona di Cristo).

[71] *Già... l'ore*, come ha già indicato nella prosa (II.1), era trascorsa la terza parte delle dodici ore notturne (*temporali*): era quindi ancora la quarta di esse. *Atterzate* è *apax* dantesco.

[72] *subitamente*, d'improvviso.

[73] *cui... orrore*, il ricordo della cui sola apparizione mi terrorizza (*essenza* qui è da «essere», per cui Barbi cita Matteo Frescobaldi, *Sì mi consuma*, 1-4). Anche nella *Commedia* ricorre spesso il motivo dell'emozione rinnovata tramite memoria (*Inferno* I.6; III.131-132; V.121-123; XVI.12 etc.).

[74] *tenendo*, participio presente («che teneva», come ai vv. 11-12 *dormendo e ardendo*). V. p.e. *Amore e monna Lagia*, 7-8; *Purgatorio*, IX.38; *Inferno*, XXIII, 59-60 o anche Cavalcanti, *O tu che porti*, 1-2.

[75] *madonna*, la mia donna (prov. *midons*).

[76] *esto*, questo (da *iste*).

[77] *paventosa*, impaurita.

[78] *umilmente*, senza arroganza.

[79] *appresso*, poi.

[80] *gir lo ne vedea*, lo vedevo andarsene (si noti la disposizione arcaica, accusativo + caso obliquo, delle particelle, per cui basti il confronto con Rinaldo d'Aquino, *Già mai non mi riconforto*, 10).

[81] *Questo... parti*, «La divisione rappresenta il vero e proprio commento, la spiegazione o "sposizione" delle rime, giusta la definizione di XIV.13 riecheggiante la *Rhetorica ad Herennium*, nonché la *Rettorica* di Brunetto, che appunto forniva l'esempio prossimo di questa tecnica» (De Robertis).

[82] *risponsione*, risposta (come in *Fiore*, CLXXI.12).

[83] *significo a che*, indico ciò a cui...

[84] *dee*, con il dileguo del *v* intervocalico.

[85] *da molti*, sono conservate le risposte di Guido Cavalcanti (*Vedeste, al mio parere*), Dante da Maiano (*Di ciò che stato sei dimandatore*), e Terino da Castelfiorentino (o Cino? *Naturalmente chere ogni amadore*).

[86] *di diverse sentenzie*, con interpretazioni diverse.

[87] *cui*, che.

[88] *primo de li miei amici*, Guido Cavalcanti, così definito anche in XXIV.3 e 6; XXV.10; XXX.3; XXXII.1.

[89] *disse*, compose.

[90] *quasi*, possiamo dire.

[91] *amistà*, amicizia. Dante è ascritto perciò alla schiera dei poeti-fedeli d'Amore, una volta verificata con questo sonetto la competenza in argomento.

[92] *Lo verace giudicio*, l'interpretazione corretta, il giusto significato (in rapporto al pianto d'Amore per la morte di Beatrice).

[93] *veduto*, raggiunto.

[94] *per*, introduce il complemento d'agente con verbo al passivo.

[95] *ora*, adesso che, appunto, Beatrice è morta.

[96] *semplici*, forse anche l'opposto dei *conoscenti*: sono i «non addetti» all'universo dei valori cortesi, ma anche le persone genericamente incolte (v. *Purgatorio*, XVI.88 «l'anima semplicetta che sa nulla»).

IV. Da questa visione innanzi [1] cominciò lo mio spirito naturale [2] ad essere impedito [3] ne la sua operazione [4], però che l'anima era tutta data [5] nel pensare di questa gentilissima; onde io divenni in picciolo [6] tempo poi di sì fraile [7] e debole condizione, che a molti amici pesava [8] de la mia vista [9]; e molti pieni d'invidia [10] già si procacciavano di [11] sapere di me quello che io volea del tutto celare [12] ad altrui [13]. **2** Ed io, accorgendomi del malvagio domandare che mi faceano, per la volontade d'Amore, lo quale mi comandava secondo lo consiglio de la ragione [14], rispondea loro che Amore era quelli che così m'avea governato [15]. Dicea d'Amore [16], però che io portava nel viso tante de le sue insegne [17], che questo non si potea ricovrire [18]. **3** E quando mi domandavano «Per cui t'ha così distrutto [19] questo Amore?», ed [20] io sorridendo li guardava, e nulla dicea loro.

---

[1] *innanzi*, in poi (secondo quanto previsto in II.6).

[2] *spirito naturale*, cfr. II.6.

[3] *impedito*, ostacolato (cfr. Cavalcanti, *Donna me prega*, 36: «se forte - la vertù fosse impedita»).

⁴ *ne la sua operazione*, di «ministrare lo nutrimento nostro».

⁵ *data*, assorta.

⁶ *piccolo*, breve.

⁷ *fraile*, fragile (franc. *fraile*; con esito naturale di *g* palatale intervo-calica in postonia). Cfr. «la mia frale vita» di *Donna pietosa*, 29, con la prosa che accredita sinonimia tra «fragile» e «debole».

⁸ *pesava*, rincresceva (v. *Inferno*, VI.58-59: «il tuo affanno / mi pesa sì che a lagrimar m'invita»; e *E' m'incresce di me*, 46: «e non le pesa del mal ch'ella vede»).

⁹ *vista*, aspetto esteriore. Cfr. Cavalcanti, *Vedete ch'i' son un*, 7-12: «... mi saluta / tanto di presso l'angosciosa Morte, / che fa 'n quel pun-to le persone accorte, / che dicono infra lor: "Quest'ha dolore, / e già, secondo che ne par de fòre, / dovrebbe dentro aver nuovi martiri"».

¹⁰ *pieni d'invidia*, i malparlieri, i maligni, gli invidiosi che regolar-mente ostacolano il compimento della passione amorosa divulgandone i segreti: l'annoiosa gente di parte della tradizione. Arnaut Daniel e Ber-nart de Ventadorn sono particolarmente feroci contro costoro (i *noiosi falsi mal parlanti* di un sonetto di Megliore degli Abati), al pari ad esempio di Guittone pure consapevole del loro potere (*Tutto mi strug-ge*, 25-30).

¹¹ *si procacciavano di*, facevano di tutto per.

¹² *celare*, cfr. ad esempio Guittone, *Mante stagione veggio*, 1-12 e 31-39; *Voglia de dir*, 41-42 «ch'eo son sì d'amar lei coverto e saggio / alcon non po del mio amor levar saggio»; *Sì mi distringe forte*, 41-47; *Tutto ch'eo poco vaglia*, 5-8: «E de la mia travaglia / terraggio esto sa-vere, / che non farò parere / ch'amor m'aggia gravato com'eo sono»; *Ahi como ben*, 1-11; *Non sia dottoso*, 1-14; Bonagiunta, *Fin amor mi conforta*, 36-38; *Fina consideransa*, 4-6, etc.

¹³ *altrui*, impersonale-indefinito, obliquo di *altro*.

¹⁴ *lo quale... ragione*, cfr. II. 9.

¹⁵ *così... governato*, ridotto a tale stato (cfr. *Inferno* XXVIII. 126; *Purgatorio*, XXIII. 34-36; e *Amor, da che convien*, 61).

¹⁶ *Dicea d'Amor*, era costretto a confessare che si trattava di Amore.

¹⁷ *insegne*, segni. La critica rimanda soprattutto a Petrarca, *Perch'al viso d'Amor*, 1, e *Chi è fermato*, 23: «vid'io le 'nsegne di quell'altra vi-ta».

¹⁸ *ricovrire*, nascondere.

¹⁹ *distrutto*, consumato, fiaccato (e cfr. Cavalcanti, *Io non pensava*, 47-52: «e prego umilemente a lei tu guidi / li spiriti fuggiti del mio co-re, / che per soverchio de lo su' valore / eran distrutti, se non fosser vòlti, / e vanno soli, senza compagnia, e son pien' di paura»; *Voi che per li occhi*, 3-4 etc... Dal Notaro, *Dal core mi vene*, 13-14: «L'amor c'agio in vui / lo cor mi distrui...», si arriverà insomma, ad esempio, al-la dittologia *morto e destrutto* in Cecco Angiolieri, *Qualunque ben si fa*, 8.

²⁰ *ed*, paraipotattico.

V. Uno giorno avvenne che questa gentilissima sedea in parte ove s'udiano parole de la regina de la gloria [1], ed io era in luogo dal quale vedea la mia beatitudine [2], e nel mezzo di lei e di me per la retta linea [3] sedea una gentile donna [4] di molto piacevole aspetto, la quale mi mirava spesse volte, maravigliandosi del mio sguardare [5], che parea che sopra lei terminasse [6]. **2** Onde molti s'accorsero de lo suo mirare; e in tanto vi fue posto mente [7], che, partendomi da questo luogo, mi sentio dicere [8] appresso [9] di me: «Vedi come cotale donna distrugge la persona di costui [10], e nominandola [11], io intesi che dicea di colei che mezzo [12] era stata ne la linea retta che movea [13] da la gentilissima Beatrice e terminava ne li occhi miei. **3** Allora mi confortai molto, assicurandomi [14] che lo mio secreto non era comunicato [15] lo giorno altrui per mia vista [16]. E mantenente [17] pensai di fare di questa gentile donna schermo de la veritade [18], e tanto ne mostrai [19] in poco tempo, che lo mio secreto fue creduto sapere [20] da le più persone che di me ragionavano. Con questa donna mi celai [21] alquanti anni e mesi; e per più fare credente altrui [22], feci per lei certe cosette per rima [23], le quali non è mio intendimento di scrivere qui, se non in quanto facesse a trattare [24] di quella gentilissima Beatrice; e però [25] le lascerò tutte, salvo che alcuna cosa [26] ne scriverò che pare [27] che sia loda [28] di lei.

---

[1] *in parte... gloria*, in un luogo in cui si celebrava una funzione mariana.

[2] *la mia beatitudine*, Beatrice «virtuosa» (cfr. Boccaccio, *Sulla poppa sedea*, 14; ma soprattutto *Convivio*, IV.XXII).

[3] *e nel mezzo... linea*, in linea retta fra me e lei.

[4] *una gentile donna*, la funzione dello «schermo» femminile è contemplata già dal *De Amore* di Andrea Cappellano oltreché dalla stessa poesia cortese. *(Aliae igitur dominae nil mihi possunt ex debito postulare, nisi ut vestrae contemplationis intuitu mea sibi debeam beneplacita largiri obsequia et obsequiorum originem cauto reticere silentio; et «vobis autem tantum debiti obligatione constringor in cunctis laudabilia meis actibus operari et nullius improbitatis macula vitiari».* [«Le altre donne niente mi possono per debito dimandare se non che

per vostra grazia io le debba servire, e sempre celare con silenzio lo nascimento dal quale lo servigio procede; ma solo da voi d'obligazione di debito sono costretto a fare sempre opere laudabili e che di nessuno vizio di viltà possano essere maculate»]).

[5] *sguardare*, guardare con molta attenzione, senza distogliersi mai (dal provenzale *esgardar*, francese *esgarder*, per cui cfr. *Purgatorio*, VI.65; *Poi che sguardando*, 1; e Dante da Maiano, *La gran virtù d'amore*, 8).

[6] *terminasse*, si posasse.

[7] *in tanto... mente*, tanta fu la curiosità (la riflessione) che suscitò. Per *in tanto* v. almeno *Paradiso* XXX. 103-105.

[8] *dicere*, forma intera, di calco diretto dal latino ecclesiastico, diffusissima nella prosa coeva.

[9] *appresso*, dietro.

[10] *Vedi... costui*, cfr. Cavalcanti, *Era in penser d'amor*, 19-20: «Guarda come conquise / forza d'amor costui!». E per il verbo *distruggere* v. nota 19 al capitolo IV.

[11] *nominandola*, con soggetto ancora «quelli che dicevano appresso Dante».

[12] *mezzo*, luogo intermedio; cfr. *Inferno* XVII.83 e *Purgatorio* XXIX. 44-45.

[13] *movea*, si originava.

[14] *assicurandomi*, sicuro.

[15] *era comunicato*, era stato svelato (*altrui* vale «ad altri», con valore indefinito).

[16] *per mia vista*, a causa dei miei sguardi continui.

[17] *mantenente*, subito.

[18] *schermo de la veritade*, copertura (riparo, impedimento) alla verità. Dante così «propone il vieto motivo in forma d'esperienza e di scoperta singolarissima... E con ciò dava valore d'invenzione all'espediente retrospettivo di far passare i vecchi amori e le rime scritte per altre donne... come rientranti nell'amore e nella poesia per Beatrice» (De Robertis). Per lo *schermo* v. ad esempio *Inferno*, XV. 5-6, e *Amor, da che convien*, 73-75: «fatto ha d'orgoglio al petto schermo tale / ch'ogni saetta lì spunta suo corso; / per che l'armato cor da nulla è morso».

[19] *tanto ne mostrai*, tanto abile fui nel mostrarmi amante di quella donna.

[20] *lo mio... sapere*, (le più persone) credettero di aver conosciuto il mio segreto.

[21] *mi celai*, tenni nascosto il mio vero amore.

[22] *per più... altrui*, per indurre meglio ancora dette persone a credere.

[23] *cosette per rima*, poesiuole in volgare (tra cui, sicuramente, il serventese del capitolo VI e il sonetto *O voi che per la via* al capitolo VII. Si suppongono anche alcune rime estravaganti come *Deh, Violetta* o *Per una ghirlandetta*). Per il diminutivo cfr. Cino, *Qua' son le cose vostre*, 7 (al Cavalcanti).

[24] *facesse a trattare*, (registrarle) servisse a parlare.

[25] *però*, causale.

²⁶ *alcuna cosa*, qualcosa.

²⁷ *pare*, risulta evidente.

²⁸ *loda*, lode (corrente metaplasmo di declinazione). Si introduce così, quasi impercettibilmente, il futuro tema della lode.

VI. Dico che in questo tempo che questa donna era schermo di tanto¹ amore, quanto da la mia parte², sì mi venne una volontade di volere³ ricordare lo nome di quella gentilissima ed accompagnarlo di molti nomi di donne, e spezialmente del nome di questa gentile donna⁴. **2** E presi li nomi di sessanta⁵ le più belle donne de la cittade ove la mia donna fue posta da l'altissimo sire⁶, e compuosi una pistola⁷ sotto forma di serventese⁸, la quale io non scriverò⁹: e non n'avrei fatto menzione, se non per dire quello che, componendola, maravigliosamente addivenne¹⁰, cioè che in alcuno altro numero non sofferse lo nome de la mia donna stare¹¹, se non in su lo nove¹², tra li nomi di queste donne.

---

¹ *tanto*, questo.

² *quanto da la mia parte*, almeno per quanto riguarda me.

³ *sì... volere*, classico il ricordo di Cavalcanti, *Donna me prega*, 9: «non ho talento di voler provare». Ma Dante sottolinea quasi l'autonomia dell'atto ispirativo (cfr. anche Tomaso da Faenza, «Amoroso voler m'àve commosso; / a nom poter celar, la lingua, il core!»)

⁴ *questa gentile donna*, distinta per l'aggettivo di grado positivo dalla *gentilissima*.

⁵ *sessanta*, per questo numero si è pensato alle «*sexaginta... reginae*» del *Cantico dei Cantici*, alle sessanta gemme adornanti la corona descritta nel poemetto *L'Intelligenza*, e alle altrettante *dominae* di Andrea Cappellano.

⁶ *de la cittade... sire*, pressoché identico al primo cominciamento di *Era venuta*, 2-4: «la gentil donna che... / fue posta da l'altissimo signore / nel ciel de l'umiltate...». La città è ovviamente Firenze. *Alto sire* anche in *Inferno*, XXIX. 56, con *Purgatorio*, XV. 112.

⁷ *pistola*, testo poetico.

⁸ *serventese*, è un tipo di componimento che in provenzale ha ispirazione politica, didascalica, guerresca, satirica, religiosa in tono invettivo. Spiegano infatti *Las Leys d'Amor*: «*Sirventes... deu tractar de reprehensio, o de maldig general per castiar los fols e los malvatz, o pot tractar, qui·s vol, del fag d'alquna guerra*». In Italia esso si distingue

dalla canzone, oltre che per la forma metrica, soprattutto «per il fare, non solo molto meno *tragico*, ma affatto popolaresco e direi quasi domestico. Dalla fine del sec. XIII fino a mezzo il XV, non si trovan denominati serventesi se non componimenti suddivisi in piccole stanze di tre endecasillabi monorimi e d'un quinario (o settenario), rimante coi tre endecasillabi della strofetta seguente (AAAb. BBBc.C...)» (Scherillo). Il serventese composto da Dante avrà seguìto lo schema più in uso del *sermontesius caudatus*, su due o tre endecasillabi con la coda «*ex quatuor syllabis ad minus vel ex quinque ad plus* », secondo la illustrazione di Antonio da Tempo. Un'idea del componimento, sviluppato sul modello dei *Tournoiements des dames* come dei *carrocci* e delle *tregue* provenzali, può aversi sulla scorta del *Legiadro sermintese* di Antonio Pucci, della *Battaglia delle belle donne* di Franco Sacchetti, del boccacciano *Contento quasi ne' pensier d'amore*, della canzonetta *Nel bel prato donzelle* di Amelio Bonaguisi, sino all'enumerazione di fanciulle modenesi di Giovan Maria Parenti.

[9] *scriverò*, registrerò (dato forse il carattere non propriamente leggiadro del genere).

[10] *addivenne*, accadde.

[11] *in alcuno... stare*, il nome della mia donna non tollerò di stare in altro posto.

[12] *in su lo nove*, mentre la donna di Dante di cui al sonetto *Guido, i' vorrei*, 10 («... quella ch'è sul numer de le trenta») occupava una posizione centrale nella graduatoria.

VII. La donna co la quale io avea tanto tempo[1] celata la mia volontade[2], convenne che[3] si partisse de la sopradetta cittade e andasse in paese molto lontano[4], per che io, quasi sbigottito[5] de la bella difesa che m'era venuta meno[6], assai me ne disconfortai[7], più che io medesimo non avrei creduto dinanzi[8]. **2** E pensando che se de la sua partita[9] io non parlasse[10] alquanto dolorosamente[11], le persone sarebbero accorte[12] più tosto[13] de lo mio nascondere, propuosi di farne alcuna lamentanza[14] in uno sonetto; lo quale io scriverò[15], acciò che la mia donna fue immediata cagione[16] di certe parole che ne lo sonetto sono, sì come appare a chi lo intende[17]. E allora dissi[18] questo sonetto[19], che comincia: *O voi che per la via*.

3   O voi[20] che per la via d'Amor passate,
         attendete e guardate[21]

                    s'elli è dolore alcun [22], quanto 'l mio, grave;
                    e prego sol ch'audir mi sofferiate [23],
                    e poi imaginate [24]   5
                    s'io son [25] d'ogni tormento ostale e chiave [26].
4   Amor, non già per mia poca bontate [27]
                    ma per sua nobiltate [28],
                    mi pose in vita sì dolce e soave [29],
                    ch'io mi sentia dir dietro [30] spesse fiate [31]:   10
                    « Deo, per qual dignitate [32]
                    così leggiadro [33] questi lo core have? [34].
5   Or ho perduta tutta mia baldanza [35]
                    che si movea [36] d'amoroso tesoro [37],
                    ond'io pover [38] dimoro [39],   15
                    in guisa che di dir [40] mi ven dottanza [41].
6   Sì che volendo far come coloro
                    che per vergogna celan lor mancanza [42],
                    di fuor mostro allegranza [43],
                    e dentro da lo core struggo [44] e ploro [45].   20

7 Questo sonetto ha due parti principali; che ne la prima
intendo chiamare [46] li fedeli d'Amore per [47] quelle parole
di Geremia profeta che dicono: « *O vos omnes qui transi-
tis per viam, attendite et videte si est dolor sicut dolor
meus* » [48], e pregare che mi sofferino d'audire [49]; ne la seconda narro là [50] ove Amore m'avea posto, con altro intendimento che l'estreme parti del sonetto non mostrano [51], e dico che io hoe [52] ciò [53] perduto. La seconda parte
comincia quivi: *Amor, non già.*

---

    [1] *tanto tempo*, « alquanti anni e mesi » secondo V. 4.
    [2] *volontade*, intenzione reale, quindi « vero sentimento »; cfr. p.e. Ca-
valcanti, *Donna me prega*, 43-44.
    [3] *convenne che*, fu costretta.
    [4] *in paese molto lontano*, è locuzione generica.
    [5] *sbigottito*, anche questo aggettivo già cavalcantiano (*L'anima mia
vilment'è sbigotita*; *O donna mia*, 11; *Era in penser d'amor*, 17; *Deh,
spiriti miei*, 4; e v. *Io non pensava*, 34), qui leggermente svuotato dei
suoi connotati più cupi dal *quasi*, che ironizza in modo pressoché im-
percettibile sull'autenticità della passione.

⁶ *de la bella... meno*, costruzione prolettica.

⁷ *disconfortai*, cfr. il dubbio *Non v'accorgete voi*, 2: «e va piangendo, sì si disconforta?»; con Guittone, *Tutto ch'eo poca vaglia*, 27; «prendere disconforto»; *Se de voi, donna gente*, 21 e 150; etc...

⁸ *dinanzi*, prima.

⁹ *partita*, partenza (deverbale, da *partire*).

¹⁰ *parlasse*, cioè «scrivessi».

¹¹ *dolorosamente*, in termini di dolore.

¹² *sarebbero accorte*, l'assenza della particella riflessiva nei tempi composti è usuale in antico (cfr. p.e. *Inferno* XII. 80-81: «Disse ai compagni: siete voi accorti / che quel di retro move ciò ch'ei tocca?».

¹³ *più tosto*, più rapidamente (facilmente).

¹⁴ *farne alcuna lamentanza*, perifrastico per «lamentarmene». È ovvio comunque il richiamo alle *Lamentationes* di Geremia e al genere della *lamentatio* medievale, per cui v. le *Leys d'Amors*: «*Plangs es us dictatz qu'om fay per gran desplazer e per gran dol qu'om ha del perdemen o de la adversitat de la cauza qu'om planh*».

¹⁵ *acciò che*, poiché.

¹⁶ *fue... cagione*, fu la causa diretta (avendone provocato l'insorgenza).

¹⁷ *a chi lo intende*, *i conoscenti*, le «persone — c'hanno intendimento» di *Donna me prega*, 5 e 74; cfr. anche Rustico Filippi, *Amor fa nel mio cor*, 8: «ch'io posso tutti gli altri intenditori».

¹⁸ *dissi*, composi.

¹⁹ *questo sonetto*, doppio, o rinterzato tramite l'inserimento di un settenario dopo ogni verso dispari delle quartine e dopo il verso pari delle terzine (con uno schema quindi AaBAaB AaBAaB, CDdC DCcD). Ebbe fortuna presso i guittoniani.

²⁰ *O voi...*, da Geremia, *Lamentationes*, I.12 «*O vos omnes qui transitis per viam, attendite et videte si est dolor sicut dolor meus*» («O voi tutti che passate per la via, fermatevi e guardate se v'è dolore simile al mio dolore»). D'Ancona cita a sostegno Rutebeuf, «*Vous qui allez par mi la voie / arestez vous, et chauscuns voie / s'il est dolor tel cum la moie*». Ma la mossa vocativa è soprattutto cavalcantiana, sul tipo *Vedete ch'i' son un che vo piangendo, I' prego voi che di dolor parlate, Voi, che per li occhi mi passaste 'l core*, etc.: v. infine Petrarca, *Poi che mia speme*, 9-11: «... Voi che siete in via, / volgete i passi, e voi ch'Amore avvampa / non v'indugiate su l'estremo ardore».

²¹ *attendete e guardate*, fermatevi a prestare la vostra attenzione. Cfr. *Inferno* XXX. 60-61: «diss'elli a noi: "guardate e attendete / a la miseria..."».

²² *s'elli è dolor alcun*, v. *Inferno* XXVIII.130-132: «... 'Or vedi la pena molesta / tu che, spirando, vai veggendo i morti: / vedi s'alcuna è grande come questa». Si noti la costruzione a incastro.

²³ *audir mi sofferiate*, vogliate tollerare l'ascoltarmi, acconsentiate a darmi ascolto.

²⁴ *imaginate*, possiate raffigurarvi.

²⁵ *s'io son*, se io sono effettivamente.

²⁶ *ostale e chiave*, albergo e luogo di custodia. Per il primo sostantivo

(francese *hostel*, latino *hospitalis*) v. identico il sintagma in Guittone, *Tutto 'l dolor*, 31: «ostal d'ogni tormento» (e cfr. Monte Andrea, *Ahimè, lasso, perché*, 7; Monaldo da Sofena, *Gentile amore*, 12 etc.); per la *chiave* = idea di possesso v. Cavalcanti, *Era in penser d'amor*, 7-8: «... Vo' portate la chiave / di ciascuna vertù alta e gentile»; Dante, *Ballata, i' voi*, 35; *Purgatorio*, VI. 76; *Paradiso*, XV. 132; Baldo da Passignano, *Donzella, il cor sospira*: «e voi che siete d'ogni gioia chiave / potetemi donare allegramento»; Rustico Filippi, *Collui che puose nome*, 11, fino alla mariana *nave* del Saviozzo, «chiave e porto del mondo».

[27] *non già... bontate*, altro stilema guittoniano: cfr. *Lasso, pensando*, 24-25: «non già perché mertato / l'avesse...»; *Vergogna ho, lasso*, 97-98: «Ciò non m'ha conceduto / mio merto, ma la tua bonitate». È appunto struttura antitetica esperita poi in *Morte villana*, 10-11, e *Donne ch'avete*, 3-4.

[28] *nobiltate*, ancora secondo la definizione di *Convivio* IV. XVI. 4

[29] *dolce e soave*, dittologia sinonimica, per cui cfr. Dino Frescobaldi, *Poscia ch'io veggio*, 3-4: «... la mia nova vaghezza / mi tiene in dolce e in soave vita». Per *soave* v. la nota 23 a III.3.

[30] *dir dietro*, v. V.2

[31] *fiate*, volte.

[32] *dignitate*, merito. Per la formula si ricordi Guinizzelli, *Al cor gentil*, 51 sgg.: «Donna, Deo mi dirà: "Che presomisti?"...»

[33] *leggiadro*, giusta la provenzale *leujaria* (a. franc. *legerie*, latino *levis*), che indica la gioia festosa manifesta nell'innamorato. Cfr. *Morte villana*, 15-16: «in gaia gioventute / distrutta hai l'amorosa leggiadria»; *Sonar bracchetti*; 10-12: «Or ecco leggiadria di gentil core, / per una sì selvaggia dilettanza / lasciar le donne e lor gaia sembianza»; *Poscia ch'Amor*, 12 sgg. Per l'aggettivo v. Lapo, *Gentil donna cortese*, 16: «meo cor leggiadro»; ma su tutti Guittone, *Villana donna*, 9-11; *O tu, de nome Amor*, 5.

[34] *have*, è forma sicilianeggiante (cfr. per esempio *Tre donne*, 83 e 85).

[35] *baldanza*, energia. Come spiega Bonagiunta, *Ben mi credea*, 28-30: «ca viver senza Amor no è baldanza, / né possibilitate / d'alcun pregio acquistar di gioi' gradita». Si ricordi anche l'*incipit* di Rustico Filippi, *Or ho perduta tutta mia speranza*.

[36] *si movea*, si originava, procedeva.

[37] *amoroso tesoro*, ricchezza raggiante dell'amore. Si cita in genere Petrarca, *Cercato ho* , 11: «il bel tesoro mio», e *Amor se vuo'*, 5; ma si tratta di immagine guittoniana.

[38] *pover*, cioè senza *tesoro* (come per Cino, *Uom lo cui nome*, 2: «povertà di gioi' d'amore»).

[39] *dimoro*, rimango.

[40] *dir*, esprimere.

[41] *dottanza*, paura (provenzale *doptansa*, per cui v. Notaro, *La 'namoranza*, 40) Dante da Maiano, *Ah meve lasso*, 3; Dante; *Onde venite voi*, 3, ma già in *Fiore* VII.9 etc. (dal *Roman de la Rose*).

[42] *mancanza*, difetto. « A norma della finzione, mancanza della donna-schermo » (De Robertis).

[43] *allegranza*, allegrezza (con suffisso provenzale, vivo soprattutto in Notaro, *Amando lungiamente*, 68; *Guiderdone aspetto*, 29; *Diamante né smiraldo*, 13; come un Guittone, *Se da voi, donna gente*, 61; Bonagiunta *Fina consideransa*, 9; *Quando veggio*, 10 e 56; e molti altri).

[44] *struggo*, è verbo cavalcantiano (v. *L'anima mia*, 11; *A me stesso di me*, 4; *Gli occhi di quella*, 14; *Perch'io non spero*, 40; *S'io fosse quelli*, 14), che evidenzia una sorta di paura passiva. V. anche Chiaro, *Il parpaglion*, 7; Cecco Angiolieri, *I' son sì magro*, 13. Ma l'origine è guittoniana (v. *Ahi deo, che dolorosa*, 46; *O tu, de nome Amor*, 52; *Tutto mi strugge*, 1 e 24; *O grave, o fellonesco*, 10; con la *variatio* di *Dett'ho de dir*, 13-14: « tutto mi squaglio / del gran dolor, ch'entr'a lo cor mi face »; e il seguito ad esempio di Bonagiunta, *Avegna che partensa*, 14; *Gioia né ben*, 11; *Molto si fa*, 46; o Onesto, *Amor m'incende*, 3.

[45] *ploro*, piango (e cfr. *Piangete, amanti*, 2; Lapo, *Eo sono Amor*, 10; etc.)

[46] *chiamare*, convocare.

[47] *per*, mediale.

[48] *O vos... meus* , da *Geremia*, I.12

[49] *mi sofferino d'audire*, abbiano la pazienza di ascoltarmi (al v.4 del sonetto « e prego sol ch'audir mi sofferiate »). V. anche il *Poema della Passione*, « O tutti voi che passate per via / attendete e guardate se dolore / simil si trova alla gran doglia mia... ».

[50] *là*, pleonastico.

[51] *con altro... mostrano*, significando qualcosa di diverso da quanto è addotto dalle terzine del sonetto. Cioè mascherando in struggimento la gioia reale che veniva da Beatrice.

[52] *hoe*, ho (con epitesi).

[53] *ciò*, quella « vita sì dolce e soave », perduta solo in apparenza.

VIII. Appresso lo partire [1] di questa gentile donna fue piacere del segnore de li angeli di [2] chiamare a la sua gloria una donna giovane e di gentile aspetto molto [3], la quale fue assai graziosa [4] in questa sopradetta cittade; lo cui corpo io vidi giacere sanza l'anima [5] in mezzo di molte donne [6], le quali piangeano assai pietosamente [7]. **2** Allora, ricordandomi che già l'avea veduta fare compagnia a quella gentilissima, non poteo [8] sostenere [9] alquante lagrime; anzi piangendo mi propuosi di dicere [10] alquante parole de la sua morte, in guiderdone [11] di ciò che [12] alcuna fiata [13] l'avea veduta con la mia donna. 3 E di ciò toccai alcuna cosa [14] ne l'ultima parte de le parole che io ne dissi [15], sì come appare manifestamente a chi lo [16] intende. E dissi allora questi due sonetti, li quali comincia lo primo [17]: *Piangete, amanti*, e lo secondo: *Morte villana*.

4   Piangete, amanti, poi che piange Amore [18],
           udendo qual cagion lui fa plorare.
5   Amor sente a Pietà donne chiamare [19],
           mostrando [20] amaro [21] duol per li occhi fore,   4
           perché villana Morte [22] in gentil core
           ha miso [23] il suo crudele adoperare [24],
           guastando [25] ciò che al mondo è da laudare [26]
           in gentil donna sovra de l'onore [27].   8
6   Audite quanto Amor le fece orranza [28],
           ch'io 'l vidi lamentare [29] in forma vera [30]
           sovra la morta imagine [31] avvenente [32];   11
           e riguardava [33] ver lo ciel sovente,
           ove l'alma gentil già locata [34] era,
           che donna fu di sì gaia sembianza [35].   14

7 Questo primo sonetto si divide in tre parti: ne la prima chiamo e sollicito li fedeli d'Amore a piangere e dico che lo segnore loro piange, e dico « udendo la cagione per che piange», acciò che s'acconcino più [36] ad ascoltarmi; ne la seconda narro la cagione; ne la terza parlo d'alcuno [37] onore che Amore fece a questa donna. La seconda parte comincia quivi: *Amor sente*; la terza quivi: *Audite*.

8   Morte villana [38], di pietà nemica [39],
           di dolor madre antica [40],
           giudicio incontastabile gravoso [41]
           poi che hai data matera [42] al cor doglioso
           ond'io vado pensoso [43],   5
           di te blasmar [44] la lingua s'affatica [45].
9   E s'io di grazia ti voi far mendica [46],

convenesi ch'eo dica [47]
lo tuo fallar d'onni torto tortoso [48]
non però ch'a la gente sia nascoso [49],   10
ma per farne cruccioso [50]
chi d'amor per innanzi [51] si notrica [52].

10   Dal secolo [53] hai partita [54] cortesia [55]
e ciò [56] ch'è in donna da pregiar vertute:
in gaia gioventute [57]   15
distrutta hai l'amorosa leggiadria [58].
Più non voi discovrir [59] qual donna sia
che per le propietà sue canosciute [60].

11   Chi non merta [61] salute [62]
non speri mai d'aver sua compagnia.   20

12 Questo sonetto si divide in quattro parti: ne la prima parte chiamo la Morte per certi suoi nomi propri [63], ne la seconda, parlando a lei, dico la cagione per che io mi muovo [64] a blasimarla; ne la terza la vitupero; ne la quarta mi volgo a parlare a indiffinita persona, avvegna che quanto a lo mio intendimento sia diffinita [65]. La seconda comincia quivi: *poi che hai data*; la terza quivi: *E s'io di grazia*; la quarta quivi: *Chi non merta salute*.

---

[1] *lo partire*, l'allontanamento.

[2] *fue piacere... di*, piacque.

[3] *molto*, posposto usualmente nel Duecento.

[4] *graziosa*, gradita, amata (cfr. *Purgatorio* VIII. 45: «grazioso fia lor vedervi assai», e *Convivio* IV. XXVIIII. 19: «e vuole mostrare che graziosa fosse a Dio la sua operazione».

[5] *sanza l'anima*, esanime.

[6] *in mezzo... donne*, circondato da molte donne (per compianto); cfr. XXII. 3; XXIII. 8.

[7] *pietosamente*, per il dolore (cfr. XII. 4; XXII. 3; XXIII. 6; Cavalcanti, *Perché non fuoro*, 10: «a pianger sovra lor pietosamente»).

[8] *poteo*, potei.

[9] *sostenere*, trattenere (come p.e. in *Inferno*, XXVI. 72: «Ma fa' che la tua lingua si sostegna»).

[10] *dicere*, la solita forma intera.

[11] *guiderdone*, ricompensa.

[12] *di ciò che*, del fatto che.

[13] *fiata*, volta.

[14] *toccai alcuna cosa*, feci breve cenno.

[15] *ne l'ultima... dissi*, nella parte finale di questi due sonetti (*Piangete, amanti* e *Morte villana*).

[16] *lo*, il riferimento di cui parlo.

[17] *li quali... primo*, tipico anacoluto. Lo schema del sonetto è ABBA ABBA, CDE EDC proprio anche di *Ne li occhi porta, Tanto gentile, Videro li occhi miei* (e di alcuni sonetti cavalcantiani a Dante, come *I' vegno 'l giorno a te, S'io fosse quelli*, etc.). L'*incipit* tornerà in Petrarca, «Piangete, donne e con voi pianga Amore, / piangete, amanti, per ciascun paese».

[18] *piange Amore*, come in *Era venuta*, secondo cominciamento, 2.

[19] *a Pietà... chiamare*, donne che invocano piangendo la Pietà (personificata).

[20] *mostrando*, participiale riferito a *donne*. Cfr. *Voi che portate*, 2, con *Inferno* XVII. 46: «Per li occhi fora scoppiava loro duolo», e Petrarca, *Cesare, poi*, 4: «pianse per gli occhi fuor, sì come è scritto».

[21] *amaro*, è aggettivo già cavalcantiano.

[22] *villana Morte*, contrapposta cioè a *gentile* (del sonetto *Morte gentil* di Lippo Pasci de' Bardi) si oppone a *cortese*, esemplarmente, in Guittone, *Or che dirà*, 10), all'unisono con la «villana morte che non hai pietanza» di Giacomino Pugliese (*Morte, perché*, 5). Cfr. ancora Guittone, *Tutto 'l dolor*, 36: «Ahi morte, villania fai e peccato». Barbi rimanda pure a Giovanni Villani e Brunetto (*Tesoro*, V. 23: «elle corsero addosso la femina, e ucciserla villanamente») per la crudezza dell'espressione.

[23] *miso*, messo (sicilianismo).

[24] *adoperare*, azione (infinito sostantivato). Cfr. *Io sento sì d'Amor*, 30; Bonagiunta, *Molto si fa brasmare*, 12; Chiaro, *Tutto l'affanno*, 15; *Madonna lungiamente*, 53; *Molti omini*, 14 etc.

[25] *guastando*, cfr. Lapo, «O Morte della vita privatrice / o di ben guastatrice», o Pacino Angiulieri, *Quale che per amor*, 44-45: «che tanta bieltà fosse / per te, Morte, così tosto guastata». V. anche *Inferno*, XXIV.19; XXXIII.3; *Paradiso*. XVIII.132 (o Peire Vidal, «*E si consec janglos lauzengier / qu'ab fals conselh gastòn l'autrui sabrier / e baisson joi...*»).

[26] *ciò... laudare*, cfr. Guittone, *O voi, giovane donne*, 13: «quel offende quanto è da pregiare»

[27] *sovra de l'onore*, oltre la virtù (cioè la bellezza della gioventù).

[28] *orranza*, onore (prov. *onranza*); forma assimilata. V. *Inferno*, IV. 74; Guittone, *Gentil mia donna*, 2: «vostro sovrapiacente orrato affare»; *Ahi, lasso, che li boni*, 16 e 56; *Padre dei padri miei*, 10; Bonagiunta, *Similemente onore* 63; Dante da Maiano (?), *Tre pensier'aggio*, 13; etc.

[29] *lamentare*, usuale l'eliminazione del *si* riflessivo in infinito dopo *verbum videndi* in antico.

[30] *in forma vera*, in persona reale. Cfr. Cino, *Vinta e lassa*, 8: «Amor visibil veder mi paria». Per l'azione di Amore cfr. Cavalcanti, *Perché non fuoro*, 9-10: «Tu gli ha' lasciati sì, che venne Amore / a pianger sovra loro pietosamente»

³¹ *imagine*, figura, corpo (termine questo non adatto alla misura lirica secondo il *De vulgari eloquentia*, II.VII.14, e ricorrente altrove solo in *Le dolci rime* 123).

³² *avvenente*, piacevole (prov. *avinens*).

³³ *riguardava*, guardava (gallicismo, per cui cfr. Pier della Vigna, *Uno piasente isguardo*, 11; Dante da Maiano, *Primer ch'eo vidi*, 2, etc... Nella *Vita Nuova* anche in *Con l'altre donne*, 4; *Era venuta*, secondo cominciamento, 4; *Color d'amore*, 10.

³⁴ *locata*, collocata al suo posto (cfr. magari Petrarca, *Spirto gentil*, 79).

³⁵ *donna... sembianza*, entrambi provenzalismi (per cui v. ser Polo Zoppo, *La gran nobilitate*), suggeriscono il confronto con Rustico Filippi, *Gentile ed amorosa*, 2, e il dantesco *Sonar bracchetti*, 12 (già Gaucelm Faidit, «*El dous ris el gen parlar, / jojos ab gaja semblansa*»).

³⁶ *s'acconcino più*, si dispongano meglio.

³⁷ *alcuno*, un determinato.

³⁸ *Morte villana*, v. la nota 22. Lo schema del sonetto è ancora quello rinterzato, AaBBbA AaBBbA, CDdC CDdC.

³⁹ *di pietà nemica*, modulo affine ad esempio in Guittone, *Esso meraviglioso guai*, 8: «di provedenza nemico»; *Invidia, tu*, 4: «d'onni bon nemica»; etc.

⁴⁰ *di dolore*. Cfr. Lapo, *O Morte*, 24-25: «nova doglia ed antica fai criare, / pianto e dolor tuttor fai generare», anche qui in un procedimento di *amplificatio*.

⁴¹ *giudicio... gravoso*, sentenza dura e inappellabile. Si noti, oltre all'assimilazione di *incontastabile*, il crudo asindeto entro il processo di *amplificatio*.

⁴² *matera*, argomento (con terminazione semipopolare). Per *cor doglioso* v.p.e. Petrarca, *Gentil mia donna*, 73 e 169.

⁴³ *pensoso*, afflitto (cfr. *onde venite voi così pensose*, e «così dogliose» al v. 4. V.p.e. Bonagiunta, *Ormai lo meo cor*, 28: «lo cor me ne sta pensoso», con *Quando apar*, 9-10 e Monte, *Ai, Deo merzé*, 30: «Ond'è lo cor pensoso»).

⁴⁴ *blasmar*, biasimare (provenzalismo). Vedi, più avanti, *blasimarla*.

⁴⁵ *la lingua s'affatica*, secondo una teatralizzazione degli organi espressivi esibita anche altrove nel libello.

⁴⁶ *di grazia... mendica*, voglio renderti priva di grazia (con lo stilema *mendico di* di impronta guittoniana: *Ahi bona donna*, 64; Monte, *Più soferir non posso*, 72; *Ai misero tapino*, 26; Panuccio, *Doloroza dogliensa*, 15; etc. *Voi* è forma apocopata da *voglio* (cfr. il v. 17).

⁴⁷ *convenesi ch'eo dica*, bisogna che io narri. Per il contesto basti Guittone, *La dolorosa mente*, 4-6: «... for che la lingua, ch'a lo cor si tene. / E questa parla per contar lo torto, / ...e non s'attene, / e dice / Oh, lassa...»

⁴⁸ *lo tuo... tortoso*, il tuo torto colpevole di ogni colpa. Anche qui un modulo guittoniano, affine ad altre figure etimologiche (*Voglia de dir*, 23: «noiosa noi'»; *Tutto 'l dolor*, 20 e *Ahi, quant'ho*, 45: «altera altezza»; *Tutto ch'eo poco vaglia*, 9 «validor valente»; *O bon Gesù*, 7

«dogliosa doglia»; *Grazie e merzè*, 21: «vita vital» etc...). *Onni* è normale da *omne*, con passaggio da *-e* ad *-i*.

⁴⁹ *nascoso*, ignoto.

⁵⁰ *cruccioso*, adirato.

⁵¹ *per innanzi*, per il futuro.

⁵² *notrica*, nutre (si ricorda che in provenzale *noirit* è usato quale sinonimo di *ensenhat* = «cortese, ben educato»). In senso figurato anche in *Purgatorio*, XVI.77.

⁵³ *secolo*, questa vita (cfr. XXIII.6; XXX. l; XXXIII.5 e *Li occhi dolenti*, 61).

⁵⁴ *partita*, allontanata.

⁵⁵ *cortesia*, l'*onestade* di *Convivio*, II.X.8.

⁵⁶ *ciò*, tutto quello.

⁵⁷ *gioventute*, giovane (astratto per il concreto).

⁵⁸ *leggiadria*, v. nota 33 al capitolo VII.

⁵⁹ *discovrir*, manifestare.

⁶⁰ *le... canosciute*, le sue qualità note a tutti. *Propietà* è forma dissimilata.

⁶¹ *merta*, merita, con sincope in postonia.

⁶² *salute*, salvezza secondo l'usuale carico di significati (tanto più che per la *compagnia* del v. 20 si deve intendere quella della *gentil donna morta*)

⁶³ *per certi... propri*, con alcuni epiteti che la contraddistinguono.

⁶⁴ *mi muovo*, vengo, mi dedico a.

⁶⁵ *a indiffinita... diffinita*, a quell'indefinito *Chi* (v. 19), sebbene sia ben identificabile secondo quel che propongo. Si tratta del «parlare in terzo con altrui» di cui presso Onesto, *Mente ed umìle*, 10. Normale il passaggio di *e* protonica a *i* nel fiorentino.

IX. Appresso la morte di questa donna alquanti die ¹ avvenne cosa ² per la quale me convenne partire de la sopradetta cittade e ire ³ verso quelle parti dov'era ⁴ la gentile donna ch'era stata mia difesa ⁵, avvegna che ⁶ non tanto fosse lontano lo termine ⁷ de lo mio andare quanto ella era. **2** E tutto ch'io fosse a la compagnia di molti quanto a la vista ⁸, l'andare mi dispiacea sì, che quasi li sospiri non poteano disfogare l'angoscia ⁹ che lo cuore sentia, però ch'io mi dilungava ¹⁰ de la mia beatitudine. **3** E però ¹¹ lo dolcissimo segnore, lo quale mi segnoreggiava ¹² per ¹³ la vertù de la gentilissima donna, ne la mia imaginazione apparve ¹⁴ come peregrino leggeramente vestito e di vili drappi ¹⁵. **4** Elli mi parea disbigottito, e guardava la terra, salvo che talora li suoi occhi[16] mi parea che si volgessero ad uno fiume bello e corrente[17] e chiarissimo[18], lo quale sen gia[19] lungo questo cammino là ov'io era. **5** A me parve che Amore mi chiamasse, e dicessemi queste parole: «Io vegno[20] da quella donna la quale è stata tua lunga[21] difesa, e so che lo suo rivenire[22] non sarà a gran tempi[23], e però quello cuore che io ti facea avere a lei[24], io l'ho meco, e portolo a donna[25], la quale sarà tua difensione[26], come questa era». E nominollami per nome[27], sì che io la conobbi[28] bene. **6** «Ma tuttavia, di queste parole ch'io t'ho ragionate[29] se alcuna cosa ne dicessi, dille nel modo[30] che per loro[31] non si discernesse lo simulato amore[32] che tu hai mostrato a questa e che ti converrà[33] mostrare ad altri[34]». **7** E dette queste parole, disparve questa mia imaginazione tutta subitamente per la grandissima parte[35] che mi parve che Amore mi desse di sé; e, quasi cambiato ne la vista[36] mia, cavalcai quel giorno pensoso[37] molto e accompagnato da molti sospiri[38]. **8** Appresso lo giorno[39] cominciai di ciò questo sonetto, lo quale comincia: *Cavalcando*.

9   Cavalcando l'altr'ier[40] per un cammino[41],
           pensoso[42] de l'andar che mi sgradia,
           trovai Amore in mezzo de la via[43]
           in abito leggier di peregrino.   4

10   Ne la sembianza[44] mi parea meschino[45],
           come avesse perduto segnoria[46],
           e sospirando pensoso venia,
           per non veder la gente, a capo chino[47].   8

11   Quando mi vide, mi chiamò per nome[48],
           e disse: «Io vegno di lontana parte[49],
           ov'era lo tuo cor per mio volere;   11
           e recolo a servir[50] novo piacere»[51].

12   Allora presi di lui sì gran parte[52],
           ch'elli disparve, e non m'accorsi come[53].   14

13 Questo sonetto ha tre parti: ne la prima parte dico sì com'io [54] trovai Amore, e quale mi parea [55], ne la seconda dico quello ch'elli mi disse, avvegna che non compiutamente per tema ch'avea di discovrire lo mio secreto [56], ne la terza dico com'elli mi [57] disparve. La seconda comincia quivi: *Quando mi vide*; la terza: *Allora presi*.

---

[1] *Appresso... die*, alcuni giorni dopo la morte di questa donna.

[2] *avvenne cosa*, stando al supporto di Cavalcanti, *Veggio negli occhi*, 5-6: «Cosa m'aven, quand'i le son presente, / ch'i' no la posso a lo 'ntelletto dire»), indica qualcosa di non riferibile al momento (quando non, invece, di scarso rilievo).

[3] *me convenne partire... e ire*, si è parlato di una spedizione militare (in soccorso dei senesi per il castello di Poggio S. Cecilia), di un soggiorno di studio a Bologna, di una cavalcata con amici nei dintorni di Firenze. In realtà si tratta di un viaggio verso il luogo d'incontro con Amore di cui è detto nel sonetto.

[4] *verso quelle parti dov'era*, la solita perifrasi (cfr. III.1).

[5] *mia difesa*, v. VII.1.

[6] *avvegna che*, concessivo come il successivo *tutto ch(e)*.

[7] *termine*, mèta.

[8] *quanto a la vista*, apparentemente.

[9] *angoscia*, affanno (e cfr. la *vita angosciosa* di Compagnetto, *L'amor fa*, 26; Panuccio, *Sovrapiagente mia gioia*, 3; etc.).

[10] *mi dilungava*, mi allontanavo (con l'usuale desinenza in *-a* dell'imperfetto latino). Cfr. anche *Convivio*, III.5: «Li punti delli archi si dilungano ugualmente dal primo cerchio...».

[11] *però*, causale.

[12] *lo quale mi segnoreggiava*, v. II.9

[13] *per*, attraverso.

[14] *ne la mia imaginazione apparve*, credetti di ravvisarlo (in una specie di 'visione').

[15] *leggeramente... drappi*, Amore si è vestito in modo dimesso (come si addice a un viaggiatore e a chi si 'abbassa' al compito di cui è detto dopo poco). È un travestimento naturale per colui che si vuole avvicinare all'amata e parlarle (come Troilo verso Criseide, «di pellegrino in abito leggiero», nel *Filostrato*, VIII.4). Cfr. *Un dì si venne*, 8-10: «guardai e vidi Amore, che venia / vestito di novo d'un drappo nero, / e nel suo capo portava un cappello...».

[16] *li suoi occhi*, prolettico, per una più precisa evidenziazione.

[17] *corrente*, di rapido corso (cfr. Dante, *Sonar bracchetti*, 3; *Paradiso*, VIII.20; *Inferno*, XIII.125; B. Latini, *Tesoretto*, 1985-7 e 2109; etc.).

[18] *chiarissimo*, limpidissimo. De Robertis richiama un luogo dell'*Apoc.*, XXII.1 «*fluvium aquae vitae, splendidum tanquam crystallum, procedentem de sede Dei et Agni*» («un fiume d'acqua viva, limpida come cristallo, che scaturiva dal trono di Dio e dell'Agnello»).

[19] *sen gia*, scorreva (lett. «se ne andava»).

[20] *vegno*, da *venio*, regolare rispetto all'analogico e più tardo *vengo*.

[21] *lunga*, per lungo tempo (v. V.4).

[22] *rivenire*, ritorno.

[23] *non sarà a gran tempi*, non avverrà per lungo volgere di tempo.

[24] *ti facea avere a lei*, che finora facevo tenere da quella donna per tuo utile.

[25] *portolo a donna*..., è motivo molto diffuso, di cui è traccia in Chiaro, Lapo Gianni (*Amore, i' non son degno*, 28-32), Rustico Filippi e altri. Vedi anche Dante, «Lo meo servente core / vi raccomandi Amor, che vi l'ha dato».

[26] *difensione*, difesa (suffisso latineggiante).

[27] *nominollami per nome*, si noti l'annominazione con figura etimologica.

[28] *conobbi*, riconobbi.

[29] *ragionate*, con valore attivo (cfr. p.e. D. Cavalca, *Volgarizzamento delle Vite dei santi padri*, ed. cit., p.547: «mi ragionava queste cose»).

[30] *nel modo*, in modo.

[31] *per loro*, attraverso esse.

[32] *lo simulato amore*, la finzione amorosa.

[33] *ti converrà*, dovrai.

[34] *altri*, un'altra donna (indefinito con «funzione di definizione allusiva», De Robertis).

[35] *per la grandissima parte*, del suo essere.

[36] *vista*, aspetto.

[37] *pensoso*, assorto (e non «afflitto» come in *Cavalcando l'altr'ier*, 2).

[38] *accompagnato... sospiri*, basti il ricordo di *Convivio*. II.II.1: «quando quella gentile donna, cui feci menzione ne la fine de la *Vita Nuova*, parve primamente, accompagnata d'Amore, a li occhi miei...». Si ricordino però anche «li spiriti... soli, senza compagnia» di Cavalcanti, *Io non pensava*, 48-51.

[39] *Appresso lo giorno*, il giorno dopo.

[40] *l'altr'ier*, rende sfocata l'eventuale precisazione cronologica (già così per l'*autrier* da 'pastorella' di Marcabru, Raimon Escrivan, Guiraut de Bornelh, Cadenet, Guiraut Riquier, e diffusissimo: ad esempio presso P. Lanfranchi, *L'altrier, dormendo* e *L'altrier pensando*; G. Alfani, *Guido, quel Gianni*, 1; 'Amico di Dante', *I' ragionai l'altrier*; Niccolò de' Rossi, *Eo cominciai l'altrer*; Meo de' Tolomei, *Mie madre disse*, 1; *Sì fortemente*, 1: Forese Donati, *L'altra notte mi venne una gran tosse*.

[41] *cammino*, via.

[42] *pensoso*, cfr. *Morte villana*, 5; e qui, v.7.

[43] *trovai... via*, v.p.e. ser Nocco, *Vedete se pietoso*, 7 sgg.: «Eo stava sì doglioso / ch'ogn'uomo diceva: el muore, / per lo meo lontan gire / da quella in cui io poso / piacer tutto e valore / dello mio fin gioire. / E stando in tal maniera, / Amor m'a parve scorto, / e'n suo dolce parlare / mi disse umilemente...»; o anche Petrarca, *Fuggendo la pregio-*

119

ne, 6-7: «... e poi tra via m'apparve / quel traditore in sì mentite larve...».

⁴⁴ *sembianza*, aspetto.

⁴⁵ *meschino*, misero (arabo *meskin*), ma anche nell'accezione di «servo», adeguata alla perdita di dominio (come in *Inferno* IX. 43; XXVII.115, e testato ad esempio nel *Tristan*, «*Certes unc ne quidai ço veir / de vus, Ysolt, franche reine, / ne de Brengien vostre meschine*»).

⁴⁶ *segnoria*, autorità.

⁴⁷ *a capo chino*, cfr. *Inferno* XV. 44-45; Brunetto, *Tesoretto*, 187: «pensando a capo chino»; Lapo, *Ballata, poi che* , 47; e *Fiore* (pure in rima con *cammino*) XII.8; Rustico Filippi, *Oi dolce*, 5.

⁴⁸ *mi chiamò per nome*, cfr. anche qui *Fiore*, LXXXII.

⁴⁹ *di lontana parte*, cioè dalla donna dello schermo che se ne era andata lontano.

⁵⁰ *servir*, riguarda il concetto di «servizio» cortese e feudale come sottomissione alla donna (basti quindi Federico II, *Poi ch'a voi piace*, 26-27: «Ed ho fidanza che 'l meo servere / aggia piacere a voi»).

⁵¹ *novo piacere*, un'altra bellezza fonte di gioia (per il termine v. *Inferno*, V.104; *Purgatorio*, XXXI, 49-50; Cavalcanti, *Avete 'n vo'*, 6; *In un boschetto*, 8; etc.).

⁵² *presi... parte*, mi innamorai a tal punto (per l'espressione v. Dante da Maiano, *Amor mi fa*, 13, e Chiaro, *Qualunque m'adimanda*, 13).

⁵³ *e non m'accorsi come*, secondo la fenomenologia più classica delle visioni medievali. Dissolvenza affine in *Fiore*, VI. 1-4: «Partes'Amore su' ale battendo / e 'n poca d'or sì forte isvanoio / ched i' no'l vidi poi né no ll'udio, / e lui e 'l su' soccorso ancor attendo».

⁵⁴ *sì com(e)*, che (a séguito di *verbum dicendi*).

⁵⁵ *parea*, appariva.

⁵⁶ *secreto*, della finzione d'amore.

⁵⁷ *mi*, a me che lo vedevo.

X. Appresso la mia ritornata[1] mi misi a cercare di questa donna che lo mio segnore m'avea nominata ne lo cammino de li sospiri[2]; e acciò che lo mio parlare sia più brieve, dico che in poco tempo la feci mia difesa tanto[3], che troppa gente ne ragionava oltre li termini de la cortesia[4], onde molte fiate mi pensava duramente[5]. **2** E per questa cagione, cioè di questa soverchievole[6] voce[7] che parea che m'infamasse viziosamente[8], quella gentilissima, la quale fue distruggitrice di tutti li vizi[9] e regina de le vertudi[10], passando per alcuna parte, mi negò lo suo dolcissimo salutare, ne lo quale stava tutta la mia beatitudine. **3** E uscendo alquanto del proposito presente[11], voglio dare a intendere[12] quello che lo suo salutare in me vertuosamente operava[13].

---

[1] *ritornata*, ritorno.

[2] *lo cammino de li sospiri*, la via in cui ero «accompagnato da molti sospiri». Definizione di stampo antonomastico, sul tipo de «la camera de le lagrime» di XIV.9, o «lo cor de' sospiri» di XL.31.

[3] *la feci... tanto*, tanto insistetti nel farla passare per mia donna.

[4] *oltre... cortesia*, cioè senza la discrezione che distingue l'amore più puro e onesto.

[5] *mi pensava duramente*, me ne addoloravo nel profondo.

[6] *soverchievole*, eccessiva.

[7] *voce*, diceria.

[8] *m'infamasse viziosamente*, mi desse vergognosa fama di uomo vizioso (cioè di amante sensuale).

[9] *distruggitrice... vizi*, cfr. XIX.9 e XXI.2. E v. Guittone, *O tu, de nome Amor*, 61: «O ver distruggitor, guerra mortale», con Monte, *Aimè lasso*, 30-32.

[10] *regina de le vertudi*, cfr. Cavalcanti, *Chi è questa che vèn*, 10-11: «ch'a le' s'inchin' ogni gentil vertute,/e la beltate per sua dea la mostra»; Guittone, *O tu, giustizia*, 7: «raina de vertù, tu, non timore»; e il frammento dei *Memoriali bolognesi*, *Mille saluti*, 2: «dona de beleze».

[11] *proposito presente*, codesto argomento (franc. *propos*).

[12] *dare a intendere*, far capire.

[13] *quello... operava*, il virtuoso effetto salutifero da lei esercitato su me. Dante anticipa così per prosa quanto esporrà nei sonetti *Ne li occhi porta* e *Tanto gentile* (capitoli XXI e XXVI).

XI. Dico che quando ella apparia da parte alcuna[1], per la speranza de la mirabile salute nullo[2] nemico mi ri manea, anzi mi giugnea[3] una fiamma di caritade[4], la quale mi facea perdonare[5] a chiunque m'avesse offeso; e chi[6] allora m'avesse domandato[7] di cosa alcuna, la mia risponsione sarebbe stata solamente «Amore»[8], con viso[9] vestito d'umilitate[10]. **2** E quando ella fosse alquanto propinqua[11] al salutare, uno spirito d'amore[12], distruggendo tutti li altri spiriti sensitivi, pingea[13] fuori li deboletti spiriti del viso, e dicea loro: «Andate a onorare la donna vostra»; ed elli si rimanea nel luogo loro[14]. E chi avesse voluto conoscere[15] Amore, fare lo potea mirando lo tremare[16] de li occhi miei. 3 E quando questa gentilissima salute salutava[17], non che[18] Amore fosse tal mezzo[19] che potesse obumbrare[20] a me la intollerabile beatitudine, ma elli quasi per soverchio[21] di dolcezza divenia tale, che lo mio corpo, lo quale era tutto allora sotto lo suo reggimento[22], molte volte si movea come cosa grave inanimata[23]. 4 Sì che appare manifestamente[24] che ne le sue salute[25] abitava[26] la mia beatitudine, la quale molte volte passava e redundava[27] la mia capacitade.

---

[1] *quando... alcuna*, cfr. appunto *De gli occhi de la mia donna*, 2-3: «Un lume sì gentil che, dove appare, / si veggion cose...». *Alcuna* vale «qualche».

[2] *nullo*, nessun (aggettivo).

[3] *mi giugnea*, mi prendeva.

[4] *una fiamma di caritade*, cfr. *Convivio* III.VIII.16, e il tipo esteso in *Donne ch'avete*, 51-52: «De li occhi suoi... / escono spirti d'amore inflammati», o *Amor che ne la mente*, 63: «Sua beltà piove fiammelle di foco».

[5] *mi facea perdonare...*, cfr. *Donne ch'avete*, 40: «e sì l'umilia, ch'ogni offesa oblia».

[6] *chi*, se qualcuno (come, più avanti, XI.2).

[7] *m'avesse domandato di...*, costruzione latina.

[8] *solamente «Amore»*, v. la risposta ai «malparlieri» di IV.2.

[9] *viso*, sguardo (ma anche, più in generale, «aspetto»).

[10] *vestito d'umiltade*, cfr. XXVI.2. Vale «del tutto improntato a umiltà», sigla d'ascendenza salmistica, ben presente agli stilnovisti (p.e. Lapo, *Novelle grazie*, 2) e ad altri come Monte, *Ahi lasso doloroso*, 13; Jacopone, *Sopr'onne lengua*, 203; Onesto (da Dante), *Ahi lasso taupino*, 41; *Non so s'è per mercè*, 12; v. anche *Tanto gentile*, 6: «benignamente d'umiltà vestuta», con Cavalcanti, *Chi è questa*, 7: «cotanto d'umiltà donna mi pare»; fino a Petrarca, *Sennuccio, i' vo'*, 7.

[11] *propinqua*, vicina (latinismo).

[12] *uno spirito d'amore*, è il sentimento d'amore, che priva il poeta delle altre facoltà sensitive stimolando la sola visiva (cfr. Niccola Muscia, *Deh, guata, Ciampol*, 14). È situazione cavalcantiana, su cui si misuri, appunto, *Io non pensava*, 47-52,. e *Veder poteste*, 12-14 (cfr. anche Cino, *Io non posso celar*, 40-45. «Li deboletti spiriti» è puro stilema cavalcantiano (*Voi che per gli occhi*, 6) come in parte l'idea del soggetto di passione ridotto ad automa.

[13] *pingea*, spingeva (forma con riduzione di prefisso).

[14] *ed elli... loro*, nel luogo degli spiriti del viso (e quindi il poeta vedeva madonna solo con gli occhi di Amore). Cfr. anche Petrarca, *Gen-

til mia donna, 42-45. Si rovescia la situazione in Lapo, *Amor, nova ed antica*, 33-39.

[15] *conoscere*, accorgersi.

[16] *lo tremare*, come in Cavalcanti, *Per li occhi fere*, 7, per quanto qui riferito agli occhi.

[17] *salute salutava*, annominazione e figura etimologica.

[18] *non che*, non dico che.

[19] *mezzo*, ostacolo interposto.

[20] *obumbrare*, oscurare (come ad esempio in *Luca*, I.35: «*Spiritus sanctus superveniet in te et virtus Altissimi obumbrabit tibi*» [«lo Spirito santo scenderà in te e la potenza dell'Altissimi ti adombrerà»], su cui san Bernardo: «l'ombra del Cristo ritengo sia la carne di lui, della quale fu obumbrato anche a Maria, affinché per il suo riparo il fervore e splendore dello Spirito fosse a lei temperato».

[21] *soverchio*, eccesso (v. *soverchievole* a X.2). È termine cavalcantiano: *Io non pensava*, 49.

[22] *reggimento*, governo, dominio.

[23] *cosa grave inanimata*, un corpo grave senza vita. Cfr. Guinizzelli, *Lo vostro bel saluto*, 12-14: «remagno come statua d'ottono / ove vita né spirto non ricorre, / se non che la figura d'omo rende», e Cavalcanti, *Tu m'hai sì piena*, 9-12: «Io vo come colui ch'è fuor di vita, / che pare, a chi lo sguarda, c'omo sia / fatto di rame o di pietra o di legno, / che si conduca sol per maestria...».

[24] *appare manifestamente*, cfr. VIII.3 e III.15: «ora è manifestissimo a li più semplici».

[25] *ne le sue salute*, come «*in salutationibus suis*» del *De monarchia*, I.4.

[26] *abitava*, consisteva.

[27] *passava e redundava*, intensificazione di concetto: «soverchiava ed eccedeva» (così v. Cavalcanti, *Fresca rosa novella*, 24: «passa e avanza»).

XII. Ora, tornando al proposito[1], dico che poi che[2] la mia beatitudine mi fue negata, mi giunse[3] tanto dolore, che, partito me[4] da le genti, in solinga parte andai a bagnare la terra d'amarissime lagrime[5]. **2** E poi che alquanto mi fue sollenato[6] questo lagrimare, misimi[7] ne la mia camera, là ov'io potea lamentarmi sanza essere udito; e quivi, chiamando[8] misericordia a la donna de la cortesia[9], e dicendo «Amore, aiuta lo tuo fedele», m'addormentai come un pargoletto battuto lagrimando[10]. **3** Avvenne quasi nel mezzo de lo mio dormire[11] che me parve vedere ne la mia camera lungo me[12] sedere uno giovane vestito di bianchissime vestimenta [13], e pensando molto quanto a la vista sua [14], mi riguardava là ov'io giacea [15]; e quando m'avea guardato alquanto, pareami che sospirando mi chiamasse, e diceami queste parole: «*Fili mi, tempus est ut pretermictantur simulacra nostra*» [16]. **4** Allora mi parea che io lo conoscesse [17], però che mi chiamava così come assai fiate ne li miei sonni [18] m'avea già chiamato: e riguardandolo, parvemi che piangesse pietosamente [19], e parea che attendesse da me alcuna parola [20], ond'io, assicurandomi [21], cominciai a parlare così con esso: «Segnore de la nobiltade [22], e [23] perché piangi tu?». E quelli mi dicea queste parole: «*Ego tanquam centrum circuli, cui simili modo se habent circumferentie partes; tu autem non sic* [24]». **5** Allora, pensando a le sue parole, mi parea che m'avesse parlato molto oscuramente; sì ch'io mi sforzava di parlare, e diceali queste parole: «Che è ciò, segnore, che [25] mi parli con tanta oscuritade?». E quelli mi dicea in parole volgari [26]: «Non dimandare più che utile ti sia [27]». **6** E però [28] cominciai allora con lui a ragionare [29] de la salute la quale mi fue negata [30], e domandailo [31] de la cagione; onde in questa guisa da lui mi fue risposto: «Quella nostra Beatrice udio da certe persone di te ragionando [32], che la donna la quale io ti nominai nel cammino de li sospiri [33], ricevea da te alcuna noia [34]; e però questa gentilissima, la quale è contraria di tutte le noie [35], non degnò salutare la tua persona [36], temendo non [37] fosse noiosa. **7** Onde con ciò sia cosa che veracemente sia conosciuto per lei alquanto lo tuo secreto per lunga consuetudine, voglio [38] che tu dichi [39] certe parole per rima, ne le quali tu comprendi [40] la forza che io tegno [41] sopra te per lei [42]; e come tu fosti suo tostamente da [43] la tua puerizia. E di ciò chiama testimonio colui che lo sa [44], e come tu prieghi lui [45] che li le [46] dica; ed io, che son quelli, volentieri le ne ragionerò [47], e per questo sentirà ella la tua volontade [48], la quale sentendo, conoscerà le parole de li ingannati [49]. **8** Queste parole fa che siano quasi un mezzo[50], sì che tu non parli a lei immediatamente, che non è degno; e no le mandare in parte, sanza me, ove[51] potessero essere intese da lei, ma falle adornare di soave armonia[52], ne la quale io sarò tutte le volte che farà mestiere[53]». E dette queste parole, sì[54] disparve, e lo mio sonno fue rotto. **9** Onde io ricordandomi, trovai[55] che questa visione m'era apparita ne la nona[56] ora del die; e anzi ch'[57] io uscisse di questa camera, propuosi di fare una ballata, ne la quale io seguitasse ciò che lo mio segnore m'avea imposto[58], e feci poi questa ballata[59], che comincia: *Ballata, i' voi.*

10   Ballata, i' voi[60] che tu ritrovi[61] Amore,
         e con lui vade[62] a madonna davante,
         sì che la scusa mia[63], la qual tu cante[64],
         ragioni[65] poi con lei lo mio segnore.

11   Tu vai, ballata, sì cortesemente,   5
         che senza compagnia
         dovresti avere in tutte parti ardire;
         ma se tu vuoli andar sicuramente[66],
         retrova l'Amor pria[67],
         ché forse non è bon[68] sanza lui gire[69],   10
         però che quella che ti dee[70] audire,
         sì com'io credo, è ver[71] di me adirata:
         se tu di[72] lui non fossi accompagnata,
         leggeramente[73] ti faria disnore[74].

12   Con dolze sono[75], quando se' con lui,   15
         comincia este[76] parole,
         appresso[77] che averai[78] chesta pietate.
         «Madonna, quelli che mi manda a vui[79],
         quando vi piaccia[80], vole,
         sed elli ha scusa[81], che la m'[82] intendiate.   20
         Amore è qui, che per vostra bieltate[83]
         lo face[84], come vol, vista cangiare[85]:
         dunque perché[86] li fece altra guardare
         pensatel voi, da che non mutò 'l core[87]».

13   Dille: «Madonna, lo suo core[88] è stato   25
       con sì fermata[89] fede,
       che 'n voi servir l'ha 'mpronto[90] onne pensero:
       tosto fu vostro, e mai non s'è smagato[91]».
       Sed ella non ti crede,
       dì che domandi[92] Amor, che sa lo vero: 3 0
       ed a la fine falle umil preghero[93],
       lo perdonare[94] se le fosse a noia[95],
       che mi comandi per messo[96] ch'eo moia,
       e vedrassi ubidir ben servidore[97].

14   E dì a colui ch'è d'ogni pietà chiave[98],   35
       avante che sdonnei[99],
       che[100] le saprà contar mia ragion bona[101]:
       «Per grazia de la mia nota soave[102]
       reman tu qui con lei,
       e del tuo servo ciò che vuoi ragiona[103],   40
       e s'ella per tuo prego[104] li perdona,
       fa che li annunzi un bel sembiante[105] pace[106]».

15   Gentil ballata mia, quando ti piace,
       movi in quel punto che tu n'aggie onore[107].

16 Questa ballata in tre parti si divide: ne la prima dico a lei ov'ella vada, e confortola[108] però che vada più sicura, e dico ne la cui compagnia si metta[109], se vuole sicuramente andare e sanza pericolo alcuno; ne la seconda dico quello che lei si pertiene di fare intendere[110]; ne la terza la licenzio del gire quando vuole[111], raccomandando[112] lo suo movimento[113] ne le braccia de la fortuna. La seconda parte comincia quivi: *Con dolze sono*; la terza quivi: *Gentil ballata*.

17 Potrebbe già[114] l'uomo opporre[115] contra me e dicere[116] che non sapesse a cui fosse[117] lo mio parlare in seconda persona, però che la ballata non è altro che queste parole ched io parlo[118]: e però[119] dico che questo dubbio io lo intendo solvere e dichiarare[120] in questo libello ancora in parte più dubbiosa[121], e allora intenda qui chi qui dubita[122], o chi qui volesse opporre in questo modo[123].

¹ *proposito*, v. X.3.

² *poi che*, dopo che.

³ *mi giunse*, mi prese (cfr. nota 3 al cap. XI).

⁴ *me*, pronome, e non particella enclitica.

⁵ *amarissime lagrime*, come l'«amarissima pena» di XXIII.1 (con *Purgatorio*, XIX.117 e anche *Convivio*, III.XIII.2: «la sua privazione è amarissima e piena d'ogni tristizia»).

⁶ *sollenato*, alleviato, lenito (Brunetto, *Tesoretto*, 2307; Chiaro, *Io non posso celare*, 55; etc.).

⁷ *misimi*, mi rinchiusi.

⁸ *chiamando*, invocando.

⁹ *la donna de la cortesia*, ancora un gruppo antonomastico (come in nota 2 del cap. X); cfr. XII.4 con Amore «segnore de la nobiltade», o XLII.3 con Dio «sire de la cortesia» (v. anche *Inferno*, XXIV.129: «uomo di sangue e di crucci»). Si tratta di un genitivo attributivo, di origine ebraico-scritturale (cfr. Cavalcanti, *Chi è questa che vèn*, 7: «D'umiltà donna»).

¹⁰ *come... lagrimando*, paragone diffuso, con altri particolari, soprattutto presso i cosiddetti poeti siculo-toscani.

¹¹ *nel mezzo... dormire*, a metà del mio sonno.

¹² *lungo me*, presso me (v. *Inferno* X.53; XXI.98, etc.; e Guittone, *Tanto sovente*: «e m'agrada li agnelli/lungo i lupi veder pascere ad agio»; anche *Vita Nuova*, XXXIV.1).

¹³ *uno giovane... vestimenta*, traduce *Marco* XVI.5: «iuvenem sedentem in dextris coopertum stola candida», come chiarisce *Convivio*, IV.XXII.14-15: «ma uno giovane truovano in bianchi vestimenti, lo quale, secondo la testimonianza di Matteo e anche de li altri, era angelo di Dio».

¹⁴ *pensando... vista sua*, pensieroso quanto all'apparenza.

¹⁵ *riguardava... giacea*, osservava con attenzione me che ero lì giacente.

¹⁶ *« Fili mi... nostra »*, «Figlio mio, è tempo di tralasciare le nostre finzioni» (i «simulati amori» di cui è detto in precedenza).

¹⁷ *che io lo conoscesse*, di riconoscerlo (cfr. Cavalcanti, *Certe mie rime*, 12: «E tu conosci ben ch'i' sono Amore»).

¹⁸ *sonni*, sogni.

¹⁹ *piangesse pietosamente*, cfr. VIII.1 (è forse reminiscenza del paolino *flere cum flentibus*, ad *Romanos* XII.15?).

²⁰ *parea... parola*, v. Boezio, *Consolatio*, 1.2.4 e 4.1: «Sentisque, inquit, haec atque animo illabuntur tuo...» etc.

²¹ *assicurandomi*, prendendo animo, coraggio.

²² *Segnore de la nobiltade*, genitivo oggettivo (cfr. più sopra «donna de la cortesia»; e Cavalcanti, *Vedeste, al mio parere*, 3-4).

²³ *e*, pleonastico-enfatizzante.

²⁴ *« Ego... sic »*, «Io sono come il centro del cerchio, dal quale tutte le parti della circonferenza sono equidistanti; ma tu non sei così. «Amore, si badi bene, non è il circolo, ma il centro: non è perfezione. La perfezione è il rapporto di equidistanza che Amore mantiene rispetto alle

singole *partes*, ai singoli episodi amorosi, di cui costituisce il termine di riferimento. In tale equidistanza si realizza la natura di Amore e per così dire la sua unità. Ma l'uomo non può tenere quest'equidistanza, l'uomo è un punto della circonferenza, non il centro: "prende parte". È ad Amore che deve riferirsi se vuol realizzare l'amore, non può costituire termine di riferimento e di unificazione di più amori, costituire l'amore, considerare ciascuno dei singoli amori come l'amore.» (De Robertis). «Questa battuta della visione è stata interpretata in molti modi. Eccone le principali soluzioni: a) Amore è Dio che piange sopra la prossima morte di Beatrice (Notter, Boffito, Fletcher, basandosi sul paragone agostiniano di Dio col cerchio); b) Amore è la Virtù che rimprovera Dante (Giuliani, Scarano, Proto); c) è l'Amor sacro (Marigo); d) è l'Amore in generale, centro di tutti gli amanti (Pascoli); e) è la perfetta scienza di Dio (Beck); f) è il centro dell'amore cosmico (Asìn Palacios); g) è il centro comune, la fiamma di innumerevoli amori (Parodi); h) è il tipo del perfetto equilibrio in confronto allo squilibrio dei mortali (Grandgent): tutte interpretazioni che considerano la frase detta da Amore come prevalentemente un rimprovero, e non come prevalentemente una autodefinizione. L'immagine evocata si adatta perfettamente alle caratteristiche dell'amore di Dante per Beatrice, unico (come il centro di un cerchio) e rispetto al quale ogni altra cosa terrena è ugualmente e indifferentemente distante. I simboli concomitanti della figura del cerchio (per esempio il suo significar nobiltà, perfezione; cfr. *Convivio*, II, XIII, 26; IV, XVI, 7 e sgg.) vi si adattano senza difficoltà. Tu nel tuo comportamento, soggiunge la figura, non sei tale: le manifestazioni esterne (gli equivoci, gli inganni) non rivelano questa verità che porti dentro di te. E per questa discrepanza fra verità interiore e comportamento, Dante è infelice, Amore piange. Ma per Dante non c'è ancora risposta: egli penetrerà più tardi l'oscura, ancor sibillina indicazione; e per ora intravede soltanto una soluzione pratica (*che utile ti sia*), che non servirà a nulla, cioè l'inviare una ballata di scusa, che forma il prossimo episodio del racconto» (Chiappelli). Pézard ricorda due versi di Jacopone, «Amor, amor, tu se' cerchio rotondo: / con tutto 'l cor chi c'entra sempre più t'ama» (*Amor di caritate*, 263-4).

[25] *che è ciò... che*, perché mai (formula prosastica ricorrente ad esempio in *Novellino*, XXXVII.7 e 23; XLIV.9; e v. *Purgatorio*, II.120 e XXXIII.82-84).

[26] *in parole volgari*, «il volgare rappresenta lo sforzo di Amore di adeguarsi non all'intelligenza ma alla situazione di Dante, cioè all'utile immediato, lasciando ogni ragione più profonda» (De Robertis).

[27] «*Non... ti sia*», classica citazione da San Paolo, *ad Romanos*, XII.3: «*non plus sapere quam oportet sapere, sed sapere ad sobrietatem*», («[dico a ciascuno di voi] di non voler sapere più del necessario, ma tanto che basti), ben diffusa nella cultura scolastica, per cui cfr. *Convivio*, IV.XIII.9.

[28] *però*, perciò.

[29] *ragionare*, discutere.

[30] *de la... negata*, espressione analitica per «del saluto negato».

[31] *domandailo*, con l'accusativo alla latina (cfr. XI.1).

[32] *ragionando*, valore participiale, «ragionanti», «che parlavano».

[33] *cammino de li sospiri*, cfr. X.1.

[34] *noia*, molestia (qualche danno, essendo diventata oggetto di biasimo per motivo della tua cattiva condotta; e cfr. X.2).

[35] *contraria di tutte le noie*, corrispondente a X.2 «distruggitrice di tutti li vizi» (ma cfr. il modulo «di pietà nemica», in *Morte villana*, 1).

[36] *la tua persona*, te (perifrastico).

[37] *temendo non*, costruzione latina (*timeo ne*); e v. Cavalcanti, *Io vidi li occhi*, 3: «che mi guardar com'io fosse noioso».

[38] *Onde... voglio*, «Onde, nonostante che ella per lunga esperienza conosca bene, in modo conforme al vero, che tu per finzione ti desti ad amare altra donna, tuttavia voglio...». *Per lei* , è il solito complemento d'agente.

[39] *dichi*, da *diche*, regolare risultato di *dicas*.

[40] *comprendi*, includa.

[41] *tegno*, esercito.

[42] *per lei*, a causa sua (v. il modello di Arnaut de Maroill «*Amors m'a comandat escrire/so que'l boca non ausa dire*»).

[43] *tostamente da*, subito da.

[44] *colui che lo sa*, Amore (più avanti «ed io, che son quelli...»).

[45] *e come tu prieghi lui*, e pregarlo (v. VIII.7).

[46] *li le*, glielo (con *le* che smorza *lo* in atonia).

[47] *le ne ragionerò*, gliene parlerò (*le* analogico).

[48] *sentirà... volontade*, capirà i tuoi sentimenti.

[49] *li ingannati*, chi aveva creduto in base alle apparenze che Dante amasse davvero la donna dello schermo. «Nella canzone *Le dolci rime*, 140... "l'ingannati" sono coloro che credono che nobiltà sia nobiltà di sangue» (De Robertis). Per la forma, fortunata poi nella *Commedia*, v. anche *li scacciati tormentosi* di *Con l'altre donne*, 14.

[50] *mezzo*, un intermediario (a evitare, come Dante specifica subito dopo, un'allocuzione scortese priva di un adeguato «patrocinio»).

[51] *in parte... ove*, in luogo in cui (si noti la tmesi). *Sanza* è la forma toscana di *senza*.

[52] *adornare di soave armonia*, intonare, rivestire di musica. Si ricordi lo Schochetto che musicò *Deh, Violetta*, fino a Casella per *Amor che ne la mente* (*Purgatorio* II.106-112). È naturale l'accompagnamento musicale per il genere ballata: cfr. *De vulgari eloquentia*, II.III.6; VII.4-5 e X.2.

[53] *farà mestiere*, sarà necessario.

[54] *sì*, paraipotattico.

[55] *trovai*, cfr. III.8.

[56] *ne la nona...*, v. III.2.

[57] *anzi ch(e)*, prima che.

[58] *seguitasse... imposto*, eseguissi il consiglio che mi aveva dato Amore.

[59] *questa ballata*, è una ballata mezzana; la ripresa, tutta di endecasillabi, è secondo lo schema XYYX, le stanze AbC AbC CDDX (per

129

cui cfr. Cavalcanti, *Quando di morte*, con il settenario nelle sedi YY e DD; e *Deh, Violetta*).

[60] *voi*, v. *Morte villana*, 7 e 17.

[61] *ritrovi*, cerchi fino a trovare.

[62] *vade*, arcaico rispetto a *vadi*.

[63] *la scusa mia*, il richiamo evidente è al genere provenzale dell'*escondig*, dove l'amante si difende dai vari tipi di calunnia; secondo le *Leys d'Amor*: «Escondigz es us dictatz del compas de chanso, canta las coblas et al so; e deu tractar de dezencuzatio, e's contredizen se en son dictat de so de qu'es estatz acuzatz o lauzeniatz am sa dona oz am son capdel».

[64] *la qual tu cante*, che tu esprimi intonata nei tuoi versi (la desinenza è l'esito regolare di -*as*).

[65] *ragioni*, «sostenga con argomenti persuasivi» (De Robertis).

[66] *Tu vai... sicuramente*, v. il contesto della cavalcantiana *Donna me prega*, 71-75: «Tu puoi sicuramente gir, canzone, / là 've ti piace, ch'io t'ho sì adornata / ch'assai laudata — sarà tua ragione / da le persone — c'hanno intendimento: / di star con l'altre tu non hai talento». *Avere... ardire* vale «osare di andare».

[67] *pria*, prima (da *prius*, per analogia con *poscia* da *postea*).

[68] *bon*, opportuno (cfr. *Inferno* XII.27: «... è buon che tu ti cale»).

[69] *gire*, andare (per cui basti Cavalcanti, *La forte e nova*, 26: «là dove piace a voi di gire andate»).

[70] *dee*, con dileguo della *v* intervocalica, normale in Toscana nel '2-'300.

[71] *ver*, verso.

[72] *di*, strumentale.

[73] *leggeramente*, facilmente.

[74] *ti faria disnore*, ti accoglierebbe poco amichevolmente (il sostantivo è in forma sincopata). Cfr. Cavalcanti, *Posso degli occhi miei*, 24.

[75] *dolze sono*, soave armonia (*dolze* è sicilianismo; in *sono* è il valore tecnico del provenzale *son*. Si ricordi in Guittone, *O Guelfo conte*, 13: «vi sentisse in sono», dove poco prima il *savore* di Guelfo è detto «dolce e novo»).

[76] *este*, queste. Cfr. *A ciascun alma presa*, 12: «esto core».

[77] *appresso... pietate*, v. Cavalcanti, *Posso degli occhi miei*, 18-24: «Va', ballatetta, e la mia donna trova, / e tanto li domanda di merzede, / che gli occhi di pietà verso te mova / per quei che 'n lei ha tutta la sua fede; / e s'ella questa grazia ti concede, / mandi una voce d'allegrezza fòre, / che mostri quella che t'ha fatto onore»; ma anche Lapo, *Donna, se 'l prego*, 93-94: «va' per conforto della nostra vita / e prega che di me aggia mercede»; etc.

[78] *averai*, non è sincopato secondo la tendenza del fiorentino davanti a *r*, ma si tratta di un noto meridionalismo.

[79] *Madonna... vui*, come in Cavalcanti, *Gli occhi di quella*, 28:«Di': quella che mi manda a voi...» (e Cino, *S'io ismagato sono*, 40: «Donna, venuto son per veder voi». Si rilevi la rima siciliana, «indotta dalla traslitterazione toscana dei testi poetici siciliani, dove l'esito di *ŭ* ed *ō̆*, che per il toscano è *o* chiusa, era identico a quello di *ū*, dando luogo a

130

rima perfetta, e così per l'esito di $ĭ$ ed $ĕ$ rispetto a quello di $ī$: con estensione alla tradizione originale toscana» (De Robertis).

[80] *quando vi piaccia*, per vostra cortesia.

[81] *sed elli ha scusa*, se ha una scusa valida (*se* ha il *d* eufonico come
al v. 29). Cfr. Brunetto, *Rettorica*, 76.16: «quelli che manda la sua lettera guernisce di parole ornate e piene di sentenzia e di fermi argomenti, sì come crede poter muovere l'animo di colui a non negare, e, s'elli
avesse alcuna scusa, come la possa indebolire o istornare in tutto».

[82] *la m(i)*, con l'ordine arcaico dei pronomi (accusativo+dativo).

[83] *bieltate*, dal francese *biauté*.

[84] *face*, fa (meridionalismo, come in *Voi che savete*, 19).

[85] *vista cangiare*, cambiare aspetto (cfr. IX.7 e *Con l'altre donne*,
12: «Ond'io mi cangio in figura d'altrui»; e p.e. *Purgatorio*, XIX.14-
15: «... e lo smarrito volto, / com'amor vuol, così le colorava»).

[86] *perché*, la ragione per cui.

[87] *da che... core*, visto che non cambiò i suoi sentimenti. V. Guinizzelli, *Madonna mia*, 1-3: «quel dì ch'Amor consente / ch'i' cangi core,
volere o maniera, / o ch'altra donna mi sia più piacente...»; Guittone,
Sì mi destringe, 35-37; Cino, *Mille volte*, 1-6; *Donna, i' vi potrei*, 3-4;
e il dubbio *Donna lo fino amore* (guinizzelliano?), 27-30: «Molto ci ha
belle donne e d'alto affare, / voi soprastate come il ciel la terra, / ché
meglio vale aver di voi speranza, / che d'altre donne aver ferma certan-
za».

[88] *core*, con ripresa da *coblas capfinidas* rispetto al v. 24, a eviden-
ziare uno dei nuclei logici dell'argomentazione.

[89] *fermata*, ferma (participio passato per il corrispondente aggettivo,
come *stabilita* per «stabile» in Cavalcanti, *Donna me prega*, 41).

[90] *'mpronto*, improntato, influenzato (per cui, oltre a *Purgatorio*,
XVII. 123, v. *Paradiso*, VII.109; X.29; XXIII.85); è participio forte.
Onne pensero è il soggetto.

[91] *non s'è smagato*, non si è indebolito o venuto meno (prov. *esma-
gar*, franc. *esmaier*, latino tardo *exmagare*); frequente in Dante, per
cui v. *Donna pietosa*, 37; *Doglia mi reca*, 124; *Fiore*, II.1: «Sentendo-
mi ismagato malamente»; *Inferno* XXV.145-146; *Purgatorio*, X.106 e
XXVII; 104; etc. V. anche Brunetto, *S'eo sono distretto*, 4; Maestro
Francesco, *De le grevi doglie*, 10.

[92] *domandi*, interroghi.

[93] *preghero*, al maschile, come in *Fiore*, XIV.5; Guittone, *Se de voi,
donna gente*, 23; Chiaro, *La mia vita*, 79; etc.

[94] *lo perdonare*, in prolessi.

[95] *fosse a noia*, desse fastidio.

[96] *per messo*, tramite un messaggero, o intermediario.

[97] *vedrassi... servidore*, si vedrà pronto all'obbedienza un perfetto
amante «gentile». Residuo forse del linguaggio iperbolico guittoniano
(p.e. *Con più m'allungo*, 13-14: «che certo senza ciò crudele e fella /
morte m'auciderea immantenante»; *Gioia gioiosa*, 14; *Ahi, come m'è
crudel*, 5-6. etc.).

[98] *chiave*, difensore e signore (v. VII.3, al v. 6; e Cavalcanti, *Certo*

non è, 12-13: «Ancor dinanzi m'è rotta la chiave / del su' disdegno che nel mi' cor verso...».

99 *avante che sdonnei*, prima di abbandonare la conversazione (dal prov. *domnejar*, che vale «parlare d'amore con una dama», come in *Poscia ch'Amor*, 52: «per donneare a guisa di leggiadro», e cfr. *Paradiso*, XXIV.118 e XXVII.88. Nel senso di «corteggiare» in Cino Rinuccini, *In coppa d'or*, 8, etc. Il sostantivo corrispondente sarà presto l'agiografica «conversazione».

100 *che*, da legare a *colui* del v. 35.

101 *le saprà... bona*, saprà scolparmi dinanzi a lei.

102 *nota soave*, cfr. il *dolze sono* del v. 15; ma anche *Purgatorio*, XXXII.63, e *Paradiso* VI.124; XIV.24; XXVIII:8-9; X.143: «... sonando con sì dolce nota».

103 *ragiona*, di'.

104 *prego*, preghiera (deverbale).

105 *un bel sembiante*, un volto benevolo (soggetto).

106 *pace*, perdono (come ad esempio in *Tre donne*, 104, o *Purgatorio*, X.35).

107 *movi... onore*, vai a lei nel momento più propizio a ricevere buona accoglienza. *Aggie* è forma meridionale («abbia»). E cfr. Cavalcanti, *Perch'io no spero*, 6, con *Purgatorio*, V.36.

108 *confortola*, la esorto, la induco.

109 *ne la... metta*, in compagnia di chi debba mettersi.

110 *lei... intendere*, tocca a lei far sapere.

111 *la licenzio... vuole*, le dò il permesso di andare a sua volontà.

112 *raccomandando... ne*, affidando... a.

113 *movimento*, il suo andare (cfr. il v.44).

114 *già*, in effetti.

115 *l'uomo opporre*, qualcuno obiettare (cfr. il francese *l'on*).

116 *dicere*, usuale forma intera (regge un congiuntivo imperfetto per via della dipendenza dal condizionale *potrebbe*).

117 *fosse*, venisse rivolto.

118 *queste parole... parlo*, si noti l'accusativo dell'oggetto interno. Dante usa cioè l'artificio della prosopopea (per cui v. *Convivio* III.IX.2: «ed è una figura questa, quando a le cose inanimate si parla, che si chiama da li rettorici prosopopea; e usanla molto spesso i poeti»).

119 *però*, causale.

120 *solvere e dichiarare*, risolvere e illuminare.

121 *ancora... dubbiosa*, in un luogo anche più oscuro (cioè nel capitolo XXV, dove Dante verrà trattando Amore — che è accidente in sostanza — come persona viva). «Perché lì il dubbio investiva lo stesso concetto di amore e non semplicemente le funzioni retoriche: dubbio ontologico, non logico» (De Robertis).

122 *e allora... dubita*, «chi ha ancora qualche dubbio sulle mie parole quando sarà al paragrafo XXV *intenda qui*, si richiami cioè alle difficoltà offerte dalla ballata di questo paragrafo XII e potrà leggermente spiegarle, aiutandosi di quelle dichiarazioni che io farò in quel luogo» (Casini).

123 *in questo modo*, appena detto, appunto.

XIII. Appresso di questa soprascritta visione, avendo già dette le parole che Amore m'avea imposte a [1] dire, mi cominciaro molti e diversi pensamenti [2] a combattere e a tentare [3], ciascuno quasi indefensibilemente [4]; tra li quali pensamenti quattro mi parea che ingombrassero [5] più lo riposo [6] de la vita. **2** L'uno de li quali era questo: buona è la signoria d'Amore, però che trae lo intendimento del suo fedele da tutte le vili cose [7]. **3** L'altro era questo: non buona [8] è la signoria d'Amore, però che quanto lo suo fedele più fede li porta [9], tanto più gravi e dolorosi punti [10] li conviene [11] passare. **4** L'altro era questo: lo nome d'Amore è sì dolce a udire, che impossibile mi pare che la sua propria operazione [12] sia ne le più cose [13] altro che dolce, con ciò sia cosa che [14] li nomi seguitino le nominate cose, sì come è scritto: «*Nomina sunt consequentia rerum* [15]». **5** Lo quarto era questo: la donna per cui Amore ti stringe [16] così, non è come l'altre donne, che leggeramente [17] si muova del suo cuore [18]. **6** E ciascuno mi combattea tanto, che mi facea stare quasi come colui che non sa per qual via pigli lo suo cammino [19], e che vuole andare e non sa onde se ne vada; e se io pensava di volere cercare [20] una comune via di costoro, cioè là ove tutti s'accordassero, questa era via molto inimica verso me [21], cioè di chiamare [22] e di mettermi ne le braccia de la Pietà [23]. **7** E in questo stato dimorando, mi giunse volontade di scriverne parole rimate [24]; e dissine allora questo sonetto [25], lo quale comincia: *Tutti li miei penser.*

8   Tutti li miei penser parlan d'Amore [26];
         e hanno in lor sì gran varietate [27],
         ch'altro [28] mi fa voler sua potestate [29],
         altro folle ragiona il suo valore [30],   4
         altro sperando [31] m'apporta dolzore [32],
         altro pianger mi fa spesse fiate;
         e sol s'accordano in cherer [33] pietate,
         tremando di paura che è nel core [34].   8

9   Ond'io non so da qual matera prenda [35];
       e vorrei dire, e non so ch'io mi dica [36]:
       così mi trovo in amorosa erranza [37]!   11
       E se con tutti voi [38] fare accordanza [39],
       convenemi [40] chiamar la mia nemica,
       madonna la Pietà, che mi difenda [41].   14

10 Questo sonetto in quattro parti si può dividere: ne la prima dico e soppongo [42] che tutti li miei pensieri sono d'Amore; ne la seconda dico che sono diversi, e narro la loro diversitade; ne la terza dico in che [43] tutti pare che s'accordino; ne la quarta dico che volendo dire d'Amore, non so da qual parte pigli matera, e se la voglio pigliare da tutti, convene che io chiami la mia inimica, madonna la Pietade; e dico «madonna» [44] quasi per disdegnoso modo di parlare [45]. La seconda parte comincia quivi: *e hanno in lor*; la terza quivi: *e sol s'accordano*; la quarta quivi: *Ond'io non so*.

---

[1] *a*, di.

[2] *pensamenti*, pensieri (prov. *pessamen*; in connotazione negativa ad esempio in Monte, *Oi dolze Amore*, 37; Bonagiunta, *Fina consideransa*, 27; Guglielmo Beroardi, *Membrando*, 5; (ma v. anche Notaro, *Uno disio d'amore*, 39; Mazzeo di Ricco, *Lo gran valore*, 8; Guittone, *Tuttor ch'eo dirò*, 9; Lemmo Orlandi, *Fèra cagione*, 8; Neri de' Visdomini, *Oi forte inamoranza*, 21; etc.).

[3] *combattere e a tentare*, entrambi transitivi: «assaltare e perseguire». Sull'immagine del combattimento e materiali verbali affini ai danteschi v. p.e. Guinizzelli, *Dolente lasso*, 2: «Tu m'assali, Amore, e mi combatti», oltre a *La dispietata mente*, 3; *E' m'increce di me*, 53, 3, e l'apparato «bellico» dell'immaginario cavalcantiano.

[4] *indefensibilemente*, senza possibilità di difendermi.

[5] *ingombrassero*, impedissero (cfr. *Inferno*, II.46; Monte, *Ai misero tapino*, 56, e *Tanto m'abonda*, 112; Cino, *Omo, lo cui nome*, 7-8; «ma minacciava di viltà tremore / perché l'ingombra angoscia l'intelletto»).

[6] *lo riposo*, la tranquillità.

[7] *trae... cose*, distoglie l'amante dall'intendere a cose ignobili (cfr. Cino, *I' no spero*, 41; Petrarca, *Quell'antiquo mio*, 124: «ché mai per alcun patto / a lui piacer non poteo cosa vile», e *Perché la vita*, 10-13).

[8] *non buona*, litote.

[9] *quanto... porta*, quanto più rispetto e dedizione manifesta l'innamorato per esso.

[10] *punti*, passi, momenti (come in *Inferno*, XXXIV. 93: « Qual è quel punto ch'io avea passato », o anche Monte, *Molto m'agrada*, 14: « Oi forte punto che m'è conceduto...»; Chiaro, *passim*; D. Frescobaldi, *Per gir verso la spera*, 35; Cecco Angiolieri, *Quando veggio*, 7-8; *E' fu già tempo* 5; etc.).

[11] *li conviene*, è costretto a.

[12] *operazione*, azione ed effetti d'essa (cfr. p.e. Guinizzelli, *Omo ch'è saggio*, 9-10: « Volan ausel' per air di straine guise / ed han diversi loro operamenti...».

[13] *ne le più cose*, nella maggior parte dei casi.

[14] *con... che*, poiché (+ congiuntivo).

[15] *li nomi... rerum*, i nomi riproducono la natura delle cose. Più che al *Corpus iuris civilis* o al *Genesi*, II.19. 20 e 23, Dante avrà attinto alla tradizione della poesia volgare per la sostanza del concetto, con Guittone « Credo savete ben, messer Onesto / che proceder dal fatto il nome dia », e Ubertino (a Guittone), « Se 'l nome deve seguitar lo fatto...»; su cui poi si reggeranno altri noti luoghi danteschi all'ombra del gioco etimologico (*Purgatorio*, XIII.109: « Savia non fui, avvegna che Sapia / fossi chiamata...»; *Paradiso* XI.53 e XII.67 sgg. sulla patria di Francesco e su san Domenico, etc.), assieme alla miriade di combinazioni sul nome amore. Cfr. comunque Tommaso, *Delle sentenze*, II.9.1.4: « *Illud quod est superioris ordinis... sed nomina respondent rebus* ».

[16] *stringe, avvince.* È verbo già specializzato presso i siciliani: v. Notaro, « Meravigliosamente / un amor mi distringe...»; *Guiderdone*, 22 e 47; Guido delle Colonne, *La mia gran pena*, 22; Mazzeo di Ricco, *Madonna, de lo meo*, 3; *Lo core innamorato*, 46-47; Re Enzo, *Amor mi fa sovente*, 18-19; e quindi nei « successori », da Guittone, *Ahi Deo, che dolorosa*, 15-16; *Ora parrà*, 10; etc; Bonagiunta, *Quando apar*, 16; Inghilfredi, *Poi la noiosa erranza*, 15; a Cavalcanti, *Gli occhi di quella*, e Cino, *Sì mi stringe l'amore*; e Niccolò de' Rossi, *Amor tanto me strinçe*.

[17] *leggeramente*, facilmente.

[18] *si muova... cuore*, cambi proposito (nel linguaggio ecclesiastico esiste *tornare al cuor proprio*).

[19] *pigli lo suo cammino*, si incammini (cfr. *Purgatorio*, II.132: « com'uom che va, né sa dove riesca »). Scarano cita l'archetipo ovidiano « *ut stat, et incertus qua sit sibi nescit eundum/ cum videt ex omni parte viator iter* » (« come rimane perplesso né sa dove volgere il passo un viaggiatore cui si presentino diverse strade ») (*Fasti*, V. 3-4) per quanto segue.

[20] *pensava... cercare*, volevo cercare.

[21] *molto inimica verso me*, essendogli ostile la stessa Pietà.

[22] *chiamare*, invocare.

[23] *ne... Pietà*, cfr. XII.6; e v. Cavalcanti, *S'io prego questa donna*, 1-4; *Gli occhi di quella*, 18-20; Lapo, *Ballata, poi che*, 35-37: « Tu vèderai la nobile accoglienza / nel cerchio de le braccia ove Pietate / ripara con la gentilezza umana »; con Cino, *L'alta speranza*, 8-10: « che

135

quella donna piena d'umiltate / giugne cortese e piana / e posa nelle braccia di Pietate»; e *Deh, com'sarebbe*, 1-4.

[24] *rimate*, in rima.

[25] *sonetto*, v. lo stesso schema di *Cavalcando l'altrier*.

[26] *Tutti... Amore*, per l'*incipit* cfr. Gaucelm Faidit, «*En amor son fermat tuit mei cossir*», o Peire Vidal, «*Tuiz mei cossir son d'amor et de chan*». Ma pure Dante da Maiano, «Tre pensier' aggio, onde mi vien pensare...»; «Le tesi sono formulate riferendo allo stesso soggetto qualità opposte che vengono avvicinate insieme: Amore è buono e non-buono; Amore è dolce e non-dolce (vv. 3-6); ognuna delle quattro tesi può essere facilmente accostata a una particolare poetica: così la prima proposizione costituisce il principio fondamentale che regge l'ideologia della *fin'amor* (Amore fonte della virtù, e origine della bontà e nobiltà: insomma della *"morum probitas"*), mentre l'affermazione seguente sta alla base di una prassi poetica opposta, esemplificabile con Jean de Meun o Guittone; d'altro canto la dolcezza è il predicato tipico della concezione dell'*eros* come quella sviluppata da Guido Guinizzelli, e la passione dolorosa, l'amarezza e l'infelicità, qualificano la maniera di Guido Cavalcanti.» (Picone)

[27] *varietate*, diversità. Cfr. anche Petrarca, *Questa umil fera*.

[28] *altro... altro*, uno... un altro. Per la struttura cfr. Guittone, *Or che dirà*, 9-14: «Ché tale vole minaccia e tal preghera / e tal cortese dire e tal villano / e tal parola umile e tale fera; / e tal che dir con fort'ama l'è sano, / e tal che non è bona, e fasse altera / e fa 'l so cor ver de l'amante istrano». V. anche *Paradiso*, XXI. 37-39.

[29] *voler sua potestate*, accettare la sua signoria.

[30] *folle... valore*, mi dice irragionevole la signoria di lui («perché non misur'ha ei né ragione», Guittone, *O tu, de nome Amor*, 27; e v. *Ora parrà*, 10-11; *Onne vogliosa*, 1-4; Chiaro, *Molti omini*, 9-14). Del resto *folle amore* è tecnico nel *Roman de la Rose*, ad esempio, a indicare l'amore carnale (e cfr. ancora Guittone, *Gentil mia donna*, 63)

[31] *sperando*, attraverso la speranza.

[32] *dolzore*, dolcezza, gioia (prov. *doussor*). Si specializza tecnicamente sul piano erotico già in Guittone, *Sì como ciascuno*, 7; *Pietà di me*, 9-10, etc.. Poi ad esempio in *Paradiso* , XXX.42, e, ridotto a tipo, in Cavalcanti, *In un boschetto*, 25.

[33] *cherer*, chiedere (lat. *quaerere*; prov. *querer*).

[34] *tremando... core*, esperienza integralmente cavalcantiana, per cui cfr. *Io temo che la mia disavventura*, 3-4: «i' sento nel cor un pensero / che fa tremar la mente di paura»; *Io non pensava*, 20: «l'anima sento per lo cor tremare», e *Gli occhi di quella*, 5: «i' sento lo sospir tremar nel core».

[35] *da qual matera prenda*, a quale argomento rivolgere precisa attenzione (cfr. Cavalcanti, *Di vil matera mi conven parlare*; ma, più pertinente, Monte, *Già nom porìa*, 11: «Ond'io non saccio qual parte i' mi tegna», su cui Minetti adegua Raimon de Castelnou, *Entr'ira ët alegrier*, 10: «... e no sai qual part mi tenha ». Cfr. anche *Vita Nuova*, XVII. 1; XXV. 6 etc.).

[36] *e vorrei... dica*, secondo Foster-Boyde richiamo all'artificio

dell'*occultatio* che «*est cum dicimus nos praeterire, aut non scire, aut nolle dicere id quod nunc maxime dicimus*» (*Rethorica ad Herennium*, IV. 37).

[37] *amorosa erranza*, incertezza d'amore (prov. *erransa*). Cfr. Bondie, *Amor, quando mi sembra*, 16: «per ch'io son stato, lasso, in grande eranza»; Neri de' Visdomini, *L'animo è turbato*, 2: «e 'l cor è in grande eranza»; Bonagiunta, *Avegna che partensa*, 53-54: «... mi torna... / in erransa lo innamoramento»; *Fina consideransa*, 16; *Ben mi credea*, 4: «Or sento che in erranza era 'l meo core»; Monte, *Radice e pome*, 12. Chi è «in erranza» non può quindi costituirsi a modello per gli altri: cfr. almeno Cione, *A quel segnor*, 3 e Monte, *Se, per amor*, 3-4.

[38] *voi*, voglio.

[39] *accordanza*, accordo (provenzalismo).

[40] *convenemi*, son costretto a.

[41] *madonna... difenda*, v. Cavalcanti, *Dante, un sospiro*, 5-9; D. Frescobaldi, *Voi che piangete*, 41-42: «cominciò a chiamare: / "Aiutami, Pietà, ch'io non sia morto!"».

[42] *soppongo*, sottopongo a chi legge (lat. *subpono*; o è un richiamo più tecnico alla *suppositio*?).

[43] *in che*, in che cosa.

[44] *e dico «madonna»*, modulo anche di Brunetto (*Rettorica*, 5.4: «e dice "fierezza" perciò che viveano come fiere; e dice "crudeltate" perciò che 'l padre e 'l figliuolo non si conosceano»).

[45] *quasi... parlare*, «quasi per ironia della quale si veste il mio discorso per lo sdegno che in me nasce dal vedere che la pietà non vuol proteggermi» (Melodia).

XIV. Appresso la battaglia de li diversi pensieri[1] avvenne che questa gentilissima venne in parte[2] ove molte donne gentili erano adunate[3]; a la qual parte io fui condotto per amica persona[4], credendosi[5] fare a me grande piacere, in quanto mi menava là ove tante donne mostravano[6] le loro bellezze. **2** Onde io, quasi non sappiendo[7] a che io fossi menato, e fidandomi ne la persona la quale uno suo amico a l'estremitade de la vita[8] condotto avea, dissi a lui: «Perché semo[9] noi venuti a queste donne?». Allora quelli mi disse: «Per fare sì ch'elle siano degna mente servite[10]». **3** E lo vero è che[11] adunate quivi erano a la compagnia d'una gentile donna che disposata era[12] lo giorno; e però, secondo l'usanza de la sopradetta cittade[13], convenia che le facessero compagnia nel primo sedere a la mensa che facea ne la magione del suo novello sposo[14]. Sì che io, credendomi fare piacere di questo amico[15], propuosi di stare al servigio de le donne ne la sua compagnia[16]. 4 E nel fine del mio proponimento[17] mi parve sentire uno mirabile[18] tremore incominciare nel mio petto da la sinistra parte[19] e distendersi di subito[20] per tutte le parti del mio corpo. Allora dico che[21] io poggiai la mia persona simulatamente[22] ad una pintura la quale circundava questa magione[23], e temendo non altri si fosse accorto del mio tremare, levai li occhi, e mirando le donne, vidi[24] tra loro la gentilissima Beatrice. 5 Allora fuoro sì distrutti[25] li miei spiriti per la forza che Amore prese veggendosi in tanta propinquitade[26] a la gentilissima donna, che non ne rimasero in vita più[27] che li spiriti del viso[28], e ancora[29] questi rimasero fuori de li loro istrumenti[30], però che Amore volea stare nel loro nobilissimo luogo[31] per vedere la mirabile donna. 6 E avvegna che io fossi altro che prima[32], molto mi dolea di questi spiritelli, che si lamentavano forte[33] e diceano: «Se questi non ci infolgorasse[34] così fuori del nostro luogo, noi potremmo stare a vedere la maraviglia[35] di questa donna così come stanno li altri nostri pari[36]». 7 Io dico che molte di queste donne, accorgendosi de la mia trasfigurazione, si cominciaro a maravigliare[37]; e ragionando[38] si gabbavano[39] di me con questa gentilissima; onde lo ingannato amico di buona fede[40] mi prese per la mano, e traendomi fuori de la veduta[41] di queste donne, sì[42] mi domandò che io avesse. 8 Allora io, riposato[43] alquanto, e resurressiti[44] li morti spiriti miei, e li discacciati[45] rivenuti a le loro possessioni[46], dissi a questo mio amico queste parole: «Io tenni li piedi in quella parte[47] de la vita di là da la quale non si puote ire più per intendimento[48] di ritornare». 9 E partitomi da lui, mi ritornai ne la camera de le lagrime[49]; ne la quale, piangendo e vergognandomi, fra me stesso dicea: «Se questa donna sapesse[50] la mia condizione, io non credo che così gabbasse[51] la mia persona[52], anzi credo che molta pietade le ne verrebbe». 10 E in questo pianto stando, propuosi di dire parole, ne le quali, parlando a lei [53], significasse [54] la cagione del mio trasfiguramento, e dicesse che io so bene ch'ella [55] non è saputa, e che se fosse saputa, io credo che pietà ne giugnerebbe altrui [56], e propuosile di dire desiderando [57] che venissero per avventura ne la sua audienza [58]. E allora dissi questo sonetto [59], lo quale comincia: *Con l'altre donne.*

11   Con l'altre donne mia vista [60] gabbate,
        e non pensate, donna, onde si mova [61]
        ch'io vi rassembri sì figura nova [62]
        quando riguardo la vostra beltate.   4
12   Se lo saveste [63], non poria [64] Pietate
        tener più contra me l'usata prova [65],
        ché [66] Amor, quando sì presso a voi mi trova [67],
        prende baldanza e tanta securtate [68],   8
   che fere [69] tra' miei spiriti paurosi [70],
        e quale [71] ancide [72], e qual pinge [73] di fore,
        sì che solo remane a veder vui: 11
        ond'io mi cangio in figura d'altrui [74],
        ma non sì ch'io non senta bene [75] allore [76]
        li guai [77] de li scacciati [78] tormentosi.   14

13 Questo sonetto non divido in parti, però che la divisione non si fa se non per aprire la sentenzia [79] de la cosa divisa; onde con ciò sia cosa che per [80] la sua ragionata [81] cagione assai sia manifesto, non ha mestiere [82] di divisione. **14** Vero è che tra le parole dove si manifesta [83] la cagione di questo sonetto, si scrivono dubbiose [84] parole, cioè quando dico che Amore uccide tutti li miei spiriti, e li visivi rimangono in vita, salvo che fuori de li strumenti loro. E questo dubbio è impossibile a solvere [85] a chi non fosse in simile grado fedele d'Amore [86]; e a coloro che vi sono è manifesto ciò che solverebbe le dubitose parole: e però [87] non è bene a me di dichiarare cotale dubitazione, acciò che [88] lo mio parlare dichiarando [89] sarebbe indarno [90], o vero di soperchio [91].

¹ *battaglia de li diversi pensieri*, cfr. la «fera battaglia di sospiri», in Guinizzelli, *Vedut'ho*, 10, con la cavalcantiana «battaglia ove madonna è stata».

² *in parte*, in un luogo.

³ *ove... adunate*, v.p.e. Cavalcanti, *Avete 'n vo'*, 9-14; *I' vidi donne*, 1-3: «I' vidi donne con la donna mia: / non che neuna mi sembrasse donna, / ma son che somigliavan la sua ombria».

⁴ *per amica persona*, da un amico.

⁵ *credendosi*, perché pensava di (participio presente).

⁶ *mostravano*, verbo tecnico (sulla scia v. il «far mostramento che tu' dir mi piaccia» di Cavalcanti, *I' vegno 'l giorno a te*, 10; e anche Guittone, *Non per meo fallo*, 8: «e di penar non faccio dimostranza»; Arrigo Testa, *Vostra orgogliosa cera*, 32; Chiaro, *Novo savere*, 4, e *Sì mi distringe*, 5; Lotto, *Fior di beltà*, 6; Lemmo Orlandi, *Gravozo affanno e pena*, 21; etc.

⁷ *sappiendo*, etimologico (da *sapiendo*).

⁸ *a l'estremitade de la vita*, in punto di morte (cfr. *Purgatorio*, XIII. 124 e XXVI. 92-93).

⁹ *semo*, siamo.

¹⁰ *Per fare... servite*, è la fase dell'omaggio cortese alle virtù femminili, sorta di obbligo disinteressato d'esaltazione.

¹¹ *lo vero è*, il fatto è che.

¹² *disposata era*, si era sposata (con elisione della particella riflessiva nel tempo composto).

¹³ *secondo... cittade*, identico a XXII. 3 (ma riferito a un funerale): «Occorrerà ricordare, a correzione di una troppo immediata "storicizzazione", che anche le situazioni-quadro corrispondono a due "occasioni" esemplari della narrazione evangelica (le nozze di Cana e i funerali di Lazzaro?» (De Robertis).

¹⁴ *nel primo... sposo*, la prima volta che sedeva a tavola nella casa del nuovo sposo. *Novello*, perché appena sposato.

¹⁵ *fare... amico*, accontentarlo.

¹⁶ *propuosi... compagnia*, si ricordi anche *Paradiso*, XXV. 103-108: «E come surge e va ed entra in ballo / vergine lieta, sol per fare onore / alla novizia, non per alcun fallo, / così vid'io lo schiarato splendore / venire a due che si volgìeno a nota / qual convenìesi al loro ardente amore».

¹⁷ *nel fine del mio proponimento*, avevo appena espresso questo mio proposito (che)...

¹⁸ *mirabile*, eccezionale.

¹⁹ *incominciare... parte*, cioè «da quella parte onde il cuore ha la gente» (*Purgatorio*, X. 48). Cfr. la drammatizzazione cavalcantiana di *Voi che per li occhi*, 13-14: «che l'anima tremando si riscosse / veggendo morto 'l cor nel lato manco».

²⁰ *di subito*, in un attimo.

²¹ *Allora dico che*, eco evidente (per via del contesto) di Cavalcanti, *Io vidi li occhi*, 4: «allora dico che 'l cor si divise».

²² *simulatamente*, senza far capire il mio turbamento.

140

²³ *pintura... magione*, affreschi o arazzi che correvano lungo le pareti della suddetta casa.

²⁴ *levai... mirando... vidi*, si noti la studiata tassonomia delle percezioni che preparano l'apparizione. Tremito e apparizione di Beatrice saranno legati anche in *Purgatorio* XXX. 34-39.

²⁵ *distrutti*, cfr. XI. 2, e Cavalcanti, *Io non pensava*, 48-50.

²⁶ *propinquitate*, vicinanza.

²⁷ *più*, altri.

²⁸ *li spiriti del viso*: v. ancora XI. 2. E cfr. Cavalcanti, *Veder poteste*, 12-13: «e quel sottile spirito che vede / soccorse gli altri, che credean morire...».

²⁹ *ancora*, anche.

³⁰ *li loro instrumenti*, gli occhi, che sono appunto «strumenti» del vedere. Cfr. Cavalcanti, *Vedete ch'i' son un*, 17: «Questi lasciaro gli occhi abbandonati...», e *Convivio*, IV. V. 17: «questi eccellentissimi essere stati strumenti con li quali procedette la divina provedenza ne lo romano imperio».

³¹ *nel... luogo*, al loro posto, che era il più nobile (o nobilitato) di tutti.

³² *altro che prima*, si conserva l'immagine dell'uomo cambiato «in figura d'altrui».

³³ *forte*, tanto.

³⁴ *infolgorasse*, fulminasse. Per il tema della folgore cfr. almeno Guinizzelli, *Lo vostro bel saluto*, 9-11; il dubbio (a Cino) *Tardi m'accorgo*, 1-4; Guittone, *Ben mi morraggio*, 5-6: «Quando la veggio paremi uno trono, / un foco ardente che mi fiere al viso»; fino ad *Amor che ne la mente*, 66-67: «e rompon come trono / li 'nnati vizii che fanno altrui vile».

³⁵ *maraviglia*, forma assimilata.

³⁶ *li altri nostri pari*, le facoltà visive delle altre persone, non trasfigurate.

³⁷ *si cominciaro a maravigliare*, cfr. V. 1.

³⁸ *ragionando*, nel corso della conversazione.

³⁹ *si gabbavano*, si burlavano (secondo i modi del provenzale *gab* che, con Bernart de Ventadorn, *Amors, e que.us es veyaire*, e Guiraut de Bornelh, *Er auziretz*, raggiunge uno statuto cortese complesso, dopo le prime attestazioni «belliche»): cfr. Notaro, *Chi non avesse*, 12-14; Lapo, *Donna, se 'l prego*, 51; *Inferno*, XXXII. 7; per il termine v. anche Guittone, *Manta stagione*, 31-33; *A certo, mala donna*, 13, o *les gabes* dei paladini, cioè i loro burleschi vanti, nel *Pélerinage de Charlemagne*, con la specificazione di «*vantardise*».

⁴⁰ *di buona fede*, riferibile a *ingannato* ma anche a *mi prese*.

⁴¹ *veduta*, vista.

⁴² *sì*, paraipotattico.

⁴³ *riposato*, calmatomi (cfr. XIII. 1).

⁴⁴ *resurressiti*, risuscitati (da *resurressire*, sulla radice di *resurrexi*).

⁴⁵ *li discacciati*, gli *spiriti del viso* (cfr. il v. 14 del sonetto).

⁴⁶ *le loro possessioni*, gli occhi.

⁴⁷ *in quella parte... ritornare*, fui allo stremo della vita (Carducci ci-

tava Lucrezio, *De rerum natura*, VI. 1155: «*Languebat corpus leti iam limine in ipso*» [«Già il corpo abbandonato sul limitare proprio della morte»], con Catullo e Virgilio; ma cfr. Cavalcanti, *Gli occhi di quella*, 15-17: «sì che ciascuna vertù m'abandona, / in guisa ch'i' non so là v'i' mi sia: / sol par che Morte m'aggia 'n sua balìa».

[48] *per intendimento*, con l'intenzione.

[49] *la camera de le lagrime*, cfr. XII. 2.

[50] *Se questa donna sapesse*, v. *Con l'altre donne*, 5 sgg.

[51] *gabbasse*, deriderebbe (classico congiuntivo potenziale).

[52] *la mia persona*, perifrastico per «me» (cfr. Dante, *Io sento sì d'Amor*, 90: «se vuoi saver qual è la sua persona»).

[53] *parlando a lei*, fingendo di rivolgermi a lei.

[54] *significasse*, manifestassi.

[55] *ella*, la suddetta *cagione*.

[56] *altrui*, precisamente a lei (indefinito per il definito, per cui cfr. *Già non m'agenza*, 14: «... che sembra altrui noioso»; Guinizzelli, *Chi vedesse*, 14: «altrui dispiaceria forse non poco»; Dante, *Donna pietosa*, 22; o anche Cavalcanti, *L'anima mia*, 12-14, e *O donna mia*, 8).

[57] *desiderando*, nella speranza.

[58] *per avventura... audienza*, per caso al suo orecchio. *Audienza* è anche in *Convivio*, II. VII, e *Paradiso*, XI. 134.

[59] *sonetto*, per lo schema cfr. *Cavalcando l'altr'ier* e *Tutti li miei penser*.

[60] *mia vista*, il mio aspetto.

[61] *onde si mova*, da dove procede (cfr. Guido Orlandi, *Onde si move, e donde nasce Amore*, a Guido Cavalcanti).

[62] *vi rassembri... nova*, vi appaia così trasformato, Per il verbo v. Cavalcanti, *Biltà di donna*, 11.

[63] *Se lo saveste...*, cfr. XIV. 9 (la *v* del verbo è arcaica). Cfr. per il modulo espressivo Cavalcanti, *L'anima mia*, 12-14: «Qualunqu'è quei che più allegrezza sente, / se vedesse li spirti fuggir via, / di grande sua pietate piangeria»; e *I' prego voi*, 11 sgg.

[64] *poria*, potrebbe.

[65] *l'usata prova*, la consueta resistenza: cfr. *Amor, che movi*, 8; *Inferno*, VIII. 122; e per il sintagma cfr. poi Cino, *Se conceduto mi fosse*, 4: «mutar facesse de l'usate prove».

[66] *ché*, infatti.

[67] *quando... trova*, cfr. Cavalcanti, *L'anima mia*, 3-4.

[68] *baldanza e... securtade*, impeto e coraggio. Si ricordi Brunetto Latini, volgarizzamento di Cicerone, *Pro Deiotaro*, I: «Avvegna... che io sia usato di muovermi con baldanza e sicurtade».

[69] *fere*, irrompe con violenza (cfr. il luogo cavalcantiano, poi da paladini ariosteschi, di *Voi che per li occhi*, 5-6: «E' ven tagliando di sì gran valore, / che' deboletti spiriti van via»).

[70] *paurosi*, terrorizzati (cfr. III. 1).

[71] *quale... qual*, l'uno... l'altro.

[72] *ancide*, uccide (sicilianismo e provenzalismo: cfr. Dante, *Così nel mio parlar*, 36 e 75; *Perché ti vedi*, 5; o Guinizzelli, *Lo vostro bel saluto*, 2.).

[73] *pinge*, spinge. V. XI. 2.

[74] *mi... altrui*, assumo altre sembianze (e cfr. ancora Cavalcanti, *Tu m'hai sì piena*, 9-11: «I' vo come colui ch'è for di vita, / che pare, a chi lo sguarda, ch'omo sia / fatto di rame o di pietra o di legno», con Guinizzelli, *Lo vostro bel saluto*).

[75] *bene*, alla perfezione.

[76] *allore*, francese *alors* (come p.e. in Dante da Maiano, *Lo meo gravoso affanno*, 8; *L'Intelligenza*, CXXXVIII. 5, o Jacopone, *O iubelo del core*, 7).

[77] *guai*, lamenti.

[78] *scacciati tormentosi*, gli spiriti espulsi in preda per questo a tormento. «Questa tecnica della coda con climax sarà usata in modo particolarmente efficace e con una sottigliezza senza precedenti nei *congedi* alle canzoni della maturità e specialmente in quelli alle "canzoni petrose"» (Boyde). Forse anche un modello per future espressioni pregnanti, tipo «la prima canzon, ch'è de' sommersi» (*Inferno*, XX. 3)?

[79] *aprire la sentenzia*, illustrare il senso (per il verbo v. Brunetto, *Rettorica*, 36. 1: «la significazione di quella parola... si conviene diffinire, cioè aprire e rispianare che viene a dire e che significa; *Purgatorio*, XXII. 154; *Convivio*, I. XII. 3; III. V. 1 etc.)

[80] *per*, mediale.

[81] *ragionata*, narrata nella prosa.

[82] *mestiere*, bisogno.

[83] *si manifesta*, è espressa.

[84] *dubbiose*, oscure, gravate d'incertezza (cfr. più avanti *dubitose*).

[85] *solvere*, sciogliersi.

[86] *a chi... d'Amore*, da chi non è un perfetto amante cortese (e partecipa quindi dell'uso di un linguaggio specifico, metaforico).

[87] *però*, perciò.

[88] *acciò che*, poiché.

[89] *parlare dichiarando*, procedere ad esplicita spiegazione.

[90] *indarno*, vano.

[91] *di soperchio*, eccessivo (cfr. il *soverchievole* di X. 2).

XV. Appresso la nuova [1] trasfigurazione mi giunse uno pensamento forte [2], lo quale poco si partia [3] da me, anzi continuamente mi riprendea, ed era di cotale ragionamento meco [4]: «Poscia che [5] tu pervieni a così dischernevole vista [6] quando tu se' presso di questa donna, perché pur [7] cerchi di vedere lei? Ecco che [8] tu fossi domandato [9] da lei: che avrestù [10] da rispondere, ponendo che [11] tu avessi libera ciascuna tua vertude [12] in quanto tu le rispondessi? [13]». **2** E a costui rispondea un altro, umile, pensero [14], e dicea: «S'io non perdessi le mie vertudi, e fossi libero tanto che io le potessi rispondere, io le direi, che sì tosto com' [15] io imagino [16] la sua mirabile bellezza, sì tosto mi giugne [17] uno desiderio dì vederla, lo quale è di tanta vertude [18], che uccide e distrugge [19] ne la mia memoria ciò che contra lui si potesse levare [20]; e però non mi ritraggono [21] le passate passioni [22] da cercare la veduta [23] di costei». 3 Onde io, mosso da cotali pensamenti, propuosi di dire certe parole, ne le quali, escusandomi a [24] lei da cotale riprensione [25], ponesse anche di quello che mi diviene [26] presso di lei; e dissi questo sonetto [27], lo quale comincia: *Ciò che m'incontra.*

4   Ciò che m'incontra [28], ne la mente more [29],
          quand'i' vegno a veder voi, bella gioia [30];
          e quand'io vi son presso [31], i' sento Amore
          che dice: «Fuggi [32], se 'l perir t'è noia [33]».   4
5   Lo viso [34] mostra lo color del core [35],
          che, tramortendo [36], ovunque pò s'appoia [37];
          e per la ebrietà [38] del gran tremore
          le pietre par che gridin [39]: Moia, moia [40].   8
6   Peccato face [41] chi allora mi vide [42],
          se l'alma sbigottita non conforta [43],
          sol dimostando che di me li doglia, [44],   11
          per la pietà, che 'l vostro gabbo ancide [45],
          la qual si cria ne [46] la vista morta [47]
          de li occhi, c'hanno di lor morte voglia.   14

7 Questo sonetto si divide in due parti: ne la prima dico la cagione per che non mi tengo di [48] gire presso di questa donna; ne la seconda dico quello che mi diviene per andare [49] presso di lei; e comincia questa parte quivi: *e quand'io vi son presso.* 8 E anche si divide questa seconda parte in cinque, secondo cinque diverse narrazioni [50]: che ne la prima dico quello che Amore, consigliato da la ragione [51], mi dice quando le sono presso; ne la seconda

manifesto lo stato del cuore per essemplo del viso [52]; ne la terza dico sì come onne sicurtade [53] mi viene meno; ne la quarta dico che pecca quelli che non mostra pietà di me, acciò che [54] mi sarebbe alcuno conforto; ne l'ultima dico perché altri doverebbe avere pietà, e ciò è per la pietosa [55] vista che ne li occhi mi giugne; la quale vista pietosa è distrutta, cioè non pare [56] altrui, per lo gabbare di questa donna, la quale trae a sua simile operazione [57] coloro che forse vederebbono [58] questa pietà. **9** La seconda parte comincia quivi: *Lo viso mostra*; la terza quivi; *e per la ebrietà*; la quarta: *Peccato face*; la quinta: *per la pietà*.

---

[1] *nuova*, straordinaria.

[2] *forte*, intenso e doloroso (opposto a *umile* di XV. 2.). Per il pensiero «mortale» cfr. Cavalcanti, *La forte e nuova*, 11-14: «Vèn, che m'uccide, uno sottil pensero, / che par che dica ch'i' mai no la veggia: / questo è tormento disperato e fero, / che strugg'e dole e 'ncende ed amareggia»: e *Io temo che la mia disaventura*, 3-8.

[3] *si partia*, si allontanava.

[4] *era... meco*, mi rivolgeva nel discorso questa domanda.

[5] *Poscia che*, visto che.

[6] *pervieni... vista*, arrivi ad assumere un aspetto che invita allo scherno.

[7] *pur*, dà, come di consueto, valore durativo al verbo. Per il passaggio v. Monte, *Ancor di dire*, 6-7: «...Folle, ché pur cerche / a seguire ciò esser no.m pòi prego...».

[8] *Ecco che*, ammettiamo che.

[9] *domandato*, interrogato.

[10] *avrestù*, avresti tu (con aplologia e agglutinazione, per cui cfr. *Donna pietosa*, 26: «Che vedestù, che tu non hai...»; Cavalcanti, «O donna mia, non vedestù colui...».

[11] *ponendo che*, anche ammettendo che.

[12] *vertude*, facoltà.

[13] *in quanto tu le rispondessi*, tanto almeno che tu le potessi rispondere.

[14] *umile, pensero*, cfr. l'«umil pensero» di *Voi che 'ntendendo*, 28.

[15] *sì tosto com (e)*, non appena.

[16] *imagino*, riesco a raffigurarmi e ricordare.

[17] *giugne*, cfr. XI. 1.

[18] *vertude*, forza.

[19] *uccide e distrugge*, endiadi in climax, come per i modelli cavalcantiani di *La forte e nova*, 14: «che strugg'e dole e 'ncende ed amareggia».

[20] *ciò... levare*, il ricordo dei dolori già provati davanti a Beatrice.

21 *ritraggono*, distolgono.

22 *le passate passioni*, «si noti la forte allitterazione, se non *adnomi-natio* con figura (pseudo) etimologica (*passate* "sopportate" come *passioni* "patimenti"? - ma cfr. XIII. 3)» (De Robertis).

23 *veduta*, cfr. XIV. 7.

24 *a*, presso di (lat. *ad*).

25 *cotale riprensione*, questo rimprovero (implicito nella domanda «Poscia che tu pervieni...» etc.).

26 *diviene*, accade.

27 *sonetto*, con schema ABAB ABAB, CDE CDE (cfr. *Amor 'l cor gentil*; *Io mi senti' svegliar*; *Vede perfettamente*).

28 *Ciò che m'incontra*, quel che mi accade (e v. *Poscia ch'Amor*, 130; Onesto, *Ahi lasso taupino*, 12; Cino, *Se voi udiste*, 13: «m'incontra ciò che riso e gioco / vi fa menar»; *Zaffiro che del vostro viso*, 5: «se tal sorte m'incontra...»; *Deh, Gherarduccio*, 12-13: «Ciò che t'incontra omai ti déi tenere...».

29 *ne la mente more*, scompare dalla memoria (e cfr. *De gli occhi de la mia donna*, 5-11).

30 *voi, bella gioia*, come in Guittone, *A renformare amore*, 2: «noi, bella gioia»; e quindi *Ai dolce gioia*; *Piagente donna*; *Tuttor ch'eo dirò gioi*, etc.

31 *quand'io vi son presso*, cfr. Cavalcanti, *L'anima mia*, 3-4: «che s'ella sente pur un poco Amore / più presso a lui che non sòle, ella more».

32 *Fuggi*, intervento in discorso diretto, con imperativo, secondo tradizione soprattutto cavalcantiana (cfr. *Certe mie rime*, 4-14; *Dante, un sospiro*, 12-14; *Io temo che la mia disaventura*, 5-14. etc.).

33 *se 'l perire t'è noia*, se ti rincresce morire.

34 *viso*, volto.

35 *lo color del core*, mortalmente pallido (per cui cfr. Guinizzelli, *Ch'eo cor avesse*, 14; Cavalcanti, *Io non pensava*, 1-4; *Veder poteste*, 5-8; *Quando di morte*, 11-14; *Io temo che la mia disaventura*, 5-8; *La forte e nova*, 29-31; D. Frescobaldi, *Per gir verso la spera*, 5-9; Cino, *Come in quelli occhi*, 25; etc. V. anche il dubbio ciniano *Non v'accorgete voi*, 5-6: «E' si va sbigottito, in un colore / che 'l fa parere una persona morta».

36 *tramortendo*, sentendosi venire meno. Cfr. *Fiore*, CLXXXVII.14: Niccolò de' Rossi, *Da ch'el ti piace*, 61.

37 *s'appoia*, si appoggia (prov. *apojar*, franc. *apoier*; cfr. p.e. Lapo, *Novelle grazie*, 28: «cui gentilezza ed ogni ben s'appoia»).

38 *ebrietà*, l'alienato eccesso (è termine tecnico scritturale, per cui v. la nota a *inebriato* di III.2). Per il *gran tremore* v. p.e. *Fiore*, XX.13: «e sì 'l basciai con molto gran tremore».

39 *le pietre... gridin*, cfr. *Luca* XIX.40 «*quia si hi tacuerint, lapides clamabunt*». Ma si ricordi anche il racconto agiografico delle pietre che salutano Beda, presente ad esempio nel fortunato *Alphabetum Narrationis* di Arnoldo da Liegi, 638 (*Praedicator devotus ubique ferventer predicat*).

40 *Moia, moia*, a morte (cfr. *Paradiso*, VIII.75, con Cino, *Anzi*

146

ch'Amore, 5: «quando udirai gridare: uccidi, uccidi»; e Pietro de' Faitinelli, *Veder mi par*, 5):

[41] *Peccato face*, più forte Monte, *Ai come spento son*, 12-13: «Ai, chi 'm prima mi vide, com' pecò / 'n lasciar me vita!...».

[42] *vide*, vede.

[43] *l'alma... conforta*, su questo motivo della manifestazione di conforto v. almeno Cavalcanti, *Li mie' foll'occhi*, 12-14; *L'anima mia*, 12-14; *I' prego voi*, 11-14; *Io temo che la mia disaventura*, 9-14, etc. *Alma sbigottita* riecheggia Cavalcanti, «L'anima mia vilment'è sbigotita...».

[44] *sol... doglia*, almeno col mostrare che abbia una qualche compassione di me (per effetto della pietà...).

[45] *ancide*, v. *Con 'altre donne*, 10 e nota (e cfr. *Inferno* XX.28: «Qui vive la pietà quand'è ben morta»).

[46] *si cria ne*, nasce (per la forma del verbo *Inferno*, XI.63; *Purgatorio*, XVI.80; Bonagiunta, *Similemente onore* , 50; Guittone, *Ahi, bona donna*, 33; o D. Frescobaldi, *Deh, giovinetta*, 3).

[47] *vista morta*, cfr. nota 35, e v. *Li occhi dolenti*, 48 e 68. Si noti l'annominazione sul concetto di morte. E cfr. Petrarca, *Ahi, bella libertà*, 5: «Gli occhi invaghirono allor sì de' lor guai». Si rilevi poi ai vv.12-14 il procedimento enfatizzante analogo p.e. a quello di *Quantunque volte*, 14-16.

[48] *non mi tengo di*, non posso astenermi dal... (v. anche *Inferno*, XXII.112).

[49] *per andare*, per il fatto che vado.

[50] *narrazioni*, fasi da me narrate.

[51] *consigliato da la ragione*, giusta, II.9.

[52] *per essemplo del viso*, «Per l'imagine che dello stato d'animo rende il mio volto» (Casini).

[53] *sicurtade*, cfr. *Con l'altre donne, 8*.

[54] *acciò che*, perché.

[55] *pietosa*, ispiratrice di pietà.

[56] *pare*, risulta a.

[57] *a sua simile operazione*, ad un agire simile al suo.

[58] *vederebbono*, vedrebbero (con desinenza toscana per il condizionale).

XVI. Appresso ciò che io dissi[1] questo sonetto, mi mosse una volontade[2] di dire anche[3] parole, ne le quali io dicesse quattro cose[4] ancora sopra lo mio stato, le quali non mi parea che fossero[5] manifestate ancora per[6] me. **2** La prima delle quali si è[7] che molte volte io mi dolea, quando la mia memoria movesse la fantasia ad imaginare[8] quale Amore mi facea. **3** La seconda si è che Amore spesse volte di subito m'assalia sì forte[9], che 'n me non rimanea altro di vita[10] se non un pensero che parlava di questa donna. **4** La terza si è che quando questa battaglia d'Amore[11] mi pugnava[12] così, io mi movea quasi discolorito tutto[13] per vedere questa donna, credendo che mi difendesse la sua veduta[14] da questa battaglia, dimenticando quello che per appropinquare a tanta gentilezza[15] m'addivenia[16]. **5** La quarta si è come[17] cotale veduta non solamente non mi difendea, ma finalmente disconfiggea[18] la mia poca vita[19]. **6** E però[20] dissi questo sonetto[21], lo quale comincia: *Spesse fiate.*

7   Spesse fiate[22] vegnonmi[23] a la mente
           le oscure qualità[24] ch'Amor mi dona[25],
           e venmene[26] pietà, sì che sovente
           io dico: «Lasso[27]! avviene elli a persona[28]?»;   4
8   ch'Amor m'assale subitanamente[29],
           sì che la vita quasi[30] m'abbandona[31]:
           campami[32] un spirto vivo solamente,
           e que' riman perché di voi ragiona[33].   8
9   Poscia mi sforzo[34], ché mi voglio atare[35];
           e così smorto[36], d'onne valor voto[37],
           vegno a vedervi[38], credendo guerire[39]:   11
10   e se io levo li occhi per guardare,
           nel cor mi si comincia uno tremoto[40],
           che fa de' polsi[41] l'anima partire.   14

11 Questo sonetto si divide in quattro parti, secondo che quattro cose sono in esso narrate; e però che sono di sopra ragionate[42], non m'intrametto[43] se non di distinguere le parti per[44] li loro cominciamenti: onde dico che la seconda parte comincia quivi: *ch'Amor*; la terza quivi: *Poscia mi sforzo*; la quarta quivi: *e se io levo.*

---

[1] *Appresso... dissi*, dopo aver composto.
[2] *una volontade*, quasi personificata (espressione diversa quindi da «mi venne una volontade di...», per cui cfr. VI.1; XIII.7 etc.).

148

³ *anche*, in più (v. XXI.1).

⁴ *quattro cose*, forse in corrispondenza con i *penser* del sonetto del cap. XIII, vv. 3-6, che Dante intende qui specificare per chiarire i motivi della sua ispirazione.

⁵ *fossero*, fossero state (piuccheperfetto latineggiante).

⁶ *per*, da.

⁷ *Si è*, (uso mediale).

⁸ *quando... imaginare*, il ricordo determina la presa di coscienza («imaginare quale Amore mi facea»): passato e presente coagiscono nell'esperienza amorosa.

⁹ *di subito... sì forte*, con violenza talmente inattesa.

¹⁰ *altro di vita*, altra funzione vitale (cfr. Cavalcanti, *L'anima mia*, 7-8: «Chi vedesse com'ell'è fuggita / diria per certo: Questi non ha vita»).

¹¹ *battaglia d'Amore*, come in Guinizzelli, *Madonna, il fino amor*, 72: «... la battaglia u'vince Amore»; e v. anche la *battaglia di dolor* cavalcantiana, con Dante, *Savere e cortesia*, 14, fino alla «battaglia de' debili cigli» di *Paradiso*, XXIII.78.

¹² *pugnava*, combatteva.

¹³ *discolorito tutto*, completamente sbiancato (con il prefisso dantesco per *disconsolato, disfogare* etc., guinizzelliano per *disnaturato, disvalere, disragione* etc., ciniano per *dispiagenza, diservire* etc.). È il segnale dello smarrimento psicofisico. Cfr. Dante, *Degno fa voi trovare*, 8.

¹⁴ *veduta*, vista.

¹⁵ *per... gentilezza*, nell'accostarmi a donna tanto gentile.

¹⁶ *addivenia*, accadeva.

¹⁷ *come*, che.

¹⁸ *finalmente disconfiggea*, arrivava a distruggere.

¹⁹ *la mia poca vita*, quel poco di vita che ancora mi restava. Cfr. Cino, *Novellamente Amor*, 9-11: «... e del suo colpo perde / lo core mio quel poco che di vita / gli rimase...», ma anche Dante, *Ne le man vostre*, 12: «mentre ho de la vita»; e Rustico Filippi, *Se no l'atate*, 4: «ché vedete che nonn-ha de la vita».

²⁰ *però*, perciò.

²¹ *sonetto*, lo schema è identico a quello di *Ciò che m'incontra*.

²² *Spesse fiate*, cfr. gli *incipit* di Rustico, *Ispesse volte voi vegno a vedere* (con l'affine cavalcantiano *I' vegno 'l giorno a te 'nfinite volte*) o Monte, «Ispessamente movomi lo giorno, / e vado per veder la donna mia»; integrabili ad esempio con Guittone, *Amor m'ha priso*, 9, Schiatta Pallavillani *D'un convenente*, 4.

²³ *vegnonmi*, con enclisi pronominale, giusta la legge Tobler-Mussafia. *Mente* vale ancora «memoria» (cfr. *Paradiso*, IX.104: «Non della colpa, ch'a mente non torna»).

²⁴ *le oscure qualità*, l'angoscioso, triste stato (v. l'*oscuritate* ciniana della canzone *Quando potrò io dir*, 8; e v. *Videro li occhi miei*, 6: «le qualità della mia vita oscura». Ma anche l'*iscuressa* di Panuccio, *Considerando la vera partensa*, 23, e «la nostra vita oscura» di Niccolò de' Rossi, *Gli spirti miei*, 4).

[25] *dona*, dà (francesismo).

[26] *venmene pietà*, cfr, il cavalcantiano «A me stesso di me pietate vène».

[27] *Lasso*, ohimè.

[28] *avviene... persona?*, accade a qualcuno. *Elli* è pleonastico, d'uso con certi verbi impersonali. Per *persona* in questo senso (più della prosa per Marti, che rinvia al *Decameron*), cfr. Cavalcanti, *Se m'ha del tutto*, 6: «ma chi tal vede (certo non persona)»; D. Frescobaldi, *Quest'altissima stella*, 7, e *Inferno*, XIII.23.

[29] *subitanamente*, d'improvviso (*di subito* in XVI.3). Deriva dalla forma aggettivale *subitano*, ridotta da *subitaneo*. Cfr. Cino, *S'io ismagato sono*, 5-6: «... la morte mi piglia / ed assalisce subitamente». Ma per l'assalto di Amore v. Guinizzelli, *Lo vostro bel saluto*, 3: «Amor m'assale...», e *Vedut'ho*, 9: «Ed eo de lo suo amor sono assalito».

[30] *quasi*, ad esclusione dello *spirto vivo* dei vv. 7-8.

[31] *m'abbandona*, come il Cavalcanti, *Perch'i' no spero*, 18: «la morte / mi stringe sì, che vita m'abbandona», e *Gli occhi di quella*, 15: «sì che ciascuna vertù m'abbandona». V. anche Guittone, *Pietà di me*, 3.

[32] *campami*, mi sopravvive.

[33] *perché... ragiona*, cfr. il paradigma cavalcantiano di *Voi che per li occhi*, 7-8: «riman figura sol en segnoria / e voce alquanta che parla dolore», e di *Gli occhi di quella*, 11-12: «I' sento pianger for li miei sospiri / quando la mente di lei mi ragiona».

[34] *mi sforzo*, mi faccio violenza.

[35] *atare*, aiutare (si noti la riduzione toscana di *aitare*, francesismo per «aiutare»).

[36] *smorto*, cfr. la dittologia «scolorito e smorto» in Niccolò de' Rossi, *Tu me menasti*, 5.

[37] *voto*, svuotato, privo (cfr. *Donna pietosa*, 26: «Che vedestù, che tu non hai valore?»).

[38] *vegno a vedervi*, «Il tema del "vedere" — "guardare" (parole-tema cavalcantiane) è, con la rappresentazione angosciosa dell'abbandono degli "spiriti", l'elemento unitivo dei tre sonetti del "gabbo"» (De Robertis).

[39] *guerire*, guarire.

[40] *tremoto*, terremoto, che è concetto affine in Dante al *tremore*, per cui v. ad esempio *Inferno*, XXXI.106-108: «Non fu tremoto già tanto rubesto, / che scotesse una torre così forte, / come Fialte a scuotersi fu presto».

[41] *polsi*, vene (v. anche *Inferno*, I.90), sede del sangue e quindi dell'anima (come da *Purgatorio*, V.74: «... li profondi fori / ond'uscì 'l sangue in sul quale io sedea»).

[42] *ragionate*, esposte.

[43] *m'intrametto*, m'impegno (franc. *s'entremetre*; cfr. XXII.17; XLI.9 e Carnino Ghiberti, *Disïos'è cantare*, 59, con Pietro de' Faitinelli, *Voi gite molto arditi*, 10.

[44] *per*, per mezzo di.

XVII. Poi che dissi questi tre sonetti, ne li quali parlai a questa donna [1], però che [2] fuoro narratori di tutto quasi [3] lo mio stato, credendomi [4] tacere e non dire più [5] però che mi parea di me assai avere manifestato, avvegna che sempre poi tacesse [6] di dire a lei, a me convenne [7] ripigliare matera nuova e più nobile [8] che la passata. **2** E però che la cagione de la nuova matera [9] è dilettevole a udire, la dicerò, quanto potrò più brievemente [10].

---

[1] *parlai a questa donna*, sono infatti gli unici della *Vita Nuova* in cui il poeta si rivolge direttamente a madonna.

[2] *però che*, in quanto (per *fuoro* v. nota a III.1).

[3] *quasi*, anche a proseguimento della metafora iniziale, dovrebbe riferirsi al fatto che la *Vita Nuova* non comprende tutte le esperienze giovanili dantesche, ed esclude rime come p.e. *De gli occhi de la mia donna*.

[4] *credendomi*, ritenendo adeguato a un comportamento cortese.

[5] *tacere... più*, «non è tautologia: *tacere* indica la cessazione del canto per esaurimento della materia, *non dire più* il proposito di non cantar più» (De Robertis).

[6] *tacesse*, lasciassi, evitassi.

[7] *a me convenne*, sentii il bisogno, dovetti.

[8] *ripigliare... nobile*, cfr, XIII.9, v.9, e XVIII.9. Si riferisce alla svolta rappresentata, d'ora in avanti, dal «parlare sempre mai quello che fosse loda di questa gentilissima» (XVIII.9): vale a dire della scoperta di una beatitudine non pjù legata al saluto di Beatrice, ma identificata con l'inalienabile esperienza della poesia esaltante la donna.

[9] *la cagione... matera*, la ragione che mi ha spinto ad assumere la nuova poetica.

[10] *dicerò... brievemente*, nel capitolo XVIII, appunto, che elabora numerosi motivi di narrazione svolti più ampiamente nel prosieguo del libello.

XVIII. Con ciò sia cosa che [1] per la vista mia [2] molte persone avessero compreso lo secreto del mio cuore, certe donne, le quali adunate s'erano dilettandosi l'una ne la compagnia de l'altra [3], sapeano bene lo mio cuore [4], però che ciascuna di loro era stata [5] a molte mie sconfitte [6]; e io passando appresso di [7] loro, sì come da la fortuna menato [8], fui chiamato da una di queste gentili donne. **2** La

donna che m'avea chiamato era donna di molto leggiadro[9] parlare; sì che quand'io fui giunto dinanzi da loro, e
vidi bene[10] che la mia gentilissima donna non era con esse, rassicurandomi le salutai, e domandai che piacesse loro[11]. 3 Le donne erano molte, tra le quali n'avea[12] certe[13] che si rideano[14] tra loro. Altre v'erano che mi guar-
davano, aspettando che io dovessi dire[15]. Altre v'erano
che parlavano tra loro. De le quali una, volgendo li suoi
occhi verso me[16] e chiamandomi per nome, disse queste
parole: «A che fine ami tu questa tua donna, poi che tu
non puoi sostenere[17] la sua presenza? Dilloci[18], ché certo
lo fine di cotale amore conviene che sia novissimo[19]». E
poi che m'ebbe dette queste parole, non solamente ella,
ma tutte l'altre cominciaro ad attendere in vista la mia
risponsione[20]. 4 Allora dissi queste parole loro: «Madon-
ne, lo fine del mio amore fue già lo saluto di questa donna, forse di cui voi intendete[21], e in quello dimorava[22] la
beatitudine, ché era fine[23] di tutti li miei desiderii. Ma
poi che le piacque di[24] negarlo a me[25], lo mio signore
Amore, la sua merzede[26], ha posto tutta la mia beatitudine in quello che non mi puote venire meno[27]». 5 Allora
queste donne cominciaro a parlare tra loro; e sì come talora vedemo[28] cadere l'acqua mischiata di bella neve[29],
così mi parea udire le loro parole uscire mischiate di sospiri. 6 E poi che alquanto ebbero parlato tra loro, anche[30]
mi disse questa donna che m'avea prima parlato, queste parole: «Noi ti preghiamo che tu ne dichi[31] ove sta
questa tua beatitudine». Ed io, rispondendo lei[32], dissi
cotanto[33]: «In quelle parole che lodano la donna mia[34]».
7 Allora mi rispuose[35] questa che mi parlava: «Se tu ne
dicessi vero[36], quelle parole che tu n'hai dette in notificando[37] la tua condizione, avrestù operate con altro intendimento[38]». 8 Onde io, pensando a queste parole,
quasi vergognoso mi partio[39] da loro, e venia dicendo fra
me medesimo: «Poi che è tanta beatitudine in quelle parole che lodano la mia donna, perché altro parlare è stato

lo mio [40]? ». **9** E però propuosi di prendere per matera de
lo mio parlare sempre mai [41] quello che fosse loda di questa gentilissima; e pensando molto a ciò, pareami avere
impresa [42] troppo alta matera quanto a me [43], sì che non
ardia di cominciare; e così dimorai alquanti dì con disi-
derio di dire e con paura di cominciare.

---

[1] *Con... che*, poiché (col congiuntivo).

[2] *per la vista mia*, attraverso il mio aspetto (cfr. *Ciò che m'incontra*,
5). Come nel cap. IV, ma non più in presenza di eventuali «malparlieri».

[3] *dilettandosi... altra*, per accompagnarsi piacevolmente.

[4] *sapeano... cuore*, conoscevano bene i moti del mio animo.

[5] *era stata*, aveva assistito.

[6] *molte mie sconfitte*, molte occasioni in cui mi ritrovai sconfitto.

[7] *appresso di*, vicino a.

[8] *sì... menato* (non più in compagnia di un amico, come in XIV.1,
ma) come impose la mia fortuna.

[9] *leggiadro*, elevato, amabile, raffinato.

[10] *vidi bene*, ebbi la certezza.

[11] *che piacesse loro*, che cosa desiderassero.

[12] *n'avea*, ce n'erano.

[13] *certe...*, e più avanti *altre v'erano...; altre v'erano...*, con una ricchezza di atteggiamenti che De Robertis ha avvicinato al leggiadro movimento femminile della ballata *Era in penser d'amor*.

[14] *si rideano*, forma mediale.

[15] *che io dovessi dire*, che mi pronunciassi.

[16] *volgendo... me*, come in Cavalcanti, *Era in penser d'amor*, 13:
«Elle con gli occhi lor si volser tanto...».

[17] *sostenere*, resistere a (cfr. *Purgatorio*, III.39: «Per che l'occhio da
presso nol sostenne»).

[18] *Dilloci*, diccelo (con l'usuale distribuzione arcaica dei pronomi).

[19] *conviene... novissimo*, non può non essere eccezionale (è, appunto,
la *nuova materia* di XVII.1).

[20] *cominciaro... risponsione*, assunsero l'aria di chi attendeva (da
me) una risposta.

[21] *forse... intendete*, quella a cui forse voi fate riferimento.

[22] *dimorava*, consisteva, era (cfr. X.2 e XI.4).

[23] *fine*, scopo. Cfr. XIX.20: «lo saluto di questa donna.... fu fine de li
miei desiderii mentre ch'io lo potei ricevere».

[24] *le piacque di*, volle.

[25] *negarlo a me*, «anche qui come altrove tradizione poetica e *auctoritas* strutturale si uniscono; se la negazione del saluto come negazione
della "ricompensa" è dato in parte desunto da tutta la lirica romanza
precedente (nelle varie forme, spesso diversissime assunte dal tema), esso per Dante è anche un riferimento preciso al Salmo 50, *Miserere*

mei, Deus, 13, ove si richiede appunto la restituzione del saluto/salute: *"Redde mihi laetitiam salutaris tui"* negato a causa del traviamento. Sarà proprio la capacità di collegare i dati della poesia volgare ai suoi remoti e meno remoti archetipi ideologici che fornirà subito dopo a Dante la possibilità di superare il punto cui era arrivato lo sviluppo della lirica romanza, compresa quella cavalcantiana, che pur non desiderando affatto una "ricompensa" era sulla teorizzazione della metafisica impossibilità di essa che fondava la propria poetica » (Antonelli).

[26] *la sua merzede*, per sua grazia (assoluto); cfr. *Donna pietosa*, 84; *Inferno*, II.91: « Io son fatta da Dio, sua mercé, tale... »; etc.

[27] *in quello... meno*, in ciò che non può essermi tolto (riferibile a *Luca*, X.42: *«quae non auferetur ab ea»*, nell'opposizione di Maria a Marta, simboli rispettivamente di vita contemplativa e attiva). V. anche il noto brano del *Convivio*, III.XI.14 per questo tipo di *felicitade*: « E sì come fine de l'amistade vera è la buona dilezione, che procede dal convivere secondo l'umanitade propiamente, cioè secondo ragione, sì come pare sentire Aristotile nel nono de l'Etica; così fine de la Filosofia è quella eccellentissima dilezione che non pate alcuna intermissione overo difetto, cioè vera felicitade che per contemplazione de la veritade s'acquista ».

[28] *vedemo*, vediamo (continuatore regolare di *videmus*).

[29] *l'acqua... neve*, in genere è citato a proposito Cavalcanti, *Biltà di donna* 6: «e bianca neve scender senza venti» (con il richiamo dei *sospiri* che ritroviamo presso Francesca da Rimini, *Inferno*, V.116-120); mentre il luogo di partenza è, per alcuni commentatori, *Isaia*, LV.10-11: *«Et quomodo descendit imber et nix de caelo, ...sic erit verbum meum quod egredietur de ore meo...»*. In realtà conta il raffronto con *Io son venuto al punto*, 20-22: «e poi si solve, e cade in bianca falda / di fredda neve ed in noiosa pioggia, / onde l'aere s'attrista tutto e piagne».

[30] *anche*, ancora.

[31] *ne dichi*, ci dica (il verbo ha desinenza popolare). Per *ne* pronome atono cfr. più avanti *tu ne dicessi vero*.

[32] *lei*, obliquo.

[33] *cotanto*, soltanto questo (cfr. Onesto (?), *Amico, dir ti vo' questo cotanto*; Rustico, *Fastel, messer fastidio*, 13; e il *tanto* di *Inferno*, XV.91).

[34] *In quelle parole... mia*, la *lode* diventa la *laetitia* stessa, al di là di qualsiasi ricompensa. «Per questa via Dante recupera tutto l'imponente filone della cultura latina e romanza che aveva fatto dell'amore disinteressato, dell'amore premio a se stesso il segno più sicuro della propria eccellenza e delle proprie ragioni di vita; in più, rispetto ai precedenti, in sede lirica, l'Alighieri compie un nuovo passo: l'identificazione assoluta della "loda" dell'amore disinteressato, con la poesia; poiché l'amore disinteressato è quanto dire *caritas* e dunque ragione sociale del proprio essere intellettuale, Dante raggiunge con ciò l'identificazione del proprio essere sociale e delle proprie ragioni esistenziali ed intellettuali, in una certezza che è tale perché *garantita* appunto da una fitta intelaiatura di *auctoritates* che dalla Bibbia passano per la cultura classica

(l'amore disinteressato teorizzato da Cicerone nel *Laelius*) e per la cultura latino-medievale (fin da Agostino che aveva già affermato la grandezza della lode disinteressata a Dio, in quanto in se stessa *bene*, in un passo, segnalato dal De Robertis, dell'*Enarratio in Psalmum LIII*, opera forse a Dante accessibile; perché "*voluntarie sacrificabo tibi?*" ["Volontariamente a te mi sacrificherò?"], si chiede Agostino, e risponde: "*Quare voluntarie? quia gratis. Quid est gratis? Et confitebor nomini tuo, Domine, quoniam bonum est: ob nihil aliud nisi quia bonum est* ["Volontariamente a te mi sacrificherò. Perché volontariamente? perché senza mire. Cioè? Confesserò allora, Signore, in tuo nome perché è bene: solo perché è bene"]). (Antonelli).

[35] *rispuose*, forma analogica su *puose*.

[36] *vero*, astratto privo di articolo spesso in antico.

[37] *in notificando*, per documentare (gerundio preposizionale). Cfr. *Purgatorio*, V.45; XXVIII.59.

[38] *avrestù... intendimento*, le avresti volte ad esprimere altri significati (cioè ti saresti riferito a lei e non avresti parlato di te). Per *avrestù* v. XV.1.

[39] *partio*, allontanavo.

[40] *altro... mio*, ho usato parole non per lodare madonna.

[41] *mai*, rafforza *sempre*.

[42] *impresa*, intrapresa.

[43] *quanto a me*, per quanto potevano le mie capacità. È il motivo tradizionale dell'insufficienza, percorso da molti poeti duecenteschi quali Notaro, *Madonna, dir vo voglio*, 33-48; Guinizzelli, *Lo fin pregi' avanzato*, 1-13; Cavalcanti, *Chi è questa che vèn*, 5-14; Lapo, *Questa rosa novella*, 5-10, ma qui, strutturalmente, segnale negativo di una conversione sulla scia dell'assioma vittorino «*Canticum est vita, canticum novum vita nova, canticum vetus vita vetus*» («Canto come vita, canto nuovo vita nuova, canto vecchio vita vecchia»).

XIX. Avvenne poi che passando per uno cammino[1] lungo lo quale sen già[2] uno rivo chiaro molto, a me giunse tanta volontade di dire, che io cominciai a pensare lo modo ch'io tenesse[3]; e pensai che parlare di lei non si convenia che io facesse[4], se io non parlasse a donne in seconda persona[5], e non ad ogni donna, ma solamente a coloro che sono gentili e che non sono pure[6] femmine[7]. **2** Allora dico che la mia lingua parlò quasi come per se stessa mossa[8], e disse: *Donne ch'avete intelletto d'amore*. **3** Queste parole io ripuosi ne la mente con grande letizia, pensando di prenderle per mio cominciamento[9]; onde ı ^ ritornato a la sopradetta cittade, pensando alquanti die, cominciai una canzone [10] con questo cominciamento, ordinata nel modo che si vedrà di sotto ne la sua divisione. La canzone comincia: *Donne ch'avete*.

4   Donne ch'avete intelletto d'amore [11],
       i' vo' con voi de la mia donna dire [12],
       non perch'io creda sua laude finire [13],
       ma ragionar per isfogar la mente [14].
5   Io dico che [15] pensando [16] il suo valore,   5
       Amor sì dolce mi si fa sentire,
       che s'io allora [17] non perdessi ardire,
       farei parlando innamorar la gente [18].
6   E [19] io non vo' parlar sì altamente [20],
       ch'io divenisse per temenza vile [21];   10
       ma tratterò del suo stato gentile
       a respetto di lei leggeramente [22],
       donne e donzelle [23] amorose, con vui,
       ché non è cosa da parlarne altrui [24].
7   Angelo clama in divino intelletto [25]   15
       e dice: «Sire, nel mondo si vede
       maraviglia ne l'atto [26] che procede [27]
       d'un'anima che 'nfin qua su risplende [28]».
       Lo cielo, che non have altro difetto
       che d'aver lei [29], al suo segnor la chiede,   20
       e ciascun santo ne grida merzede [30].
8   Sola Pietà nostra parte difende [31],
       che [32] parla Dio, che di madonna intende [33]:
       «Diletti miei [34], or sofferite in pace [35]
       che vostra spene [36] sia quanto me piace   25
       là 'v' è alcun che perder lei s'attende [37],
       e che dirà ne lo inferno [38]: O mal nati,
       io vidi la speranza de' beati».
9   Madonna è disiata in sommo cielo [39]:
       or voi [40] di sua virtù farvi savere.   30
       Dico, qual [41] vuol gentil donna parere [42]

vada con lei [43], che quando va per via [44],
gitta [45] nei cor villani Amore un gelo,
per che [46] onne lor pensero [47] agghiaccia
                                        [e pere [48];
e qual soffrisse di [49] starla a vedere   35
diverria nobil cosa, o si morria [50].

10   E quando trova alcun che degno sia
di veder lei, quei prova [51] sua vertute,
ché li avvien, ciò che li dona, in salute [52],
e sì l'umilia [53], ch'ogni offesa oblia.   40
Ancor l'ha [54] Dio per maggior grazia dato
che non pò mal finir [55] chi l'ha parlato.

11   Dice di lei Amor [56]: « Cosa [57] mortale
come esser pò sì adorna e sì pura [58]? ».
Poi la reguarda [59], e fra se stesso giura   45
che Dio ne 'ntenda di far cosa nova [60].
Color di perle ha quasi [61], in forma [62] quale
convene a donna aver, non for [63] misura:
ella è quanto de ben pò far natura [64];
per essemplo di lei bieltà si prova [65].   50

12   De li occhi suoi, come ch' [66] ella li mova,
escono spirti d'amore inflammati [67],
che feron [68] li occhi a qual che allor la guati [69],
e passan sì che 'l cor ciascun retrova [70]:
voi le vedete Amor pinto [71] nel viso [72],   55
là 've non pote alcun mirarla fiso [73].

13   Canzone, io so che tu girai parlando [74]
a donne assai, quand'io t'avrò avanzata [75].
Or t'ammonisco, perch'io t'ho allevata
per figliuola d'Amor [76] giovane e piana [77],   60
che là 've giugni tu dichi pregando:
« Insegnatemi gir [78], ch'io son mandata
a quella di cui laude so' adornata [79] ».

14   E se non vuoli andar sì come vana [80],
non restare ove sia gente villana [81]:   65
ingegnati, se puoi, d'esser palese [82]

solo con donne o con omo cortese,
che ti merranno[83] là per via tostana[84].
Tu troverai Amor con esso[85] lei;
raccomandami a lui come tu dei.   70

15 Questa canzone, acciò che sia meglio intesa, la dividerò più artificiosamente[86] che l'altre cose[87] di sopra. E però prima ne fo tre parti: la prima parte è proemio de le sequenti parole[88]; la seconda è lo intento trattato[89]; la terza è quasi una serviziale[90] de le precedenti parole. La seconda comincia quivi: *Angelo clama*; la terza quivi: *Canzone, io so che*. **16** La prima parte si divide in quattro: ne la prima dico a cu' io dicer voglio de la mia donna, e perché io voglio dire[91]; ne la seconda dico quale me pare avere a me stesso[92] quand'io penso lo suo valore, e com'io direi s'io non perdessi l'ardimento; ne la terza dico come credo dire di lei, acciò ch'io non sia impedito da viltà; ne la quarta, ridicendo anche[93] a cui ne intenda dire, dico la cagione per che dico a loro[94]. La seconda comincia quivi: *Io dico*; la terza quivi: *E io non vo' parlar*; la quarta: *donne e donzelle*. **17** Poscia quando dico: *Angelo clama*, comincio a trattare di questa donna. E dividesi questa parte in due: ne la prima dico che di lei si comprende[95] in cielo; ne la seconda dico che di lei si comprende in terra, quivi: *Madonna è disiata*. **18** Questa seconda parte si divide in due; che ne la prima dico di lei quanto da la parte de[96] la nobilitade de la sua anima, narrando alquanto de le sue vertudi effettive[97] che de la sua anima procedeano; ne la seconda dico di lei quanto da la parte de la nobilitade del suo corpo[98], narrando alquanto de le sue bellezze, quivi: *Dice di lei Amor*. **19** Questa seconda parte si divide in due; che ne la prima dico d'alquante bellezze che sono secondo[99] tutta la persona; ne la seconda dico d'alquante bellezze che sono secondo diterminata parte de la persona, quivi: *De li occhi suoi*. **20** Questa seconda parte si divide in due; che ne l'una dico de li occhi, li quali sono principio d'amore; ne la seconda dico de la bocca [100], la quale è fine d'amore. E acciò che quinci [101] si lievi ogni vizioso pensiero [102], ricordisi chi ci legge, che di sopra è scritto che lo saluto di questa donna, lo quale era de le operazioni de la bocca sua, fue fine de li miei desiderii mentre ch' [103] io lo potei ricevere. **21** Poscia quando dico: *Canzone, io so che tu*, aggiungo una stanza [104] quasi come ancella de l'altre, ne la quale dico quello che di questa mia canzone desidero [105]; e però che questa ultima parte è lieve a intendere, non mi travaglio [106] di più divisioni. **22** Dico bene che, a più aprire lo intendimento [107] di questa canzone, si converrebbe usare di [108] più minute divisioni; ma tuttavia chi non è di tanto ingegno che per queste che sono fatte la possa intendere, a me non dispiace se la mi [109] lascia stare, ché certo io temo d'avere a troppi comunicato lo suo intendimento pur per [110] queste divisioni che fatte sono, s'elli avvenisse che molti le potessero audire [111].

---

[1] *cammino*, via, strada (cfr. *Cavalcando l'altr'ier per un cammino*, in IX.9). Per il contesto cfr. il capitolo IX e *Roman de la Rose*, 126-128: «*lors m'en alai par mi la pree, /contreval l'eve es baneiant, / tot le rivage costeiant*», fino all'episodio di Matelda (*Purgatorio* XXIX.7-8: «Allor si mosse contra 'l fiume, andando / su per la riva»).

[2] *sen gia*, scorreva.

[3] *lo modo ch'io tenesse*, come comportarmi.

[4] *non... facesse*, non sarebbe stato conveniente (forse perché avrebbe potuto sdegnare le nuove rime a lei direttamente rivolte).

[5] *in seconda persona*, v. XII.17.

[6] *pure*, soltanto.

[7] *femmine*, donne (senza qualità specifiche). Preludendo in questi termini alla canzone centrale della *Vita Nuova*, Dante si crea un uditorio ben preciso, «nuovo» nella misura in cui l'eccellenza dell'amante si identifica con l'«intelletto d'amore».

[8] *quasi... mossa*, esprimendo senza ostacoli o mediazioni la disposizione intellettuale (così il poeta d'amore, nel XXIV del *Purgatorio*, dichiara: «E io a lui: "I' mi son un, che quando / Amor mi spira, noto, e a quel modo / ch'e' ditta dentro vo significando"», vv. 52-54). La *lingua* si muove quasi in modo soprannaturale (per sé stessa mossa), rifrangendo forse parte della simbologia dell'*Annunciazione*; comunque, sul movimento di essa, cfr. quanto scrive Guittone, *La dolorosa mente*.

[9] *cominciamento*, inizio (e cfr. ancora *Purgatorio*, XXIV.49-51:

«Ma dì s'i' veggio qui colui che fore /// trasse le nove rime, cominciando / ”Donne ch'avete intelletto d'amore”»). V. anche *Parole mie*, 2-4: «voi che nasceste poi ch'io cominciai / a dir per quella donna in cui errai...».

[10] *una canzone*, composta di quattro stanze di endecasillabi, ciascuna di 14 versi, secondo lo schema ABBC ABBC, CDD CEE, più un commiato identico alle stanze, senza partizioni. *Donne ch'avete* è citata nel *De vulgari eloquentia*, II.VIII.7 come esempio tipico di canzone, e in II.XII.3 come modello di canzone integralmente endecasillabica. Imitata da Cino in *Avegna ched el m'aggia* e trascritta fra le rime dei *Memoriali bolognesi*. «Nella storia della poesia di D., qual è definita dalla ”ragionata” antologia della *Vita Nuova*, la canzone rappresenta senz'altro una svolta decisiva, in quanto fonda un mito personale che segna il superamento sia del tirocinio guittoniano e cortese sia del momento cavalcantiano dell'amore doloroso: il mito dell'amore come pura, disinteressata e beatificante contemplazione di Beatrice creatura perfetta e come suprema gioia che nasce dalla lode di lei; come conquista, attraverso la purificazione ed esaltazione del sentimento, di una superiore aristocrazia etica e conoscitiva. La prosa configura questo mito nella sua pienezza di significato, sia nel cap. XVIII — il colloquio di D. con le donne che lo aiutano a comprendere il fine del suo amore, come beatitudine che sta nelle parole che lodano la sua donna —, sia nel cap. XIX, con l'estatica atmosfera di rivelazione che avvolge il solitario cammino del poeta, l'improvvisa *volontà di dire*, l'erompere dalla lingua, che parla *quasi... per se stessa mossa*, del primo verso della canzone. La rivelazione resta però circoscritta a una nuova concezione dell'amore umano, non divino, a un'alta avventura terrena, non trascendente, alla conquista di una nobiltà dello spirito che l'amore esprime e potenzia, sullo sfondo di un'eletta società di ”cori gentili” e di donne che hanno *intelletto d'amore*. D., cioè, riprende e approfondisce la tematica guinizzelliana dell'amore come piena attuazione della nobiltà che è in potenza nell'animo, e quindi come esaltazione della persona e compimento della sua interiore armonia; indicando originalmente nella *dolcezza* dello *stilo de la loda* l'estrinsecazione, la ”*manifestatio*” di questa intima grazia, e nel ”*canticum novum*” la ”vita nuova” della coscienza rinnovellata da un amore che attraverso la pura ”*dilectio*” di Beatrice diviene intuizione e celebrazione dei valori umani più autentici». (Pazzaglia).

[11] *ch'avete... amore*, che capite che cosa è amore (e siete affini perciò a quei *conoscenti*, a quelle *persone c'hanno intendimento* richiesti da Cavalcanti come pubblico di *Donna me prega*, 5 e 74). Ma cfr. anche *Perch'i' no spero*, 41-42: «Voi troverete una donna piacente, / di sì dolce intelletto, / che vi sarà diletto / starle davanti ognora»; *Io non pensava*, 15-18; *Veggio negli occhi*, 5-6; *Posso degli occhi miei*, 8-10, nel confronto fra «intelletto» e valore della donna. L'attacco è comunque affine, ad esempio, a *Voi che 'ntendendo* o *Voi che savete ragionar d'amor*. Per l'intelletto d'«amore» si veda infine *I' mi son pargoletta*, 7: «d'amor non averà mai intelletto».

[12] *dire*, cantare (in poesia). Il verso pare echeggiare il guinizzelliano *Io voglio del ver la mia donna laudare*.

[13] *finire*, portare a compimento, esaurire (cfr. Guittone, *Se de voi, donna gente*, 112-113: «che bene en sua ragione / non crederea già mai poter finare», con Chiaro, *Per la grande abondanza*, 5-6: «ma dubito non mo' possa fornire / in proferer ciò ch'i' ho in pensamento»). È motivo poi sviluppato in *Convivio* III.IV.3: «Ché a me conviene lasciare per povertà d'intelletto molto di quello che è vero di lei, e che quasi ne la mia mente raggia, la quale come corpo diafano riceve quello, non terminando: e questo dico in quella seguente particula... Poi quando dico: *E di quel che s'intende*, dico che non pur a quello che lo mio intelletto non sostiene, ma eziandio a quello che io intendo sufficiente [non sono], però che la lingua mia non è di tanta facundia che dire potesse ciò che nel pensiero mio se ne ragiona; per che è da vedere che, a rispetto de la veritade, poco fia quello che dirà» etc. E v. *Amor che ne la mente*, 59.62.

[14] *isfogar la mente*, liberare la piena del canto. La tessitura interna sarà anche di Petrarca, *Perché la vita è breve*, 16-18: «Non perch'io non m'avveggia / quanto mia laude è 'ngiuriosa a voi; / ma contrastar non posso al gran desio,... ».

[15] *Io dico che*, formulare (dal *dico quod* scolastico).

[16] *pensando*, transitivo (usuale in antico: v.p.e. *Inferno*, II.17).

[17] *allora*, in quel frangente.

[18] *farei... gente*, la sola parola poetica dantesca riuscirebbe insomma beatifica anche per altre persone: ecco un altro aspetto sostanziale della *loda*. Questi vv. 7-8 riproducono la struttura dei cavalcantiani «e se non fosse che 'l morir m'è gioco, / fare' ne di pietà pianger Amore» (*Poi che di doglia*, 7-8). Per il gerundio «pregnante» cfr. *Se' tu colui*, 14; *Tanto gentile*, 3.

[19] *E*, eppure.

[20] *sì altamente*, in termini così elevati (come richiederebbe il suo valore).

[21] *vile*, incapace (per timore di un compito tanto alto).

[22] *a... leggeramente*, in modo superficiale se confrontato con la profondità del suo «valore».

[23] *donne e donzelle*, coppia stereotipa (v. *Li occhi dolenti*, 72), già del Notaro, *Dal core mi vene*, 45 e del lamento *Sospirava una pulcella*, 15, e forse irrisa dall'Angiolieri, *Lassar vo' lo trovare di Becchina*, 10-11. Cfr. Andrea Cappellano «*Sunt autem quam plurimae dominae vel domicellae...*» («vi sono peraltro parecchie donne o donzelle...»); con Petrarca, *Per mezz'i boschi*, 8. *Amorose* riprende il concetto espresso al v.1.

[24] *ché... altrui*, cfr. Cavalcanti, *Donna me prega*, 75: «di star con l'altre tu non hai talento».

[25] *Angelo... intelletto*, un angelo invoca entro l'intelligenza divina (con ellissi d'articolo di fronte al primo termine a scopo indeterminativo). «Si noti la ripetizione di *intelletto* dall'inizio della stanza precedente: la comunicazione dell'angelo, intelligenza separata, con Dio non è mediata da estrinsecazione fisica. Si noti l'eco, puramente verbale, di

" 'n la 'ntelligenzia del cielo" [angelica] dalla canzone guinizzelliana *Al cor gentil*; dalla cui ultima stanza viene l'idea di un discorso diretto di Dio. Tuttavia questo testo offriva soprattutto a Dante un fondamento teorico, poiché in esso Dio rivendicava a se stesso e a Maria il privilegio della "laude", ma il poeta coonestava il suo procedere con la sembianza angelica, dunque da paradiso, della donna» (Contini).

[26] *maraviglia ne l'atto,* un miracolo incarnato in una persona (v. *Quantunque volte,* 26). È la «cosa venuta di cielo in terra a miracol mostrare»; ma cfr. anche Guittone, *Se de voi, donna gente,* 30-21: «semiglia per mia fede / mirabel cosa a bon conoscitore»).

[27] *procede,* muove, deriva (ma nel senso anche di *Convivio,* II.V.10: «...lo Padre secondo che da lui procede lo Spirito Santo...», e III.XII.12).

[28] *d'un'anima... risplende,* cfr. gli ultimi versi della canzone guinizzelliana *Al cor gentil.*

[29] *che non... lei,* cui manca soltanto lei per essere completo di perfezione. È immagine alquanto tradizionale, presente già in Provenza a Pons de Capdoill, Bonifacio Calvo e altri, come poi presso il Notaro, *Io m'aggio posto,* 5-8, etc. I vv. 19-20 furono imitati da Cino, *Avegna ched el m'aggia,* 23-25.

[30] *ne grida merzede,* la chiede in grazia (e cfr. Cino, *Avegna ched el m'aggia:* «Che Dio nostro signor /volle di lei, come avea l'angel detto, / fare il cielo perfetto»).

[31] *Pietà... difende,* colei che era *nemica* in *Tutti li miei penser,* 13.

[32] *che,* in quanto.

[33] *che... intende,* riferendosi alla mia donna.

[34] *Diletti miei,* come creature da Dio create per prime (cfr. *Purgatorio,* XI.2).

[35] *sofferite in pace,* sopportate pazientemente.

[36] *vostra spene,* la donna che è vostra speranza (cfr. Guittone, *Mille salute,* 14: «pensando che voi sete spene mia»).

[37] *sia... s'attende,* rimanga quanto ritengo opportuno là, sulla terra, dove è qualcuno che sa di doverla perdere (trattandosi di creatura divina).

[38] *ne lo inferno,* non è da vedersi qui un preludio al viaggio ultraterreno della Commedia. Come già spiegò il D'Ancona «il fine di Dante è di esprimere la *laude* di Beatrice. Egli ce la dice cosa tutta celeste, tanto che gli angeli supplicano a Dio che la richiami dal mondo al suo proprio soggiorno. Gli attori sono qui Dio e gli angeli: rimpetto a loro e a Beatrice che cosa è Dante, salvo un misero peccatore? Avrebbe dovuto invece farsi decretare da Dio il paradiso? Vi era tanta distanza tra Beatrice e lui, che a lui doveva bastare la gloria, fornito il suo mortale pellegrinaggio, di poter dire ai peccatori come lui: Io però ho avuto la grazia di vedere in terra colei che i beati desideravano in cielo. Vi è qui, con esagerazione poetica, una espressione di umanità debita innanzi alla giustizia di Dio e alla divinità di Beatrice, ma non un accenno al poema. Rispetto alla santità di Beatrice, cresce in Dante il senso della propria infermità morale. A Beatrice la gloria del Paradiso: a lui la dimora dei dannati, pur consolata da questo vanto di aver veduto viva e amata

in terra Beatrice, *la speranza dei beati*». Anche nella canzone *Lo doloroso amor*, 38-40, l'anima «tanto attenta / d'imaginar colei per cui s'è mossa, / ...nulla pena avrà ched ella senta». Insomma *lo inferno* è qui semplicemente l'opposto del *cielo* (v. 19).

[39] *in sommo cielo*, nell'alto dei cieli.

[40] *voi*, voglio (con apocope). Si noti l'allitterazione, parallela anche all'*incipit* guinizzelliano *Io voglio del ver*.

[41] *qual*, chiunque. Fondamentale il rapporto con *Amor che ne la mente*, 39-40: «e qual donna gentil questo non crede, / vada con lei e miri li atti sui».

[42] *parere*, apparire.

[43] *vada con lei*, cfr. *Vede perfettamente*, 3; E per il motivo v. Cino, «Or dov'è, donne, quella in cui s'avista / tanto piacer ch'oltra vo fa piacenti? / Poiché non c'è, non ci corron le genti, ché reverenza a tutte voi acquista».

[44] *va per via*, echeggia ancora *Io voglio del ver*, 9: «passa per via adorna e sì gentile»; ma cfr. *Detto d'Amore* 233: «E' quando va per via / ciascun di lei ha 'nvia...»; Onesto, *Ahi lasso taupino*, 38.

[45] *gitta*, getta (con l'usuale passaggio *e - i* in protonia del fiorentino).

[46] *per che*, per il quale.

[47] *pensero*, *vertù* nella trascrizione dei *Memoriali bolognesi*, anno 1292.

[48] *agghiaccia e pere*, si gela e muore. Cfr. Guinizzelli, *Io voglio del ver*, 9-14; Chiaro, *Per la grande abondanza*, 25-28, o Cino, *Tutto mi salva*, 12-14. Così anche Guittone, *Eo sono sordo*, 14: «che meve agghiaccia e fiamma lo core» con Monte, *Già nom poria*, 10: «lo cor m'agghiaccia»; Cecco Angiolieri, *La povertà m'ha sì disamorato*, 5; fino a *Purgatorio*, IX-42, in possibile antitesi ad esempio a Dante (?), *Quando il consiglio*, 23, o Rustico Filippi, *Tutto lo giorno*, 11.

[49] *soffrisse di*, potesse resistere a.

[50] *diverria... morria*, v. Cavalcanti, *Gli occhi di quella*, 20-25; Cino, *Gentil' donne valenti*, 12-14.

[51] *prova*, esperimenta; più stanco Cino, *Sta nel piacer*, 8: «quine si prova chi di lei favella».

[52] *li... salute*, tutto ciò che da lei è donato gli si trasforma in beatitudine personale (v.p.e. Guittone, *Maestro Bandino*, 3-4). La *salute* è in effetti l'insieme dei beni spirituali costituenti la felicità.

[53] *umilia*, rende pacifico (cfr. Guinizzelli, *Io voglio del ver*, 10: «ch'abassa orgoglio a cui dona salute»), predisponendolo così per definizione all'opera benefica di Amore.

[54] *l'ha*, le ha.

[55] *mal finir*, morire in peccato, esser dannato. Mazzoni rilevava la corrispondenza coi *malnati* del v. 27. E v. ancora il modello guinizzelliano «ancor ve dirò c'ha maggior vertute: / null'om pò mal pensar fin che la vede».

[56] *Dice di lei Amor*, quasi il poeta non potesse farlo, come in Cavalcanti, *Chi è questa che vèn*, 6: «dical Amor, ch'i' nol savria contare».

[57] *Cosa*, creatura (cfr. *E' m'increscе di me*, 90-92: «e 'nnanzi a voi perdono / la morte mia a quella bella cosa / che me n'ha colpa e mai

non fu pietosa»; ma anche *Amore e 'l cor gentil*, 11, o *Tanto gentile*, 7; Meo, *Considerando l'altera valensa*, 47; Guinizzelli, *Tegno de folle 'mpres(a)*, 16; Notaro, *Dal core mi vene*, 24; etc.

[58] *come... pura?*, v. Monte, «Segnore Dio, come poté venire / al mondo sì angelica figura?», o Guittone, *Se de voi, donna gente*, 16-17. Ma è *topos* diffuso in tutte le «scuole». L'«adornezza» riguarda gli attributi di bellezza (v. Guinizzelli, *Io voglio del ver*, 9: «Passa per via adorna e sì gentile», Cavalcanti, *Io non pensava*, 16: «di tante bellezze adorna vène»; Chiaro, *passim*; etc.).

[59] *reguarda*, guarda.

[60] *Dio... nuova*, v. Guittone, *Se de voi, donna gente*, 10-12 «Ché la natura entesa / fo di formare voi, co 'l bon pintore / Policreto fo de la sua pentura», e 19-21: «Ché ciò che l'om de voi conosce e vede, / semiglia, per mia fede, / mirabel cosa a bon conoscidore»; e Monte, *Come il sol*, 12-13: «O che Dio volle mostrar Sua possanza / de le bellezze, in vostra figura», ancora con Guittone, *S'el si lamenta*, 7-8: «ch'è la più bella criatura / che Deo formasse senza dubitanza», e *S'eo tale fosse*, 12-14: «Ché Natura né far pote né osa / fattura alcuna né maggior né pare, / for che d'alquanto l'om maggior si cosa».

[61] *Color... quasi*, carnagione ha candida (da Guglielmo IX, «*Que plus etz blanca qu'evori*», al Guinizzelli del «viso di neve colorato in grana», al Petrarca di «pallida no, ma più che neve bianca» e oltre). Può essere una parafrasi *Vita Nuova* XXXVI.1: «d'un colore palido quasi come d'amore».

[62] *in forma*, in misura tale.

[63] *for*, al di là della (*oltra Dio misura* in Cavalcanti, *Donna me prega*, 44).

[64] *quanto... natura*, il culmine della perfezione nell'operare di natura. V. Guittone, *Lasso, pensando*, 48-50: «usanza / e natura ha 'n lei miso / quanto più pò di bene», e, più distante, Guinizzelli, *Omo ch'è saggio*, 12: «Dëo natura e 'l mondo in grado mise...»; cfr. Petrarca, *Chi vuol veder*, 1-2, e, qui, la nota 60.

[65] *per... prova*, «la bellezza si sperimenta usando lei come paradigma» (Contini). *Bieltà* è rifatto sul franc. *biauté*. Cfr. *Convivio*, III. VIII.3 «nel suo corpo, per bontade de l'anima, sensibile bellezza appare», con *Amor che ne la mente*, 70: «miri costei ch'è essempro d'umiltate». E v. Guinizzelli, *Gentil donzella*, 12-14: «per voi tutte bellezze so' afinate / e ciascun fior fiorisce in sua manera / lo giorno quando vo' vi dimostrate».

[66] *come ch(e)*, non appena.

[67] *escono... inflammati*, tema cavalcantiano: v. *De gli occhi*, 1-5; *Gli occhi di quella*, 6-7; *Di donne io vidi*, 5-6; poi in Lapo, *Angelica figura*, 5-7, o Cino, *O voi che siete*, 9-11.

[68] *feron*, colpiscono.

[69] *guati*, guardi.

[70] *e passan... retrova*, «E (li) varcano in modo che ognuno (degli spiriti) raggiunge il cuore» (Contini).

[71] *pinto*, dipinto. Altro motivo della lirica siciliana, risalente ad esempio al Notaro, *Meravigliosamente*, 8-9: «che 'nfra lo core meo /

porto la tua figura», e 10-11: «In cor par ch'eo vi porti, / pinta como parete», e mediata da Guglielmo Beroardi, *Gravosa dimoranza*, 24-25, etc.

[72] *viso*, sguardo.

[73] *fiso*, fisso. *Per mirarla fiso* anche in Lapo, *Questa rosa novella*, 12.

[74] *girai parlando*, parlerai (usuale costrutto perifrastico).

[75] *avanzata*, prodotta. V. anche *Purgatorio*, IX.91: «Ed ella i passi vostri in bene avanzi».

[76] *Per figliuola d'Amor*, spesso le rime assumono «legami di parentela», come confermano ad esempio i *frati* di *Sonetto, se Meuccio*, 13 (e cfr. la solita, puntuale irrisione angiolieresca in *Li buon parenti*, 1-4).

[77] *giovane e piana*, ricorda il «leggera e piana» di Cavalcanti, *Perch'i' no spero*, 3. Alludono rispettivamente all'inconditezza dei prodotti giovanili (come nella «ballata giovenzella» di Lapo, *Questa rosa novella*, 25), e alla semplice cantabilità dell'opera. La dittologia è conforme a modelli diffusi, quali «cortese e piana» di Guittone, *Eo t'aggio inteso*, 4; *Ahi, lasso, como mai*, 4; «dolce e piana» di Guinizzelli, *Donna, l'amor*, 14, e dell'»Amico di Dante», *Gentil mia donna*, 14; e «piani, soavi e dolci» di *E' m'increscе di me*, 10-11; etc.

[78] *gir*, il cammino per arrivare a madonna.

[79] *di cui... adornata*, di cui intono le lodi.

[80] *sì come vana*, come qualcosa di futile. E v. *Ballata, i' voi*, 8.

[81] *non... villana*, cfr. Cavalcanti, *Perch'i' no spero*, 9-14 «ma guarda che persona non ti miri / che sia nemica di gentil natura; / ché certo per la mia disaventura / tu saresti contesa, / tanto da lei ripresa, / che mi sarebbe angoscia».

[82] *ingegnati... d'esser palese*, adoperati per farti leggere (cioè per mostrarti». V. *Convivio*, III.IV: «quivi l'anima profondamente più che altrove s'ingegna...»; e *Paradiso*, XXIII.50-51; XXIX. 94-95.

[83] *merranno*, sincope di «meneranno».

[84] *tostana*, rapida, breve (provenzalismo). *Per via tostana* anche in *Convivio*, IV.I.10. Secondo il Boyde, l'assenza di tropi nei versi di congedo (64-68) della canzone ci consentirebbe di apprezzare l'immediatezza di questi e un «Dante [che] pensa alla sua poesia come a una "figlia"..., e le parla con lo stesso linguaggio con cui si parlerebbe a un fanciullo».

[85] *con esso*, con. È «La bella donna dove Amor si mostra» di Cavalcanti.

[86] *più artificiosamente*, con divisioni più complesse.

[87] *cose*, testi.

[88] *de... parole*, delle strofe che seguono.

[89] *lo intento trattato*, la trattazione che mi ero proposto.

[90] *una serviziale*, in funzione (visto che serve a adornare la canzone). Provenz. *servissial*.

[91] *perché io voglio dire*, cfr. Cavalcanti, «Donna me prega perch'eo voglio dire...».

[92] *quale... stesso*, come mi pare di stare.

[93] *anche*, ancora.

[94] *a loro*, alle donne che hanno «intelletto d'amore».

[95] *che... comprende*, che cosa si intende (v. *Amor che ne la mente*, 10-12: E certo e' mi conven lasciare in pria, / s'io vo' trattar di quel ch'odo di lei, / ciò che lo mio intelletto non comprende».

[96] *quanto da la parte de*, ciò che attiene.

[97] *vertudi effettive*, capacità di operare virtuosamente.

[98] *quanto... corpo*, cfr. *Convivio*, III.VI.12: «quanto è da la parte del corpo».

[99] *che sono secondo*, che riguardano.

[100] *de li occhi.... de la bocca*, «questa distinzione, ripresa del resto ampiamente... in XXI.5, e le relative definizioni, non trovano, s'è detto, riscontro nella canzone, dove al massimo sono riconoscibili, vv. 51-6, i segni del "principio d'amore"; e infatti Dante non indica "dove" si cessa di parlare degli occhi e si comincia a parlare della bocca. Di *occhi* e *riso* (altra "operazione" della bocca, come conferma XXI, 8) parla invece l'altra canzone della lode *Amor che ne la mente*, 57, e la distinzione è puntualmente registrata in *Conv.*, III, VIII,8; ed è possibile che il nuovo testo (complice anche la somiglianza, per esempio, del seguente v. 61 col v. 56 della canzone presente) abbia fatto aggio su quello in oggetto (ciò che implicherebbe che *Amor che ne la mente* fosse già scritta alla data di composizione della *Vita Nuova*), con riflesso a sua volta dalla *Vita Nuova* al commento del *Convivio*.» (De Robertis).

[101] *quinci*, da questo luogo.

[102] *si lievi... pensiero*, venga eliminato qualsiasi sospetto di sensualità.

[103] *mentre ch(e)*, per tutto il tempo in cui.

[104] *stanza*, strofa.

[105] *desidero*, aggiungi «avvenga».

[106] *mi travaglio*, mi impegno.

[107] *aprire lo intendimento*, spiegare la sostanza. Cfr. XIV.3.

[108] *si converrebbe... di*, sarebbe necessario ricorrere a. *Di* è partitivo.

[109] *la mi*, ordine arcaico dei pronomi: «me la». Per il concetto cfr. *Paradiso*, II.1-6.

[110] *pur per*, anche solo attraverso.

[111] *s'elli... audire*, Dante intende qui ribadire quanto la forza della sua argomentazione sia sufficiente ai «conoscenti».

XX. Appresso che questa canzone fue alquanto divolgata tra le genti, con ciò fosse cosa che[1] alcuno amico[2] l'udisse, volontade lo mosse[3] a pregare me che io li dovesse dire che è Amore[4], avendo forse per l'udite parole[5] speranza di me oltre che degna[6]. **2** Onde io, pensando che appresso di cotale trattato[7] bello era trattare alquanto d'Amore[8], e pensando che l'amico era da servire[9], propuosi di dire parole ne le quali io trattassi d'Amore; e allora dissi questo sonetto[10]; lo qual comincia: *Amore e 'l cor gentil*.

3   Amore e 'l cor gentil[11] sono una [12] cosa,
         sì come il saggio[13] in suo dittare pone[14],
         e così esser l'un sanza l'altro osa[15]
         com'alma razional sanza ragione[16].   4
4   Falli natura[17] quand'è amorosa [18],
         Amor per sire[19] e 'l cor per sua magione[20],
         dentro[21] la qual dormendo[22] si riposa
         tal volta poca e tal lunga stagione[23].   8
5   Bieltate appare in saggia donna[24] pui[25],
         che piace a li occhi sì[26], che dentro al core
         nasce un disio de la cosa piacente[27];   11
         e tanto dura[28] talora in costui[29],
         che fa svegliar[30] lo spirito d'Amore.
         E simil[31] face in donna omo valente.   14

6 Questo sonetto si divide in due parti: ne la prima dico di lui[32] in quanto è in potenzia; ne la seconda dico di lui in quanto di potenzia si riduce[33] in atto. La seconda comincia quivi: *Bieltate appare*. 7 La prima si divide in due: ne la prima dico in che suggetto[34] sia questa potenzia; ne la seconda dico sì[35] come questo suggetto e questa potenzia siano produtti in essere[36], e come l'uno guarda[37] l'altro come forma materia. La seconda comincia quivi: *Falli natura*. 8 Poscia quando dico: *Bieltate appare*, dico come questa potenzia si riduce in atto; e prima come si riduce in uomo, poi come si riduce in donna, quivi: *E simil face in donna*.

[1] *con... che*, poiché.

[2] *alcuno amico*, Guido Cavalcanti?

[3] *volontade lo mosse*, cfr. XVI.1 (dovrebbe ricordare anche il *perch'eo voglio dire* di *Donna me prega*, 1).

[4] *che è Amore*, secondo il modello delle discussioni, anche in tenzoni, sulla natura di Amore, di cui il portato più celebre è lo scambio fra Jacopo Mostacci, Pier della Vigna e il Notaro Giacomo da Lentini. Ma v. anche Maestro Torrigiano, *Chi non sapesse*; Guinizzelli, *Con gran disio*; Guittone, *Me piace dir*; Cino, *L'uom che conosce*; etc.

[5] *l'udite parole*, la canzone del cap. XIX.

[6] *oltre che degna*, superiore ai miei stessi meriti.

[7] *trattato*, v. *Donne ch'avete* , 11.

[8] *bello... d'Amore*, cfr. Guittone, «Me piace dir como sento d'amore».

[9] *era da servire*, meritava di vedersi cortesemente soddisfatto.

[10] *sonetto*, lo schema è identico a quello di *Ciò che m'incontra* e *Spesse fiate*.

[11] *Amor e 'l cor gentil*, classico Guinizzelli, *Al cor gentil*, 1-4: «Al cor gentil rempaira sempre Amore / come l'ausello in selva e la verdura; / né fe' amor anti che gentil core, / né gentil core anti ch'amor, natura»; ma v. anche Monte, *Qui son fermo*, 15-16, fino a *Inferno*, V.100: «Amor, ch'al cor gentil ratto s'apprende», e Petrarca, «Amor che solo i cor' leggiadri invesca».

[12] *una*, una sola.

[13] *il saggio*, Guinizzelli, *conoscente* d'amore, poi *padre* (*Purgatorio*, XXVI.97; e *savi* saranno i grandi poeti di *Inferno*, IV.110). Ma il predicato è tradizionale degli scambi fra poeti, in rapporto a un ideale di *misura* di volta in volta adeguato alle diverse ragioni di poetica (cfr. per esempio Notaro, *Ogn'omo c'ama* 8; Federico II, *Misura, provedenza*, 1-2; Meo (a Guittone), *Se 'l filosofo dice*, 12; Guinizzelli, *Omo ch'è sagio*). Del resto «la *mezura*... è la legge suprema capace di assicurare l'armonia nel mondo cortese» (Köhler).

[14] *pone*, sostiene, afferma (cfr. Guittone, *Me piace dir*, 3: «secondo ciò che pone alcuno autore»).

[15] *osa*, può (cfr. *La dispietata mente*, 46: «Dar mi potete ciò ch'altri non m'osa», con *Tesoretto*, 2241-42, o Guittone, *Ahi, bona donna*, 12: «che l'uno como l'autro essere osa»). E cfr. certi impieghi del provenz. *ausar*.

[16] *com'alma... ragione*, v. anche *Paradiso*, VIII.100-102: «E non pur le nature provedute / sono in la mente ch'è da sé perfetta, / ma esse insieme con la lor salute».

[17] *Falli natura*, li fa la natura (legge Tobler-Mussafia per l'enclisi iniziale).

[18] *quand'è amorosa*, quando ha (dai cieli?) disposizione ad amore.

[19] *sire*, signore.

[20] *magione*, dimora. Per il concetto, molto diffuso, v. almeno Guinizzelli, *Al cor gentil*, 1 e 8; Chiaro, *Talento aggio di dire*, 33-35: «Audit'aggio nomare / che 'n gentil core amore / fa suo porto»; Mon-

te, *Qui son fermo*, 15-16: «Ché 'n cor gentil-cortese fa lo core / sempre l'Amore, — e quivi incarna ed ombra»; Guittone, *Meraviglioso beato*, 50-51; *L'Intelligenza*, IX.1-4; etc.

[21] *dentro... riposa*, cfr. Cavalcanti, *Donna me prega*, 22-23: «che prende — nel possibile intelletto, / come in subietto, — loco e dimoranza».

[22] *dormendo*, attende cioè di passare dalla potenza all'atto.

[23] *stagione*, provenz. *sazo*. Tempo (cfr. *L'amaro lagrimar*, 2).

[24] *saggia donna*, di nobile intelletto.

[25] *pui*, dopo che la natura ha messo in potenza Amore nel cuore gentile.

[26] *piace... sì*, v. Guinizzelli, *Con gran disio*, 12-14: «E' par che da verace piacimento / lo fino amor discenda, / guardando quel ch'al cor torni piacente», o l'anonimo *Amor discende e nasce da piacire*; Bondie, *Madonna me è avenuto*, 41-50; Guido delle Colonne, *Amor che lungiamente*, 59-60; Cino, *Ben è forte cosa*, etc.

[27] *cosa piacente*, v. Guittone, *Se de voi, donna gente*, 5-6: «de cosa piacente / savemo de vertà ch'è nato amore». V. pure *Purgatorio*, XVIII.19 sgg.

[28] *dura*, non si tratta quindi di una passione passeggera («vuole tempo alcuno e nutrimento di pensieri», specifica *Convivio*, II.II.3). Corrisponde al *sanza riposanza* cavalcantiano (*Li mie' foll'occhi*, 9).

[29] *costui*, il cuore.

[30] *svegliar*, ancora motivo cavalcantiano: «Voi che per li occhi mi passaste 'l core / e destaste la mente che dormia...»; «Pegli occhi fere un spirito sottile, / che fa 'n la mente spirito destare, / del qual si move spirito d'amare...»; e v. Cino (?), «Questa donna che andar mi fa pensoso / porta nel viso la vertù d'amore, / la qual fa disvegliar altrui nel core / lo spirito gentil, se v'è nascoso».

[31] *simil*, allo stesso modo (avverbiale).

[32] *lui*, Amore.

[33] *si riduce*, «termine tecnico, per indicare il passaggio da potenza ad atto» (De Robertis). V. anche Guittone, *Auda che dico*, 16-17: «e reducendo amore / a degno e a chi gioi' degna pò dare».

[34] *suggetto*, il cuore, appunto (termine scolastico).

[35] *sì*, pleonastico.

[36] *siano... essere*, vengano attuati, creati (cfr. *Paradiso*, XXIX.22-23: «Forma e matera, congiunte e purette, / usciro ad esser che non avia fallo»).

[37] *guarda*, corrisponde a.

XXI. Poscia che trattai d'Amore ne la soprascritta rima [1], vennemi volontade di volere [2] dire anche in loda di questa gentilissima [3] parole, per le quali io mostrasse come [4] per lei [5] si sveglia [6] questo Amore, e come non solamente si sveglia là ove dorme, ma là ove non è in potenzia[7], ella, mirabilemente[8] operando, lo fa venire. E allora dissi questo sonetto[9], lo quale comincia: *Ne li occhi porta.*

2   Ne li occhi porta la mia donna Amore[10],
          per che si fa[11] gentil ciò ch'ella mira[12];
          ov'ella passa, ogn'om ver lei si gira[13],
          e cui[14] saluta fa tremar lo core[15],   4
          sì che, bassando il viso[16], tutto smore[17],
          e d'ogni suo difetto allor sospira[18]:
          fugge dinanzi a lei superbia ed ira[19].
          Aiutatemi, donne, farle onore[20].   8

3   Ogne dolcezza[21], ogne pensero umile
          nasce nel core a chi parlar la sente,
          ond'è laudato[22] chi prima la vide[23].   11

4   Quel ch'ella par quando un poco sorride[24]
          non si pò dicer né tenere a mente[25],
          sì è novo miracolo[26] e gentile[27].   14

5 Questo sonetto si ha tre parti: ne la prima dico sì come questa donna riduce questa potenzia in atto secondo la nobilissima parte de li suoi occhi; e ne la terza dico questo medesimo secondo la nobilissima parte de la sua bocca; e intra queste due parti è una particella, ch'è quasi domandatrice[28] d'aiuto a la precedente parte[29] e a la seguente, e comincia quivi: *Aiutatemi, donne.* La terza comincia quivi: *Ogne dolcezza.* 6 La prima si divide in tre; che ne la prima parte dico sì come virtuosamente[30] fae gentile tutto ciò che vede, e questo è tanto a dire quanto[31] inducere[32] Amore in potenzia là ove non è; ne la seconda dico come reduce in atto Amore ne li cuori di tutti coloro cui[33] vede; ne la terza dico quello che poi virtuosamente adopera[34] ne' loro cuori. La seconda comincia quivi: *ov'ella passa*; la terza quivi: *e cui saluta.* 7 Poscia quando dico: *Aiutatemi, donne*, do a intendere[35] a cui la

mia intenzione è di parlare, chiamando le donne che m'aiutino onorare costei. **8** Poscia quando dico: *Ogne dolcezza*, dico quello medesimo che detto è ne la prima parte, secondo due atti de la sua bocca; l'uno de li quali è lo suo dolcissimo parlare, e l'altro lo suo mirabile riso; salvo che non dico di questo ultimo come adopera ne li cuori altrui, però che la memoria non puote ritenere lui [36] né sua operazione.

---

[1] *rima*, vale «componimento in poesia» (e cfr. *Inferno*, XIII.48).

[2] *vennemi... volere*, si noti l'allitterazione.

[3] *in loda di questa gentilissima*, «riunisce sotto lo stesso titolo la canzone *Donne ch'avete*, il sonetto in oggetto *Ne li occhi porta* e i due *Tanto gentile* e *Vede perfettamente*, e ha valore di esplicita delimitazione (e cfr. XXVI.4). Il sonetto che precede è dunque solo implicitamente ed indirettamente di lode, ed è assunto in funzione e come premessa logica e dottrinale dell'argomentazione che segue» (De Robertis).

[4] *come*, che.

[5] *per lei*, per opera di lei.

[6] *si sveglia...*, cfr. Petrarca, *Se 'l pensier che mi strugge*, 4-5: «forse tal m'arde e fugge, / ch'avria parte del caldo / e desteriasi Amor là dov'or dorme».

[7] *ove non è in potenzia*, nei cuori non gentili.

[8] *mirabilemente*, in modo miracoloso (corrispondente all'opera eccezionale di ridurre in atto Amore dove esso non è in potenza o, in altre parole, di farlo nascere in cuore non gentile). È il creare dal nulla proprio degli dèi.

[9] *sonetto*, lo schema è ABBA ABBA, CDE EDC (come in *Piangete, amanti*, con consonanza fra le rime A e B, e assonanza fra le rime C ed E).

[10] *Ne li occhi... Amore*, come in Cavalcanti, «O tu, che porti nelli occhi sovente / Amor...»; «Io vidi li occhi dove Amor si mise»; «Veggio negli occhi de la donna mia / un lume pien di spiriti d'amore»; *Posso degli occhi miei*, 11-12: «Io veggio che negli occhi suoi risplende / una vertù d'amor tanto gentile...». Cfr. quindi Dante, *Madonna, quel signor*, 1-2, con Gianni Alfani, *De la mia donna*, 6-7 (sulla base di Cavalcanti, *In un boschetto*, 4); Cino, *Non credo*, 4; *Li vostri occhi gentili*, 1-3; *Come in quelli occhi*, 1-4 (con Petrarca, «La donna che 'l mio cor nel viso porta»). Poi esteso da Dante in molti luoghi, da *Le dolci rime*, 18-19, e *Perch'io non trovo*, 9, a *Amor che ne la mente*, 57-58, etc.

[11] *per che si fa*, per cui diventa.

[12] *ciò... mira*, *Donne ch'avete*, 51; Cavalcanti, *Chi è questa*, 5: «O Deo, che sembra quando li occhi gira».

[13] *ogn'om... gira*, v. Cavalcanti, *Chi è questa che vèn*, 1; Cino, *Vedete, donne*, 8: «che fan maravigliar tutta la gente».

[14] *cui*, a ognuno che.

¹⁵ *fa tremar lo core*, v. Cavalcanti, *Gli occhi di quella*, 21-23: «...che non pò 'maginare / ch'om d'esto mondo l'ardisca mirare, / che non convegna lui tremare in pria» (ma v. *Io non pensava*, 20; *Veggio negli occhi*, 17; *Pegli occhi fere*, 7; *Io temo che le mia disaventura*, 4; *Perch'i' no spero*, 28; etc.). È il motivo del terrore incusso da Amore («chi vuole amare, li conviene tremare» per il *Mare amoroso*, 329), risalente a Ovidio, *Heroides*, I.12: «*Res est sollìciti plena timoris amor*», tramite per gli stilnovisti Andrea Cappellano.

¹⁶ *bassando il viso*, abbassando il volto (o anche solo lo sguardo). Cfr. Chiaro, *Quando mi membra*, 7: «e gli occhi bassa» (con Guittone, *Amor, merzè, per Dio*, 13; Dante da Maiano, *Di voi mi stringe*, 8, o Neri Poponi, *Poi l' Amor vuol*, 27 per altri usi).

¹⁷ *smore*, impallidisce (e v. *Ciò che m'incontra*, 5-6; *Spesse fiate*, 10; *Purgatorio*, II.69: «Maravigliando diventaro smorte»).

¹⁸ *sospira*, si rammarica (classico Cavalcanti, *Chi è questa che vèn*, 3-4).

¹⁹ *fugge... ira*, cfr. Chiaro, *Assai v'ho detto*, 7: «da sé diparte orgoglio e villania» (che è poi lo stesso concetto, rovesciato, della Beatrice «nemica d'ogni vizio», poi ad esempio in Frescobaldi, *Quest'è la giovanetta*, 8: «par che per lei ogni vizio s'uccida»; e v. Petrarca, *Perché la vita è breve*, 97: «Fugge al vostro apparire angoscia e noia».

²⁰ *Aiutatemi... onore*, v. Cavalcanti, *Avete 'n vo'*, 11-12; Cino, «Gentil' donne valenti, ora m'aitate / ch'io non perda così l'anima mia». Naturalmente può fare onore a madonna solo chi ha visto cacciare da sé ogni vizio (cfr. Guittone, *Mastro Bandino amico*, 3-5).

²¹ *Ogne dolcezza...*, cfr. Petrarca, *Chi vuol veder*, 10.

²² *è laudato*, ottiene pregio (e v. *Di donne io vidi*, 14: «là 'nd'è beata chi l'è prossimana»; Cavalcanti, *Posso degli occhi miei*, 4-7: «Questo novo plager che il meo cor sente / fu tratto sol d'una donna veduta, / la qual è sì gentil e avenente / e tanta adorna, che il cor la saluta»; Lapo, *Novelle grazie*, 15-20; etc.).

²³ *chi prima la vide*, lo stesso Dante (altri pensa a Dio creatore).

²⁴ *Quel... sorride*, citazione da Cavalcanti, *Chi è questa che vèn*, 5. Per la congiunzione (già classica) fra *parlare* e *ridere*, cfr. almeno Federico II, *De la mia disianza*, 22-27, e *Convivio*, III.VIII.11. *Un poco* si riferisce appunto a un'ideale misura.

²⁵ *non si... mente*, in Cavalcanti, *Chi è questa che vèn*, 9-14: «Non si poria contar la sua piagenza, / ch'a le' s'inchin'ogni gentil vertute, / e la beltate per sua dea la mostra. / Non fu sì alta già la mente nostra, / e non si pose 'n noi tanta salute, / che propiamente n'aviàn canoscenza»; e *Io non pensava*, 15-18.

²⁶ *Miracolo*, riferito a donna (cfr. XXIX, 3, o anche *Paradiso*, XVIII.63; Boccaccio, *Sulla poppa sedea*, 11; Petrarca, *Soleano i miei penser*, 9; *L'alto e novo miracol*).

²⁷ *novo... gentile*, distribuzione anastrofica degli aggettivi (per cui cfr. *Quantunque volte*, 22; *Io son venuto*, 66-67: «ne l'altro / dolce tempo novello»; *Doglia mi reca*, 39 e 76).

²⁸ *quasi domandatrice*, «l'attenuazione si riferisce probabilmente alla personificazione della "cosa inanimata", della domanda» (De Ro-

bertis). Ma v. anche Dante da Maiano, «Di ciò che stato sei dimandatore».

[29] *parte*, del sonetto.
[30] *virtuosamente*, per sua congenita virtù.
[31] *è tanto a dire quanto*, significa, equivale a dire.
[32] *inducere*, forma intera (crudo latinismo).
[33] *cui*, complemento oggetto.
[34] *adopera*, opera, agisce (cfr. *Piangete, amanti*, 6; o Notaro, *Madonna, il fino amor*, 54).
[35] *do a intendere*, v. X.3.
[36] *lui*, il suddetto riso (cfr. *Paradiso*, XVIII. 11-12).

XXII. Appresso ciò non molti dì passati, sì come piacque al glorioso sire lo quale non negoe la morte a sé[1], colui che era stato genitore di tanta meraviglia[2] quanta si
vedea ch'era questa nobilissima Beatrice, di questa vita
uscendo, a la gloria etternale se ne gio veracemente[3]. **2**
Onde con ciò sia cosa che[4] cotale partire sia doloroso a
coloro che rimangono e sono stati amici di colui che se
ne va; e nulla sia sì intima amistade come da buon padre
a buon figliuolo e da buon figliuolo a buon padre[5], e questa donna fosse in altissimo grado di bontade, e lo suo
padre, sì come da molti si crede e vero è, fosse bono in
alto grado; manifesto è[6] che questa donna fue amarissi-
mamente piena di dolore. **3** E con ciò sia cosa che, secondo l'usanza[7] de la sopradetta cittad, donne con donne e
uomini con uomini s'adunino a cotale tristizia[8], molte
donne s'adunaro colà dove questa Beatrice piangea pietosamente[9]: onde io veggendo ritornare alquante donne da
lei[10], udio dicere loro parole di questa gentilissima,
com'ella si lamentava; tra le quali parole udio che diceano: «Certo ella piange sì, che quale la mirasse doverebbe
morire di pietade». **4** Allora trapassaro[11] queste donne; e
io rimasi in tanta tristizia[12], che alcuna lagrima talora
bagnava la mia faccia, onde io mi ricopria[13] con porre le
mani spesso a li miei occhi; e se non fosse ch'io attendea
audire anche[14] di lei, però ch'io era in luogo onde se ne

giano[15] la maggior parte di quelle donne che da lei si
partiano, io mi sarei nascoso incontanente che[16] le lagrime m'aveano assalito. **5** E però dimorando[17] ancora nel
medesimo luogo, donne anche passaro presso di me, le
quali[18] andavano ragionando[19] tra loro queste parole:
«Chi dee mai essere lieta di noi, che avemo udita parlare
questa donna così pietosamente?». **6** Appresso costoro
passaro altre donne, che veniano dicendo[20]: «Questi ch'è
qui piange né più né meno come se l'avesse veduta, come
noi avemo[21]». Altre dipoi diceano di me: «Vedi questi
che non pare esso[22], tal è divenuto!». **7** E così passando
queste donne, udio parole di lei e di me in questo modo
che detto è. Onde io poi, pensando, proposi di dire parole, acciò che degnamente avea cagione di dire[23], ne le
quali parole io conchiudesse[24] tutto ciò che inteso avea
da queste donne; e però che volentieri l'averei domandate, se non mi fosse stata riprensione[25], presi tanta[26] matera di dire come s'io l'avesse domandate ed elle m'avessero risposto. **8** E feci due sonetti[27]; che nel primo domando, in quello modo che voglia mi giunse di domandare; ne l'altro dico la loro risponsione, pigliando ciò ch'io
udio da loro sì come lo mi[28] avessero detto rispondendo.
E comincia lo primo: *Voi che portate la sembianza umile*, e l'altro: *Se' tu colui c'hai trattato sovente.*

9   Voi che portate la sembianza umile[29],
       con li occhi bassi, mostrando dolore,
       onde venite[30] che 'l vostro colore[31]
       par divenuto de pietà simile[32]?   4
       Vedeste voi nostra donna gentile
       bagnar nel viso suo di pianto Amore[33]?
       Ditelmi, donne, che 'l mi dice il core[34],
       perch'io vi veggio andar sanz'atto vile[35].   8

10   E se venite da tanta pietate[36],
       piacciavi di restar[37] qui meco alquanto,
       e qual che sia di lei[38], nol mi celate[39].   11

Io veggio li occhi vostri c'hanno pianto,
e veggiovi tornar sì sfigurate [40],
che 'l cor mi triema di vederne tanto [41].   14

11 Questo sonetto si divide in due parti: ne la prima
chiamo [42] e domando queste donne se vegnono da lei, dicendo loro che io lo credo però che tornano quasi [43] in-
gentilite; ne la seconda le prego che mi dicano di lei. La
seconda comincia quivi: *E se venite.*
12 Qui appresso [44] è l'altro sonetto, sì come dinanzi avemo narrato.

13   Se' tu [45] colui c'hai trattato sovente
         di nostra donna, sol parlando a nui [46]?
         Tu risomigli a la voce ben [47] lui,
         ma la figura ne par d'altra gente [48].   4
14   E perché piangi tu sì coralmente [49],
         che fai di te pietà venire altrui [50]?
         Vedestù [51] pianger lei, che [52] tu non pui [53]
         punto celar la dolorosa mente?   8
15   Lascia piangere noi e triste [54] andare
         (e fa peccato chi mai ne conforta) [55],
         che nel suo pianto l'udimmo parlare.   11
16   Ell'ha nel viso la pietà [56] sì scorta [57],
         che qual l'avesse voluta mirare
         sarebbe innanzi lei piangendo [58] morta.   14

17 Questo sonetto ha quattro parti, secondo che quattro
modi di parlare ebbero in loro [59] le donne per cui [60] ri-
spondo; e però che sono di sopra assai manifesti [61], non
m'intrametto di narrare la sentenzia de le parti, e però le
distinguo solamente. La seconda comincia quivi: *E perché piangi*; la terza: *Lascia piangere noi*; la quarta:
Ell'ha nel viso.

¹ *non... sé*, non si rifiutò alla morte (cfr. *Purgatorio*, XXXIII.63): Cristo.

² *colui... meraviglia*, Folco di Ricovero di Folco dei Portinari, ragguardevole cittadino di Firenze, membro dei Quattordici e dei Priori in vari anni, fondatore (giugno 1288) dello Spedale di S. Maria Nuova. Morì il 31 dicembre 1289, e dal suo testamento risulta che lasciava, oltre alla moglie, cinque figli maschi e quattro femmine nubili, anche due maritate: madonna Bice (con Simone dei Bardi), e monna Ravignana (con Niccolò de' Falconieri). Per *meraviglia* riferito a Beatrice cfr. *Donne ch'avete*, 17.

³ *veracemente*, senza alcun dubbio.

⁴ *con... che*, al solito causale.

⁵ *nulla... padre*, nessun legame d'affetto è forte come quello tra buon padre e buon figliolo, e viceversa (concetto a riscontro in *Fiore*, XXXVI.7-8: «e sì mi piace tanto ch'i' l'amo più che padre figlio»; poi in parodia presso l'Angiolieri, *Se die m'aiuti*, 12-14: «Ma elli è tanta la mie sciaguranza, / ch'ivi farabb'a quell'otta dimoro, / che babb'ed i' saremo in accordanza».

⁶ *manifesto è*, ferma il sillogismo aperto da *con ciò sia cosa che*.

⁷ *secondo l'usanza*, come scrive Boccaccio (*Decameron*, *Introduzione*): «Era usanza... che le donne parenti e vicine nella casa del morto si ragunavano, e quivi con quelle che più gli appartenevano piagnevano; e d'altra parte dinanzi alla casa del morto co' suoi prossimi si ragunavano i suoi vicini ed altri cittadini assai».

⁸ *tristizia*, occasione, luogo di doloroso incontro e dolorosa manifestazione (cfr. la *tanta pietate* di *Voi che portate*, 9).

⁹ *pietosamente*, cfr. VIII.7.

¹⁰ *da lei*, da casa sua (moto da luogo).

¹¹ *trapassaro*, passarono oltre.

¹² *tristizia*, qui vale semplicemente «dolore».

¹³ *mi ricopria*, per non attirare su di sé l'attenzione o la curiosità altrui.

¹⁴ *anche*, ancora.

¹⁵ *onde se ne giano*, per cui passava.

¹⁶ *incontanente che*, non appena.

¹⁷ *dimorando*, sostando. La frequenza del gerundio e dei verbi in costrutto durativo rende bene il registro melanconico dell'accadimento.

¹⁸ *donne... le quali*, v.p.e. *Donna pietosa*, 46-48 e 54-55.

¹⁹ *andavano ragionando*, continuavano a dire.

²⁰ *che veniano dicendo*, v. Cavalcanti, *Dante, un sospiro*, 5-6: «Po' mi girai e vidi il servitore / di monna Lagia che venia dicendo...».

²¹ *avemo*, sott. *veduta*.

²² *esso*, se stesso (lat. *ipse*).

²³ *acciò... dire*, visto che avevo un motivo degno per dirle.

²⁴ *conchiudesse*, inserissi.

²⁵ *riprensione*, motivo di rimprovero, data l'indiscrezione.

²⁶ *tanta*, così interessante.

²⁷ *due sonetti*, secondo lo schema ABBA ABBA, CDC DCD. Il mo-

dello pare quello delle tenzoni e dei contrasti (pur nelle declinazioni ad-
dotte dal Biadene); ma cfr. i sonetti *Onde venite voi* e *Voi, donne, che
pietoso atto mostrate*, nella raccolta delle *Rime* dantesche.

[28] *lo mi*, me lo.

[29] *portate la sembianza umile*, avete un aspetto dimesso (anche a
causa dell'effetto-presenza di Beatrice). La parola-rima è parossitona; e
si noti la *conversio adjectivi vel verbi in substantivum obliquum*, secondo la terminologia assunta da P. Boyde.

[30] *onde venite*, cfr. appunto *Onde venite voi*.

[31] *colore*, s'intende, del volto.

[32] *de pietà simile*, immagine riflessa di pietà (con *simile* sostantivo
neutro?). «Si noti che ciascun verso della prima quartina è contrasse-
gnato da una parola indicante apparenza (*sembianza, mostrando, colore, simile*), come la seconda (e la seconda terzina) da *vedere* e suoi derivati» (De Robertis).

[33] *bagnar... Amore*, visto che «Ne li occhi porta la mia donna Amore» (XXI.2). E cfr. Cavalcanti, *S'io prego*, 9-11: «L'anima mia dolente
e paurosa / piange ne li sospir' che nel cor trova / sì che bagnati di
pianti escon fore»; e cfr. *Fiore*, XIV.2: «... con lacrime bagnando il su'
visaggio».

[34] *Ditelmi... core*, confermatemelo voi, ché il cuore me lo fa presenti-
re.

[35] *sanz'atto vile*, gentilmente (nonostante la *sembianza umile*).

[36] *tanta pietate*, tale vista pietosa, commovente.

[37] *restar*, soffermarvi (nel vostro *andar*, v.8; e *Se' tu colui*, 9). Cfr.
Inferno, X.24.

[38] *qual... lei*, qualsiasi cosa.

[39] *nol mi celate*, cfr. *Voi donne*, 4: «più non mel celate».

[40] *sfigurate*, stravolte.

[41] *tanto*, solo gli effetti prodotti su di voi.

[42] *chiamo*, mi rivolgo a.

[43] *quasi*, «la sfumatura (il *come se*) si riferisce non all'effetto, ma
all'ipotesi della causa» (De Robertis).

[44] *appresso*, subito dopo.

[45] *Se' tu...*, si ricordi l'attacco di Bonagiunta Orbicciani in *Purgatorio*, XXIV.49-51 (ma anche *Inferno*, X.91-93; XIII.58 etc.).

[46] *sol parlando a nui*, con classica rima siciliana. E cfr. XIX.1, 6.

[47] *risomigli... ben*, è proprio vero che sembri.

[48] *ma... gente*, ancora la trasfigurazione dolorosa dell'amante (v. *Con
l'altre donne*, 12, e nota).

[49] *coralmente*, dal profondo (cfr. *Videro li occhi miei*, 10, e l'uso cavalcantiano *Un amoroso sguardo*, 4; *I' vegno 'l giorno a te*, 7; significa-
tivi anche Guittone, *Me pare avere bene*, 4; Guinizzelli, *Chi vedesse*, 4;
Monte, *Né fu*, 6; Ser Cione, *Nesuno pote amare*, 7).

[50] *altrui*, impersonale, «agli altri».

[51] *Vedestù*, vedesti tu (contratto). Cfr. *Donna pietosa*, 26; *Inferno*,
VIII.117.

[52] *che*, consecutivo.

[53] *pui*, puoi (da *pòi*), secondo la rima guittoniana.

[54] *triste*, femminile plurale.

[55] *e fa... conforta*, cfr. *Ciò che m'incontra*, 9: «Peccato face... / se l'alma sbigottita non conforta»; e *Fiore*, XIII.11: «ché gran peccato fa chi lui impaccia».

[56] *pietà*, dolore.

[57] *scorta*, evidente (anche con la sfumatura di «libera da ogni frèno»); cfr. *Le dolci rime*, 39; il paradantesco *Deh, piangi meco tu*, 8; Cavalcanti, *Una figura della Donna mia*, 8; D. Frescobaldi, *Un sol penser*, 36; e *L'Intelligenza*, CXLVIII.9; CCXXIV.5; CCLXX.6 etc.

[58] *piangendo*, a forza di piangere; cfr. Cavalcanti, *O donna mia*, 13-14: «accompagnata di quelli martiri / che soglion consumare altru' piangendo».

[59] *ebbero in loro*, perifrastico per il semplice verbo.

[60] *per cui*, al posto delle quali (secondo l'evidente tecnica della *sermocinatio*).

[61] *però... manifesti*, cfr. XIV.13.

XXIII. Appresso ciò per pochi dì avvenne che in alcuna[1] parte de la mia persona mi giunse una dolorosa infermitade, onde io continuamente soffersi per nove dì[2] amarissima pena; la quale mi condusse a tanta debolezza, che me convenia stare come coloro li quali non si possono muovere[3]. **2** Io dico che ne lo nono giorno, sentendome dolere quasi intollerabilemente, a me giunse uno pensero lo quale era de la mia donna[4]. **3** E quando ei[5] pensato alquanto di lei, ed[6] io ritornai pensando a la mia debilitata vita; e veggendo come leggiero[7] era lo suo durare, ancora che sana fosse, sì cominciai a piangere fra me stesso di tanta miseria. Onde, sospirando forte, dicea fra me medesimo: «Di necessitade convene[8] che la gentilissima Beatrice alcuna volta[9] si muoia». **4** E però mi giunse[10] uno sì forte smarrimento[11], che chiusi li occhi e cominciai a travagliare[12] sì come farnetica[13] persona ed a imaginare[14] in questo modo: che ne lo incominciamento de lo errare[15] che fece la mia fantasia, apparvero a me certi visi di donne scapigliate, che mi diceano: «Tu pur[16] morrai». E poi, dopo queste donne, m'apparvero certi visi diversi e orribili[17] a vedere, li quali mi diceano: «Tu se' morto [18] ». **5** Così cominciando ad errare la mia fantasia, venni a quello [19] ch'io non sapea ove io mi fosse [20]; e vedere mi parea donne andare scapigliate piangendo per via, maravigliosamente [21] triste; e pareami vedere lo sole oscurare [22], sì che le stelle si mostravano di colore ch'elle mi faceano giudicare che piangessero [23]; e pareami che li uccelli volando per l'aria cadessero morti [24], e che fossero grandissimi tremuoti [25]. **6** E maravigliandomi in cotale fantasia, e paventando assai, imaginai [26] alcuno amico che mi venisse a dire: « Or non sai? la tua mirabile donna è partita di questo secolo » [27]. Allora cominciai a piangere molto pietosamente; e non solamente piangea ne la imaginazione, ma piangea con li occhi, bagnandoli di vere lagrime [28]. **7** Io imaginava di guardare verso lo cielo, e pareami vedere moltitudine d'angeli [29] li quali tornassero in suso [30], ed aveano dinanzi da loro una nebuletta [31] bianchissima. A me parea che questi angeli cantassero gloriosamente [32], e le parole del loro canto mi parea udire che fossero queste: *Osanna in excelsis* [33]; e altro non mi parea udire. **8** Allora mi parea che lo cuore, ove era tanto amore, mi dicesse [34]: « Vero è che morta giace la nostra donna ». E per questo mi parea andare per vedere lo corpo ne lo quale era stata quella nobilissima e beata anima; e fue sì forte [35] la erronea fantasia [36], che mi mostrò questa donna morta: e pareami che donne la covrissero, cioè la sua testa [37], con uno bianco velo; e pareami che la sua faccia avesse tanto aspetto d'umilitade [38], che parea che dicesse: « Io sono a vedere lo principio de la pace [39] ». **9** In questa imaginazione mi giunse tanta umilitade per vedere [40] lei, che io chiamava la Morte, e dicea: « Dolcissima Morte [41], vieni a me, e non m'essere villana [42], però che tu dei essere gentile, in tal parte se' stata [43]! Or vieni a me, ché molto ti desidero; e tu lo vedi, ché io porto già lo tuo colore [44] ». **10** E quando io avea veduto compiere tutti li dolorosi mestieri [45] che a le corpora [46] de li morti s'usano di fare, mi parea tornare ne la mia camera, e quivi mi parea guardare verso lo cielo; e sì forte era la mia imaginazione, che piangendo incominciai a dire con verace voce [47]: «Oi anima bellissima, come è beato colui che ti vede!». 11 E dicendo io queste parole con doloroso singulto di pianto, e chiamando [48] la Morte che venisse a me, una donna giovane e gentile, la quale era lungo [49] lo mio letto, credendo che lo mio piangere e le mie parole fossero solamente per lo dolore de la mia infermitade, con grande paura cominciò a piangere. 12 Onde altre donne che per la camera erano s'accorsero di me, che io piangea, per lo pianto che vedeano fare a questa; onde faccendo [50] lei partire da me, la quale era meco di propinquissima sanguinitade congiunta [51], elle si trassero [52] verso me per isvegliarmi, credendo che io sognasse, e diceanmi: «Non dormire più», e «Non ti sconfortare [53]». 13 E parlandomi così, sì mi cessò la forte fantasia [54] entro in quello punto ch'io [55] volea dicere: «O Beatrice, benedetta sie tu»; e già detto avea «O Beatrice», quando riscotendomi [56] apersi li occhi, e vidi che io era ingannato. E con tutto che io chiamasse questo nome, la mia voce era sì rotta dal singulto del piangere, che queste donne non mi pottero [57] intendere, secondo il mio parere; e avvegna che io vergognasse molto, tuttavia per alcuno ammonimento d'Amore [58] mi rivolsi a loro. 14 E quando mi videro, cominciaro a dire: «Questi pare morto», e a dire tra loro: «Proccuriamo [59] di confortarlo»; onde molte parole mi diceano da confortarmi [60], e talora mi domandavano di che io avesse avuto paura. 15 Onde io, essendo alquanto riconfortato, e conosciuto lo fallace imaginare [61], risposi a loro: «Io vi diroe quello ch'i' hoe avuto». Allora, cominciandomi [62] dal principio infino a la fine, dissi loro quello che veduto avea, tacendo lo nome di questa gentilissima. 16 Onde poi, sanato di questa infermitade, propuosi di dire parole di questo che m'era addivenuto, però che mi parea che fosse amorosa cosa da udire [63]; e però ne dissi questa canzone [64]: *Donna pietosa*

e di novella etate, ordinata sì come manifesta la infrascritta [65] divisione.

17   Donna [66] pietosa [67] e di novella [68] etate,
        adorna assai di gentilezze umane [69],
        ch'era là 'v'io chiamava [70] spesso Morte,
        veggendo li occhi miei pien di pietate [71],
        e ascoltando le parole vane [72],   5
        si mosse con paura a pianger forte.
18   E altre donne, che si fuoro accorte
        di me per quella che meco piangia [73],
        fecer lei partir via,
        e appressarsi per farmi sentire [74].   10
        Qual dicea: « Non dormire »,
        e qual [75] dicea: « Perché sì ti sconforte? »
        Allor lassai la nova [76] fantasia,
        chiamando [77] il nome de la donna mia.
19   Era [78] la voce mia sì dolorosa   15
        e rotta sì da l'angoscia del pianto [79],
        ch'io solo intesi il nome nel mio core;
        e con tutta [80] la vista vergognosa [81]
        ch'era nel viso mio giunta [82] cotanto,
        mi fece verso lor volgere Amore.   20
20   Elli [83] era tale a veder mio colore,
        che facea ragionar [84] di morte altrui:
        « Deh, consoliam costui »
        pregava l'una l'altra umilemente [85];
        e dicevan sovente [86]:   25
        « Che vedestù [87], che tu non hai valore? [88] ».
        E quando un poco confortato fui,
        io dissi: « Donne, dicerollo [89] a vui.
21   Mentr'io pensava la mia frale vita [90],
        e vedea 'l suo durar com'è leggiero [91],   30
        piansemi Amor nel core [92], ove dimora;
        per che [93] l'anima mia fu sì smarrita,
        che sospirando dicea [94] nel pensero:

— Ben [95] converrà che la mia donna mora. —

22 Io presi tanto smarrimento [96] allora,   35
che io chiusi li occhi vilmente gravati [97],
e furon sì smagati [98]
li spirti miei, che ciascun giva errando;
e poscia imaginando [99],
di caunoscenza e di verità fora [100],   40
visi di donne m'apparver crucciati,
che mi dicean pur [101]: — Morra'ti,
[morra'ti [102]. —

23 Poi vidi cose dubitose molte [103],
nel vano imaginare [104] ov'io entrai;
ed esser mi parea non so in qual loco,   45
e veder donne andar per via disciolte [105],
qual lagrimando, e qual traendo guai [106],
che di tristizia saettavan foco [107].

24 Poi mi parve vedere a poco a poco
turbar [108] lo sole e apparir la stella [109],   50
e pianger elli ed ella;
cader li augelli volando per l'are [110],
e la terra tremare;
ed omo apparve scolorito e fioco [111],
dicendomi: — Che fai? non sai novella [112]?   55
morta è la donna tua, ch'era sì bella. —

25 Levava li occhi miei bagnati in pianti [113],
e vedea, che parean pioggia di manna [114],
li angeli che tornavan suso in cielo,
e una nuvoletta [115] avean davanti,   60
dopo [116] la qual gridavan tutti: *Osanna*;
e s'altro avesser detto, a voi dire'lo [117].

26 Allor diceva Amor: — Più nol ti celo;
vieni a veder nostra [118] donna che giace. —
Lo imaginar fallace [119]   65
mi condusse a veder madonna morta;
e quand'io l'avea scorta,
vedea che donne la covrian d'un velo;

ed avea seco umiltà verace,
che parea che dicesse: — Io sono in pace [120]. —

27   Io divenia nel dolor sì umile,
veggendo in lei tanta umiltà formata [121],
ch'io dicea: — Morte, assai dolce ti tegno [122];
tu dei omai esser cosa gentile,
poi che tu se' ne la mia donna stata,   75
e dei aver pietate e non disdegno [123.]
Vedi che sì desideroso vegno [124]
d'esser de' tuoi, ch'io ti somiglio [125] in fede [126].
Vieni, ché 'l cor te chiede. —

28   Poi mi partia, consumato ogne duolo [127];   80
e quand'io era solo,
dicea, guardando verso l'alto regno:
— Beato, anima bella, chi te vede [128]!
Voi mi chiamaste allor, vostra merzede [129] ».

29 Questa canzone ha due parti: ne la prima dico, parlando a indiffinita persona [130], come io fui levato [131] d'una
vana fantasia da certe donne, e come promisi loro di dirla [132]; ne la seconda dico come io dissi a loro. La seconda
comincia quivi: *Mentr'io pensava.* **30** La prima parte si
divide in due: ne la prima dico quello che certe donne, e
che una sola, dissero e fecero per [133] la mia fantasia
quanto è dinanzi che [134] io fossi tornato in verace condizione [135]; ne la seconda dico quello che queste donne mi
dissero poi che io lasciai questo farneticare; e comincia
questa parte quivi: *Era la voce mia.* **31** Poscia quando
dico: *Mentr'io pensava,* dico come io dissi loro questa
mia imaginazione. Ed intorno a ciò foe due parti: ne la
prima dico per ordine questa imaginazione; ne la seconda, dicendo a che ora mi chiamaro, le ringrazio chiusamente [136]; e comincia quivi questa parte: *Voi mi chiamaste.*

[1] *alcuna*, una determinata.

[2] *per nove dì*, ancora il numero fatale.

[3] *come... muovere*, insomma come la statua d'ottone guinizzelliana.

[4] *uno pensiero... donna*, come in Cavalcanti, *La forte e nova*, 11-12: «Vèn, che m'uccide, uno sottil pensero, / che par che dica ch'i' mai no la veggia».

[5] *ei*, ebbi (forma desunta per via analogica della desinenza del perfetto debole dei verbi della seconda coniugazione). Cfr. anche *Inferno*, I.28.

[6] *ed*, paraipotattico dopo subordinata temporale.

[7] *leggiero*, effimero, labile. Cfr. *In abito di saggia messaggiera*, 4: «e digli quanto mia vita è leggiera» V. il provenz. *leugier*.

[8] *Di necessitade convene*, è ineluttabile legge di natura (cfr. *Convivio*, III.XIII: «di necessità farsi convene...»).

[9] *alcuna volta*, prima o poi.

[10] *giunse*, arrivò, prese.

[11] *smarrimento*, cfr. l'*incipit* guittoniano *Dolente, tristo e pien di smarrimento*, assieme a *Ahi Dio, che dolorosa*, 36: «smarruto e tracoitato malamente».

[12] *travagliare*, delirare (cfr. *Paradiso*, XXXIII.114: «... una sola parvenza / mutandom'io, a me si travagliava»; e v. Mazzeo di Ricco, *Sei anni ho travagliato*; Inghilfredi, *Audite forte cosa*, 11; Guido delle Colonne, *Gioiosamente cauto*, 5; Guittone, *O tu, de nome Amor* 88, etc. per i vari impieghi.

[13] *farnetica*, farneticante.

[14] *imaginare*, formarmi fantasie. V. *Purgatorio*, XVIII.141.

[15] *errare*, vaneggiare (cfr. anche la nota all'*amorosa erranza* di *Tutti li miei penser*, 11).

[16] *pur*, sicuramente.

[17] *diversi e orribili*, terribilmente mostruosi (e v. *Inferno*, III.25: «diverse lingue, orribili favelle», o le «diverse e forte pene» di Lotto, *De la fera infertà*, 2). C'è chi ricorda Virgilio, *Georgiche* I.477-78: «... et simulacra modis pallentia miris / visa sub obscurum noctis» («e di terribile pallore apparivano fantasmi a notte buia.»)

[18] *Tu se' morto*, curiosa la corrispondenza con il *Fiore*, XXXVII.12: «O ti parti da lui, o tu se' morto».

[19] *a quello*, in tale stato d'animo.

[20] *ch'io... fosse*, cfr. Cavalcanti, *Gli occhi di quella*, 16: «in guisa ch'i' non so là 'v'i' mi sia».

[21] *maravigliosamente*, straordinariamente.

[22] *oscurare*, riflessivo, senza particella dopo *verbum videndi*. Si recupera qui il ricordo della morte di Cristo secondo i racconti di Matteo, Luca e Geremia; v. anche l'*Apocalisse* giovannea VI.12-14: «ed ecco si fece un gran terremoto, e il sole divenne nero come un telo di crine, e la luna divenne tutta come sangue, e le stelle del cielo caddero a terra, come quando il fico scosso da un gran vento lascia cadere i suoi fichi acerbi; e il cielo si ritirò come un libro s'arrotola, ed ogni montagna ed isola fu mossa dal suo luogo», assieme a Brunetto, *Tesoretto*, 385 sgg.,

o anche, più genericamente, Guittone (?), *La planeta mi pare oscurata*.

[23] *ch'elle... piangessero*, cfr. *Ezech*. XXXII.38.8: «*Omnia luminaria caeli maerere faciam super te*»; ma anche le *squille* che al suono paiono piangere di *Purgatorio*, VIII.5-6.

[24] *li uccelli... morti*, per alcuni commentatori combinazione di *Matteo*, XXIV.29 «*stellae cadent de caelo*», con *Geremia*, IX.25 «*omne volatile caeli recessit*».

[25] *tremuoti*, terremoti.

[26] *imaginai*, formai l'immagine (quindi «mi apparve»).

[27] *è partita... secolo*, si è allontanata da questo mondo terreno (e cfr. l'espressione liturgica del «*quam hodie de hoc saeculo migrare iussisti*»).

[28] *non solamente... lagrime*, giusta l'efficacia della visione, che in *Purgatorio*, IX.31 sgg. provocherà effetti analoghi.

[29] *moltitudine d'angeli*, De Robertis cita in proposito *Luca*, II.13-15: «*Et subito facta est cum Angelo multitudo militiae caelestis laudantium Deum et dicentium: Gloria in altissimis Deo... Et factum est, ut discesserunt ab eis angeli in caelum*». («E subito si raccolse intorno all'angelo una schiera della milizia celeste che lodava Dio, dicendo Gloria a Dio nel più alto dei cieli, e pace in terra... E gli angeli sparirono in cielo»).

[30] *suso*, latino *sursum*.

[31] *nebuletta*, accessorio usuale nel repertorio visionario, a contenere un'anima o una figura.

[32] *gloriosamente*, in gloria.

[33] *Osanna in excelsis*, sempre in bocca ad angeli e beati nella *Commedia (Purgatorio*, XI.11; XXIX.51; *Paradiso*, VII.1; VIII.29; XXVIII.118; XXXII.135), è il saluto rivolto a Cristo all'ingresso in Gerusalemme (v. *Matteo* XXI.9; *Marco* XI.10).

[34] *lo cuore... mi dicesse*, riproduce *Voi che portate*, 7 (e per l'inizio v. Cavalcanti, *Se Mercè*, 5-6: «D'angosciosi dilett' i miei sospiri, / che nascon della mente ov'è Amore...»).

[35] *forte*, intensa.

[36] *erronea fantasia*, allucinazione (l'«immaginar fallace» di *Donna pietosa*, 65).

[37] *cioè la sua testa*, specificando il v. 68 della canzone.

[38] *aspetto d'umilitade*, impronta di serenità (tipica del vero cristiano di fronte alla morte).

[39] *sono... pace*, mi trovo di fronte all'origine stessa della pace. Ché l'uomo «solo in lui vedere ha la sua pace» (*Paradiso*, XXX.102); e cfr. *Li occhi dolenti*, 16: «nel reame ove li angeli hanno pace».

[40] *per vedere*, per il fatto che vedevo.

[41] *Dolcissima Morte*, identico alle parole di S. Francesco registrate da Tommaso da Celano nella *Legenda secunda S. Francisci*: «...*soror mea dulcissima mors*». E cfr. il v. 73 di *Donna pietosa*.

[42] *non m'essere villana*, il poeta è tradizionalmente costretto a scongiurare la morte di ascoltarlo (così ad esempio lo pseudo-Cavalcanti di *Morte gentil, remedio de'cattivi*).

[43] *in tal... stata*, d'Ancona produce il ricordo boccacciano del *Filo-*

colo, III, lamento di Florio: «O morte perfidissima... certo tu se' stata in parte, che essere dovresti pietosa e ascoltare i miseri».

[44] *lo tuo colore*, cioè il pallore mortale.

[45] *li dolorosi mestieri*, gli uffici funebri (provenz. *mestiers*; e cfr. F. Sacchetti, novella CLIII: «lo trovò stare malinconoso e pensoso, come se facesse mestiero di qualche suo parente».

[46] *corpora*, corpi (relitto di plurale neutro latino, come ad esempio in *Convivio*, III.III.2).

[47] *con verace voce*, non quindi solo nell'immaginazione (si ricordino le «vere lagrime» di XXIII.6).

[48] *chiamando*, al solito, «invocando».

[49] *lungo*, presso.

[50] *faccendo*, con raddoppiamento etimologico (da *faciendo*).

[51] *era... congiunta*, era mia strettissima parente. Si è supposta una sorella Gaetana, sposa di Lapo di Riccomanno dei Pannocchia. Comunque evidente il ricordo virgiliano del «*consanguinitate propinquum*» (*Aen.*, II.86).

[52] *si trassero*, si portarono.

[53] *sconfortare*, v.p.e. Bonagiunta, *Dev'omo a la Fortuna*, 8; Guittone, *Lasso, pensando*, 69: «Remembranza me sconforta e menaccia», con l'anonimo *L'altrieri fui in parlamento*, 26.

[54] *mi... fantasia*, si interruppe la visione (più complesso il luogo di *Paradiso*, XXXIII.142: «All'alta fantasia qui mancò possa»).

[55] *entro in quello punto ch(e)*, nel preciso istante in cui. Cfr. *Era venuta*, secondo cominciamento, 3; *E' m'incresce di me*, 7 (e anche *dentro in Deh, Violetta*, 6).

[56] *riscotendomi*, risvegliandomi di soprassalto (e cfr. *Inferno*, IV.2 sgg.; XXVII.121).

[57] *pottero*, forma forte (*potti* risulta regolamentare da *potui*).

[58] *per... d'Amore*, ché Amore è consigliato da ragione, come ha spiegato l'autore in IV.2.

[59] *Proccuriamo*, con la doppia dell'antico fiorentino.

[60] *da confortarmi*, adatte a confortarmi (sul modello usuale dei vari *nave da passare*, in Cavalca, *gradi da sedere* in Villani, *uomo da guastare il mondo* in Sacchetti, etc.).

[61] *conosciuto... imaginare*, riconosciuta vana la mia allucinazione.

[62] *cominciandomi*, rifacendomi.

[63] *amorosa cosa da udire*, cosa amorosa per chi la ascoltasse (degna di cuori gentili, quindi).

[64] *canzone*, le stanze, di 14 versi, hanno due piedi uguali (ABC) e sirma incatenata da chiave, mista di settenari (CDdEeCDD); cfr. *De vulgari eloquentia*, II.XIII.7. Si noti la «sicilianità» dell'ultima rima della seconda stanza (*altrui, costui, fui: voi*).

[65] *infrascritta*, sottostante.

[66] *Donna*, indeterminata, come nell'attacco di *Donne ch'avete*, e della cavalcantiana *Donna me prega* (dove però pare trattarsi della Filosofia).

[67] *pietosa*, in base al v. 4 varrà «incline a impietosirsi». Si osservi che, nel rispetto dell'*ordo artificialis*, Dante narra gli eventi in ordine

inverso rispetto a quanto ha fatto per la prosa «per riserbare ìn fine la parte più importante» (Barbi). Cfr. per questo Brunetto, *Tesoro*, VIII.12, o anche *Convivio*, II.9.

[68] *novella*, giovane (come ne *Le dolci rime*, 105; *Inferno*, XXXIII.88, *Paradiso*, XVII.79-81).

[69] *gentilezze umane*, «le *gentilezze* in plurale, e altrove le *bellezze* ecc., sono dovute all'equivoco preso in Toscana sul suffisso siciliano *-izzi* (singolare), che continua, come in genere nel Sud, *-ities* anziché *itia*» (Contini). Rappresentano la saggia benevolenza della donna.

[70] *chiamava*, invocavo (come in seguito *Sì lungiamente*, 11; *Li oc. dolenti*, 55 etc.). Cfr. Petrarca, *Quante fiate*, 8: «che Morte à tolto ond'io la chiamo spesso».

[71] *pien di pietate*, è fortunato nello Stil Nuovo lo stilema *pieno di* + astratto. Cfr. *E' m'incresce di me*, 62; *Tanto gentile*, 13; *Li occhi do lenti*, 30; etc.. *Pietate* vale qui «pianto».

[72] *vane*, dette in delirio, e magari anche «senza midolla di verità (*Convivio*, IV.XV).

[73] *per... piangia*, per via di lei che piangeva al mio pianto. *Piangia* è rima di ascendenza siciliana (cfr. *Ballata, i' voi*, 18).

[74] *per farmi sentire*, come nella prosa «per isvegliarmi, credeno ch'io sognasse».

[75] *Qual... e qual*, correlativi.

[76] *nova*, singolare.

[77] *chiamando*, mentre pronunciavo (*Allor...* + gerundio usuale in questa sfumatura). Cfr. Cavalcanti, *La forte e nova*, 28: «lo nome de la mia donna chiamate»; con Petrarca, *Benedetto sia 'l giorno*, 10: «chiamando il nome de mia Donna...».

[78] *Era*, cfr. l'inizio del v. 21. «Anche queste corrispondenze (per opposizione o per analogia) fra coppie di strofe sono una caratteristica di questa canzone... . E *nome* del v. 17, riprendendo *nome* del v. 14, introduce il legame delle *coblas capfinidas*, che si riproduce per la seconda coppia (39 *immaginando*, 44 *imaginare*) e per la terza (69 *umilità*, 71 *umile*, 72 *umiltà*)» (De Robertis).

[79] *l'angoscia del pianto*, il «singulto del piangere» della prosa (e cfr. *Purgatorio*, IV. 115: «...quell'angoscia / che m'avacciava un poco ancor la lena».

[80] *con tutta*, nonostante («e avvegna ch'io mi vergognasse molto...»).

[81] *la vista vergognosa*, l'aspetto di evidente vergogna.

[82] *giunta*, apparsa (v. XV.8; *Inferno*, V.72: «Pietà mi giunse, e fui quasi smarrito»).

[83] *Elli*, prolettico di *mio colore* (che è soggetto).

[84] *ragionar*, parlare (e pensare). *Altrui* è il consueto indefinito. Cfr. Cavalcanti, *La forte e nova*, 30-31, con Petrarca, «Volgendo gli occhi al mio novo colore, / che fa di morte rimembrar la gente...».

[85] *pregava... umilemente*, cfr. *Così nel mio parlar*, 38: «e... umilemente il priego».

[86] *dicevan sovente*, ripetevano.

[87] *vedestù*, vedesti tu (cfr. *Se' tu colui*, 7). Con posposizione del pronome in contesto interrogativo.

⁸⁸ *valore*, forza da vivere (Cavalcanti, *L'anima mia*, 5: «Sta come quella che non ha valore...»; *Poi che di doglia* , 4: «dirò com'ho perduto ogni valore»; e, in Dante, *Sì lungiamente*, 5; *La dispietata mente*, 7; *Lasso, per forza,* 3; etc..).

⁸⁹ *dicerollo*, lo dirò.

⁹⁰ *pensava... vita*, con *pensare* transitivo, come in *Donne ch'avete*, 5. Il sintagma anche in Petrarca, *Volgendo gli occhi*, 5; *Dolci durezze*, 12; *Quell'antiquo mio*, 147.

⁹¹ *vedea... leggiero*, identico a XXIII.3.

⁹² *nel core*, perché specificato in XXIII.8; e v. *Voi che portate*, 5-6

⁹³ *per che*, per la qual cosa.

⁹⁴ *dicea*, io dicevo.

⁹⁵ *Ben*, effettivamente («Di necessitade convene», XXIII.3).

⁹⁶ *presi... smarrimento*, cfr. *Purgatorio*, XIII.120: «letizia presi», per il verbo.

⁹⁷ *vilmente gravati*, «abbassati dallo scoraggiamento» (Contini), se non «tormentati dal peso dello sbigottimento». Cfr. *Purgatorio*, XXX.78, e *Paradiso*, XI.88.

⁹⁸ *smagati*, fiaccati (v. XIV.8).

⁹⁹ *imaginando*, in preda a fantasticherie.

¹⁰⁰ *di... fora*, fuori di senno, e astratto dalla realtà delle cose. *Caunoscenza*, meridionalismo, per cui cfr. il siciliano *canùsciri*. «Qui vale "conoscenza esatta", altrove anche, alla provenzale, "saggezza cortese"» (Contini). Diverso il cavalcantiano *for di vita* (*Tu m'hai sì piena*, 9), ma per il modulo cfr. Onesto, *Se co lo vostro*, 17 («di gentillezza fora»); Guittone, *La dolorosa mente*, 7 («for son di conforto»); Monte, *Or è nel campo*, 29: «di ricore... fuori»; etc..

¹⁰¹ *pur*, di continuo.

¹⁰² *Morrà'ti*, tu morirai (forma media; e si noti la rima composta).

¹⁰³ *dubitose molte*, assai spaventevoli (con l'avverbio «concordato»). Riproduce Cavalcanti, *Noi siàn le triste penne*, 7-8: «la man che ci movea dice che sente / cose dubbiose nel core apparite»; e v. Petrarca, *Chiare fresche*, 22.

¹⁰⁴ *vano imaginare*, l'allucinazione.

¹⁰⁵ *disciolte*, può valere «scapigliate» (e si ricordi il *Sonetto pien di doglia, iscapigliato* di Pieraccio Tedaldi), ma anche «sbandate», giusta magari Guittone, *La dolorosa mente*, 62: «ché d'ogni parte disciolt'ha il mio bene»; Inghilfredi, *Poi la noiosa erranza*, 30: «l'om disciolto».

¹⁰⁶ *traendo guai*, alzando lamenti (già in Cavalcanti, *Veder poteste*, 8; *Gli occhi di quella*, 28; come sintagma cristallizzato poi in *Inferno*, V.48 e XIII.22; Cino, *La dolce vista*, 4; *Vinta e lassa*, 2; etc.).

¹⁰⁷ *che di tristizia saettavan foco*, si cita usualmente *Inferno*, XXIX.43-44: «lamenti saettarono me diversi, / che di pietà ferrati avean li strali», a fianco di altra ardita metafora (*Amor che ne la mente*, 63: «la sua bieltà piove fiammelle di foco»). È vero il contatto con l'ovidiano saettamento progressivo di Amore, di cui una traccia, ad esempio, presso Cavalcanti, *O tu che porti*, 5-14; ma siamo qui a una delle prime accensioni immaginative di timbro spiccatamente dantesco.

¹⁰⁸ *turbar*, oscurarsi (dietro *verbum sentiendi*). E v. *Amor che ne la*

mente, 77-78: « Tu sai che 'l ciel sempr'è lucente e chiaro, / e quanto in sé, non si turba già mai ».

[109] *la stella*, sineddoche per « stelle » (cfr. *Amor che ne la mente*, 80; *Inferno*, II.55; *Paradiso*, II.148 etc.). Forte il calco dal *Roman de la rose*, 18371-2: « *il veit esteles apareir, / e veit oiseaus voler par air* ».

[110] *are*, aria (riduzione di *aere*, come già *Morrà'ti* da *morraiti*).

[111] *fioco*, così per lo spavento Dante (*Inferno*, XXXIV.22) diventa « gelato e fioco », mentre Cavalcanti risponde « fiochetto e piano / per la temenza de li colpi » di Amore (*O donna mia*, 3-4). Cfr. Onesto, *Se li tormenti*, 7.

[112] *non sai novella?*, semplicemente « non lo sai? »

[113] *Levava... pianti*, citazione del *Salmo* CXX « *Levavi oculos meos in montes* » o di *Zaccaria*, I.18: « *Levavi oculos meos, et vidi...* »; e cfr. *Paradiso*, XXV.38: « *...ond'io levai li occhi a'monti...* ». *In* ha valore mediale.

[114] *che... manna*, altro legato cavalcantiano, se si pensa a *S'io prego*, 12-14: « Allor par che ne la mente piova / una figura di donna pensosa / che vegna per veder morir lo core », e a *Gli occhi di quella*, 13: « e veggio piover per l'aere martiri ». Ma cfr. *Paradiso*, XXVII.67-72; e Arnaut, *En cest sonet*, 13: « *l'amors q'inz el cor mi plon* ».

[115] *nuvoletta*, ricorda al Witte « il carro d'Elia », che Eliseo « Vide... al dipartire... / Sì come nuvoletta in su salire » (*Inferno*, XXVI.35 sgg.).

[116] *dopo*, dietro.

[117] *dire'lo*, contratto da *direilo* (« lo direi »); cfr. la prosa di XXIII.7.

[118] *nostra*, perché anche di Amore (v. *Se' tu colui*, 2).

[119] *fallace*, opposto all'*umilità verace* del v. 69.

[120] *Io sono in pace*, « Espressione meno determinata... di quella corrispondente nella prosa » (Sapegno); v. XXIII.8-9.

[121] *formata*, incarnata (e stabilmente radicata in lei, se si confronta Cavalcanti, *Donna me prega*, 51: « e vol ch'om miri - 'n non formato loco »). V. *Piangete, amanti*, 10, ma anche *Deh, Violetta*, 5. Si ricordi che *formare* « è il verbo del *Genesi*, rimasto d'obbligo in simili espressioni dopo l'uso fattone dai provenzali » (Menichetti), per cui cfr. Dante da Maiano, *Viso mirabil*, 7; Notaro, *Madonna ha 'n sé*, 14; Panuccio, *Non posso proferir*, 7-8; etc.

[122] *tegno*, considero.

[123] *disdegno*, l'usuale acerbezza.

[124] *vegno*, divento.

[125] *ti somiglio*, visto che porto addosso il color di morte.

[126] *in fede*, in verità.

[127] *consumato ogne duolo*, espletati gli uffici funebri (è un caso di ablativo assoluto).

[128] *Beato... vede*, cfr. *Eccles*. XLVIII.11; e Lapo, *Dolc'è 'l pensier*, 10: « Beata l'alma che questa saluta »; Cino, *Avegna ched 'l m'aggia*, 18: « Beata l'alma che lassa tal pondo »; Petrarca, *Perché la vita è breve*, 67.

[129] *vostra merzede*, per vostra gentilezza.

[130] *a indiffinita persona*, senza rivolgermi a persona determinata (cfr. VIII.12).

[131] *levato*, riscosso.

[132] *dirla*, raccontarla.

[133] *per*, a causa di.

[134] *quanto è dinanzi che*, prima che.

[135] *in verace condizione*, alla realtà, a una condizione normale (cfr. *Purgatorio*, XV.115.116: «Quando l'anima mia tornò di fori / alle cose che son fuor di lei vere...»).

[136] *chiusamente*, in modo implicito, più che per *sottil motti*. Per il Guerri «Troncando il racconto al punto del nome, le ringrazia senza palesare quel che voleva tacere».

XXIV. Appresso questa vana imaginazione, avvenne uno die che, sedendo io pensoso in alcuna parte, ed[1] io mi sentio cominciare un tremuoto nel cuore[2], così come se io fosse stato presente a[3] questa donna. **2** Allora dico che mi giunse una imaginazione d'Amore; che[4] mi parve vederlo venire da quella parte ove la mia donna stava, e pareami che lietamente[5] mi dicesse nel[6] cor mio: «Pensa di benedicere lo dì che io ti presi[7], però che tu lo dei fare». E certo me[8] parea avere lo cuore sì lieto, che me non parea che fosse lo mio cuore, per la sua nuova condizione. **3** E poco dopo queste parole, che lo cuore mi disse con la lingua d'Amore, io vidi venire[9] verso me una gentile donna, la quale era di famosa bieltade[10], e fue già molto donna di[11] questo primo mio amico[12]. E lo nome di questa donna era Giovanna, salvo che per la sua bieltade, secondo che altri crede[13], imposto l'era nome Primavera[14]; e così era chiamata. E appresso lei, guardando, vidi venire la mirabile Beatrice. **4** Queste donne andaro[15] presso di me così l'una appresso l'altra, e parve che Amore mi parlasse nel cuore, e dicesse: «Quella prima è nominata Primavera solo per questa venuta d'oggi[16]; ché io mossi lo imponitore del nome[17] a chiamarla così Primavera, cioè prima verrà[18] lo die che Beatrice si mosterrà[19] dopo la imaginazione del suo fedele[20]. E se anche vogli[21] considerare lo primo nome suo[22], tanto è quanto dire "prima verrà", però che lo suo nome Giovanna è[23] da quello Giovanni[24] lo quale precedette la verace luce, dicendo: "*Ego vox clamantis in deserto: parate viam Domini*"[25]». **5** Ed anche mi parve che mi dicesse, dopo, queste parole: «E chi volesse sottilmente[26] considerare, quella Beatrice chiamerebbe Amore, per molta simiglianza[27] che ha meco». **6** Onde io poi, ripensando, propuosi di scrivere per rima a lo mio primo amico (tacendomi certe parole le quali pareano da tacere)[28], credendo io che ancor lo suo cuore mirasse la bieltade di questa Primavera gentile[29]; e dissi questo sonetto[30], lo quale comincia: *Io mi senti' svegliar.*

7   Io mi senti' svegliar dentro a lo core
        un spirito amoroso che dormia[31]:
        e poi vidi venir da lungi Amore[32]
        allegro sì, che appena il conoscia[33],   4
        dicendo[34]: «Or pensa pur di farmi onore»[35],
        e 'n ciascuna parola sua ridia.
8   E poco stando[36] meco il mio segnore,
        guardando in quella parte onde venia,   8
    io vidi[37] monna Vanna e monna Bice[38]
        venire inver lo loco là 'v'io era,
        l'una appresso de l'altra maraviglia[39];   11
9   e sì come la mente mi ridice[40],
        Amor mi disse: «Quell'[41]è Primavera,
        e quell'ha nome Amor[42], sì mi somiglia».   14

10 Questo sonetto ha molte[43] parti: la prima delle quali dice come io mi senti' svegliare lo tremore usato[44] nel cuore, e come parve che Amore m'apparisse allegro nel mio cuore da lunga parte[45]; la seconda dice come me parea che Amore mi dicesse nel mio cuore, e quale mi parea; la terza dice come, poi che questi fue alquanto stato meco cotale [46], io vidi e udio certe cose. La seconda parte comincia quivi: *dicendo: Or pensa*; la terza quivi: *E poco stando.* **11** La terza parte si divide in due: ne la prima dico quello che io vidi; ne la seconda dico quello che io udio. La seconda comincia quivi: *Amor mi disse.*

---

[1] *ed*, paraipotattico.

[2] *un tremuoto nel cuore*, v. *Spesse fiate*, 13.

[3] *presente a*, alla presenza di.

[4] *che*, copulativo.

[5] *lietamente*, cfr. III.3.

[6] *nel*, v. *Donna pietosa*, 31.

[7] *lo dì che io ti presi*, pressoché identico ne *La dispietata mente*, 58: «quella saetta / ch'Amor lanciò lo giorno ch'i' fui preso». Il motivo della benedizione, di gusto siciliano e guittoniano, si oppone alle maledizioni, ben più diffuse (ma solo opposte di segno), presenti ad esempio in Cavalcanti, *Quando di morte*, 31-34; Chiaro, *Non già per gioia*, 43-44; o Cecco Angiolieri, «Maladetto e distrutto sia da Dio / lo primo punto ched io 'nnamorai».

[8] *me*, obliquo.

[9] *viddi venire*, questa volta realmente.

[10] *di famosa bieltate*, forse perché celebrata da Guido in *Fresca rosa novella*, *Avete 'n vo'* e *Chi è questa che vèn*?

[11] *già molto donna di*, ebbe in passato gran signoria su (con *molto* riferito a *donna*).

[12] *primo mio amico*, cfr. III.14.

[13] *crede*, erroneamente però, come Dante spiegherà più avanti.

[14] *Primavera*, tipico *senhal* o soprannome poetico.

[15] *andaro*, passarono.

[16] *solo... d'oggi*, soltanto per questa circostanza, quindi.

[17] *lo imponitore del nome*, probabilmente lo stesso Guido.

[18] *cioè prima verrà*, interpretazione etimologica di stampo medievale, «come Dante ne poteva trovare nelle *Derivationes* e nelle *Etymologiae* (in Isidoro mettiamo, *Etym.*, VIII, XI, 60: "*Proserpinam [dicunt], quod ex ea proserpiant fruges*" [Proserpina cosiddetta perché da lei si propagano le messi»]), o del genere di *amore* come *ah* (dolore) e *morte* (così nel cosiddetto *Trattato d'Amore* di Guittone)» (De Robertis).

[19] *mosterrà*, mostrerà (con metatesi).

[20] *dopo... fedele*, cioè dopo la visione narrata nel paragrafo precedente.

[21] *vogli*, tu voglia.

[22] *lo primo nome suo*, il suo nome proprio.

[23] *è*, proviene.

[24] *Giovanni*, insomma Giovanna precorre Beatrice come il Battista precorse Cristo. La *verace luce* da confrontarsi con *Paradiso*, III.3; «la verace luce che le appaga»; V.8-9.

[25] *Ego... Domini*, cfr. *Ioann.* I.23 (e *lux vera* da *Ioann.* I.9).

^{26} *sottilmente*, con particolare profondità.

^{27} *per molta simiglianza*, l'identificazione Beatrice-Amore rimanda senz'altro, alla luce dei dati appena forniti, all'equazione Beatrice-Cristo (mediatore l'ancora giovanneo *Deus charitas est*), anche se non in termini espliciti.

^{28} *tacendomi... tacere*, Dante rileva qui la differenza di senso che il tempo ha depositato sul testo poetico quale fu concepito «spoglio» della successiva giustificazione prosastica.

^{29} *mirasse... gentile*, che Guido insomma fosse ancora cortese servitore di Giovanna. Proiettata nel ricordo è anche una parte della risposta di Cavalcanti, «S'io fosse quelli che d'amor fu degno, / del qual non trovo sol che rimembranza, / e la donna tenesse altra sembianza, / assai mi piaceria...»; e il sonetto dantesco pare ancorato a una vecchia maniera espressiva, di leggiadra partitura dialogica, cui partecipano p. e. *Di donne io vidi* o *Un dì si venne*.

^{30} *sonetto*, per lo schema cfr. *Ciò che m'incontra*.

^{31} *un... dormia*, come si può notare, ben diverso dal *tremuoto* di cui è detto nella prosa. Per l'immagine v. Cavalcanti, *Voi che per li occhi*, 2: «e destaste la mente che dormia», e *Dante, un sospiro*, 1-3; cfr. anche *Fiore*, XXI.6-7: «e svegliò Gelosia / e Castità, che ciascuna dormia».

^{32} *vidi... Amore*, cfr. *Fiore*, LXXVII.5: «Lo Dio d'amor, che guar lungi non m'era».

^{33} *il conoscia*, lo riconoscevo.

^{34} *dicendo*, participiale, riferito ad *Amore*.

^{35} *Or... onore*, è proprio necessario che ora tu mi ringrazi. Per il verbo rafforzato da *pur*, cfr. Guittone, *Ben vegg'io*, 14: «pensa pur di trovar loc'alto o cupo»; per *fare onore* basti lo stesso Guittone, *Mastro Bandino*, 3-5.

^{36} *poco stando*, per quel poco che rimase.

^{37} *io vidi*, mossa analoga in Cavalcanti, *Dante, un sospiro*, 5: «Po' mi girai, e vidi 'l servitore...».

^{38} *monna Vanna e monna Bice*, designate sia con il popolare *monna* che con l'ipocoristico del nome di battesimo (cfr. anche *Guido, i' vorrei*, 9), attestano il carattere quasi «privato» del sonetto, forse in origine non destinato alla divulgazione.

^{39} *l'una... maraviglia*, quasi «una meraviglia dietro l'altra». Notare la consueta forma assimilata.

^{40} *la mente mi ridice*, riproduce la mia memoria.

^{41} *Quell(a)*, una (cfr. *Paradiso*, III.93).

^{42} *ha nome Amor*, la definizione della donna come «Amore» è più che scontata nella poesia duecentesca. La battuta ha la struttura di *Fiore*, I: «La prima ha nom Bieltà... la terza, Cortesia fu».

^{43} *molte*, si riferisce evidentemente al contesto prosastico.

^{44} *usato*, solito (cfr. XIV. 4, e Chiaro, *Li contrariosi tempi*, 32; Monte; *Or è nel campo*, 33 etc.).

^{45} *da lunga parte*, da lontano (cfr. *Cavalcando l'altr'ier*, 10).

^{46} *cotale*, nel modo suddetto (richiamato da *quale*).

193

XXV. Potrebbe qui[1] dubitare[2] persona degna da dichiararle onne dubitazione[3], e dubitare potrebbe di ciò, che io dico d'Amore come se fosse una cosa per sé[4], e non solamente sustanzia intelligente[5], ma sì come fosse sustanzia corporale[6]: la quale cosa, secondo la veritate[7], è falsa; ché Amore non è per sé sì come sustanzia, ma è uno accidente in sustanzia[8]. **2** E che io dica di lui come se fosse corpo, ancora[9] sì come se fosse uomo, appare per tre cose che dico di lui. Dico che lo vidi venire; onde, con ciò sia cosa che[10] venire dica moto locale[11], e localmente mobile per sé[12], secondo lo Filosofo[13], sia solamente corpo, appare[14] che io ponga[15] Amore essere corpo. Dico anche di lui che ridea, e anche che parlava; le quali cose paiono essere proprie de l'uomo, e spezialmente essere risibile[16]; e però appare ch'io ponga lui essere uomo. **3** A cotale cosa dichiarare[17], secondo che è buono a presente[18], prima è da intendere che anticamente non erano dicitori[19] d'amore in lingua volgare, anzi erano dicitori d'amore certi poete[20] in lingua latina; tra noi[21], dico, avvegna forse che tra altra gente addivenisse, e addivegna ancora, sì come in Grecia, non volgari ma litterati poete queste cose trattavano[22]. **4** E non è molto numero d'anni passati, che apparíro prima[23] questi poete volgari; ché dire per rima in volgare tanto è quanto[24] dire per versi[25] in latino, secondo alcuna proporzione[26]. E segno che sia picciolo tempo, è che se volemo cercare in lingua d'*oco*[27] e in quella di *sì*, noi non troviamo cose dette anzi lo presente tempo per cento e cinquanta anni[28]. **5** E la cagione per che alquanti grossi[29] ebbero fama di sapere dire, è che quasi fuoro li primi che dissero in lingua di *sì*[30]. **6** E lo primo che cominciò a dire sì come poeta volgare, si mosse[31] però che volle fare intendere le sue parole[32] a donna[33], a la quale era malagevole d'intendere li versi latini[34]. E questo è contra[35] coloro che rimano sopra altra matera che amorosa, con ciò sia cosa che cotale modo di parlare[36] fosse dal principio trovato[37] per dire d'amore. **7** Onde, con ciò sia cosa che a li poeta sia conceduta maggiore licenza di parlare [38] che a li prosaici dittatori [39], e questi dicitori per rima non siano altro che poete volgari, degno e ragionevole [40] è che a loro sia maggiore licenzia largita di parlare che a li altri parlatori volgari: onde, se alcuna figura o colore rettorico è conceduto a li poete, conceduto è a li rimatori. **8** Dunque, se noi vedemo che li poete hanno parlato a le cose inanimate [41], sì come se avessero senso e ragione, e fattele parlare insieme; e non solamente cose vere, ma cose non vere [42], cioè che detto hanno, di cose le quali non sono, che parlano, e detto che molti accidenti parlano, sì come se fossero sustanzie e uomini; degno è lo dicitore per rima di fare lo somigliante, ma non sanza ragione alcuna [43], ma con ragione la quale poi sia possibile d'aprire per prosa [44]. **9** Che li poete abbiano così parlato come detto è, appare per [45] Virgilio; lo quale dice che Iuno, cioè una dea nemica de li Troiani, parloe ad Eolo [46], segnore de li venti, quivi nel primo de lo Eneida: *Eole, nanque tibi*, e che questo segnore le rispuose, quivi: *Tuus, o regina, quid optes explorare labor; michi iussa capessere fas est.* Per [47] questo medesimo poeta parla la cosa che non è animata a le cose animate [48], nel terzo de lo Eneida, quivi: *Dardanide duri* [49]. Per Lucano parla la cosa animata a la cosa inanimata, quivi: *Multum, Roma, tamen debes civilibus armis* [50]. Per Orazio parla l'uomo a la scienzia [51] medesima sì come ad altra persona; e non solamente sono parole d'Orazio, ma dicele quasi recitando [52] lo modo del buono Omero, quivi ne la sua Poetria [53]: *Dic michi, Musa, virum.* Per Ovidio [54] parla Amore, sì come se fosse persona umana, ne lo principio de lo libro c'ha nome Libro di Remedio d'Amore, quivi: *Bella michi, video, bella parantur, ait* [55]. E per questo [56] puote essere manifesto [57] a chi dubita in alcuna parte di questo mio libello. **10** E acciò che non ne pigli alcuna baldanza persona grossa [58], dico che né li poete parlavano così [59] sanza ragione, né quelli che rimano deono parlare così non avendo alcuno ragionamento[60] in loro di quello che dicono; però che grande vergogna sarebbe a colui che rimasse cose sotto vesta di figura o di colore rettorico[61], e poscia, domandato[62], non sapesse denudare le sue parole da cotale vesta, in guisa che avessero verace intendimento[63]. E questo mio primo amico e io ne sapemo bene di quelli che così rimano stoltamente[64].

---

[1] *qui*, a questo punto, a proposito del sonetto.

[2] *dubitare*, muovere qualche obiezione.

[3] *degna.. dubitazione*, che meriti di veder chiarito ogni suo dubbio. Anche Cavalcanti trovò chi lo rimproverasse a proposito del v. 8 di *Poi che di doglia*, nella fattispecie Guido Orlandi, con il sonetto *Per troppa sottiglianza il fil si rompe*. (Cfr. la *lite di dubitazioni* di *Convivio*, II.XV.5.)

[4] *una cosa per sé*, un ente «sostanziale», *per se subsistens*.

[5] *sustanzia intelligente*, intelligenza pura e separata.

[6] *come... corporale*, come se si trattasse di un corpo, di una persona.

[7] *secondo la veritate*, stando ai testi (filosofici) che predicano come stanno realmente le cose.

[8] *ché... sustanzia*, «Ovvia distinzione aristotelico-scolastica, "secondo la veritate" ossia l'enunciato rigorosamente scientifico (non metaforico), tra ciò che è in sé reale (sostanza) e ciò in cui realtà modifica o specifica altra realtà (accidente). L'angelo è una sostanza intelligente, ma non corporea; l'uomo, intelligente e corporeo. La definizione di Amore come "accidente" è conforme a quella cavalcantiana in *Donna me prega* ("un accidente... ch'è chiamato amore")» (Contini). Il richiamo all'ontologia di Amore secondo modi già esperiti ad esempio nelle tenzoni della scuola siciliana è spiegabile sia col desiderio che Dante ha di offrire una tradizione culturale alla sua giovane lirica, sia al collegato, probabile ricordo di dispute quale si ricava dal forse dantesco *Molti, volendo dir che fosse Amore*. Per *accidente* v. anche Onesto, *Bernardo, quel dell'arco*. 6: «novi accidenti», o Cino, *Io non posso celar*, 27: «per l'accidente che vince natura», fino a Niccolò de' Rossi, «Amore è uno accidente...».

[9] *ancora*, anzi.

[10] *con... che*, al solito causale.

[11] *dica moto locale*, significa movimento nello spazio.

[12] *e... sé*, e quindi un ente capace di muoversi in esso per propria virtù.

[13] *lo Filosofo*, per antonomasia Aristotele, «secondo la cui dottrina quello locale è solo un tipo elettivo di moto, tale potendo essere anche ogni manifestazione del divenire (passaggio dalla potenza all'atto)» (Contini).

[14] *appare*, è chiaro.

¹⁵ *ponga*, determini, definisca (cfr. *Amore e 'l cor gentil*, 2).

¹⁶ *le quali.. risibile*, cfr. *De vulgari eloquentia*, I.II.1: «*eorum que sunt omnium soli homini datum est loqui*» («Fra tutto ciò che esiste, solo all'uomo fu data la parola»), e l'*Epistola* a Cangrande, 74: «*si homo est, est risibilis*», su cui misurare Marziano Capella, *De nuptiis*, IV.398: «*quemadmodum omnis homo risibilis est, ita omne risibile est homo*».

¹⁷ *A... dichiarare*, per spiegare il mio comportamento in proposito.

¹⁸ *che... presente*, quel che meglio fa all'occasione.

¹⁹ *dicitori*, rimatori, poeti (in volgare), per cui cfr. ad esempio «Amico di Dante», I. 3, e l'anonimo *A quei ch'è sommo dicitore altero*.

²⁰ *poete*, plurale latino (cfr. *eresiarche* in *Inferno*, IX.127).

²¹ *noi*, si intenda «noi latini».

²² *avvegna...' trattavano*, Dante vuol dire che nei paesi di lingua latina, in antico, trattavan d'amore poeti non volgari ma letterati (che scrivevano cioè in latino); in lingua letteraria, greca, si espressero pure gli antichi poeti in Grecia, come forse anche oggi: noi invece in quella materia abbiamo sostituito il volgare al latino. Così nel *De vulgari eloquentia*, I.I.2-3 scriverà di una *locutio secondaria*, «cioè quella che egli ritiene una lingua convenzionale per grammaticale invariabilità» (Contini).

²³ *prima*, per la prima volta.

²⁴ *tanto è quanto*, equivale a.

²⁵ *per rima... per versi*, «la distinzione linguistica si riflette in distinzione tecnica (e terminologica): *rima* e *versi* includono di per sé la distinzione tra volgare e latino» (De Robertis).

²⁶ *secondo alcuna proporzione*, tenendo conto delle diverse regole come pure del problema della dignità.

²⁷ *lingua d'oco*, il volgare provenzale, designato in base alla particella affermativa (da *hoc*, qui con epitesi toscana; il volgare francese avrà *oil*). Comunque già Bernard d'Auriac aveva distinto provenzali e francesi per particelle affermative e negative.

²⁸ *per... anni*, per 150 anni prima d'oggi (che corrisponderebbe a una data intorno al 1140; naturalmente la poesia trobadorica emerse alcuni decenni prima della data fornita da Dante).

²⁹ *grossi*, rozzi. Si ritiene allusione ai poeti stretti dal *nodo* in *Purgatorio* XXIV, cioè Jacopo da Lentini, Bonagiunta e Guittone, quali rappresentanti di un vecchio *stile*. *Grosso* indica in ogni caso, genericamente, la persona incolta e incapace di riscattarsi culturalmente: cfr. Fazio degli Uberti, *Dittamondo*, II.II. 73-75: «E perché meno qui rimagni grosso/trattar ti voglio con brevi parole».

³⁰ *lingua di sì*, volgare italiano (cfr. *Inferno*, XXXIII.80).

³¹ *si mosse*, iniziò.

³² *parole*, poesie.

³³ *a donna*, alle donne in genere.

³⁴ *a quale... latini*, corrisponde all'individuazione di un pubblico preciso, e rimanda sia a *De vulgari eloquentia*, I.I.3, sia a *Convivio*, I.IX.4-5: «Tornando dunque al principale proposito, dico che manife-

stamente si può vedere come lo latino averebbe a pochi dato lo suo beneficio, ma lo volgare servirà veramente a molti».

[35] *è contra*, vale a contrastare (cfr. *Purgatorio*, IV.5: «e questo è contra quello error che crede...», o anche la definizione de *Le dolci rime*, 141: «Contra-li-erranti mia...», esemplata per Dante sul tomistico *Contra Gentiles*).

[36] *cotale modo di parlare*, questo tipo di poesia volgare.

[37] *trovato*, elaborato.

[38] *licenza di parlare*, libertà di tecnica espressiva.

[39] *prosaici dittatori*, autori di prosa. Cfr. il *vulgare prosaicum* di *De vulgari eloquentia*, I.10.

[40] *degno e ragionevole*, giusto e logico (si è richiamato il «*dignum et iustum est*» del *Prefazio* della Messa).

[41] *parlato a le cose inanimate*, con l'espediente cioè della prosopopea, come spiega *Convivio*, III.IX.2: «ed è una figura questa, quando a le cose inanimate si parla, che si chiama da li rettorici prosopopeia; e usanla molto spesso li poeti».

[42] *non vere*, inesistenti.

[43] *ragione alcuna*, un qualche intendimento concreto.

[44] *d'aprire per prosa*, di esprimere in un commento in prosa, che non ricorra a figure.

[45] *per*, attraverso.

[46] *Iuno... Eolo*, per Dante qui personificazioni di forze naturali come l'aria e il vento. I brani citati provengono dall'*Eneide*, I. 65-77, dove si narra di Giunone che invita Eolo a muovere le acque tirrene in cui navigano i Troiani.

[47] *Per*, grazie a.

[48] *parla... animate*, appunto in *Convivio* III.IX.2 la personificazione tramite prosopopea è dichiarata caratteristica tipica del linguaggio poetico.

[49] *Dardanide duri*, *Eneide*, III.94 (qui è Febo, personificazione del sole, a parlare in Delo ai Troiani).

[50] *Multum... armis*, cfr. *Pharsalia*, I.44. Il testo latino ha *debet* (e *Roma* è nominativo), ma *debes* è ben attestato nella tradizione manoscritta.

[51] *scienzia*, alla Musa che impersona l'arte poetica.

[52] *recitando*, riportando, enunciando (per l'uso cfr. *Convivio*, IV.VI).

[53] *la sua Poetria*, l'*Epistola ai Pisoni*, detta *Ars Poetica* anche in *Convivio*, II.XIII.10. Il verso è il 131°. In *Inferno*, XXVI, 97-99 Dante parafrasa la parte restante della citazione oraziana.

[54] *per Ovidio*, «Questo esempio, che era veramente il più concludente, a Dante doveva apparire di speciale importanza, poiché il poeta latino era nel medio evo nella questione d'amore un'autorità incontestabile, alla quale i rimatori si richiamavano di frequente» (Casini).

[55] *Bella... ait*, v. *Remedia amoris*, 2.

[56] *per questo*, in base a tutto ciò.

[57] *manifesto*, neutro (sott. *che li poete...*).

[58] *non... grossa*, qualche rozzo non salti su con una sua teoria. L'elemento fraseologico *prendere baldanza* è forse qui d'origine brunettiana

(cfr. *Tesoretto*, 2051) in rapporto al concetto di presunzione, e diverso quindi dall'uso di *Con l'altre donne*, 8.

[59] *così*, per figure.

[60] *non... ragionamento*, senza avere una precisa sostanza.

[61] *sotto vesta... rettorico*, cfr. *Convivio* III.VIII e IX.

[62] *domandato*, interrogato in proposito.

[63] *in guisa... intendimento*, in modo da poter rivelare un significato veritiero (non figurato).

[64] *di quelli... stoltamente*, in particolare Guittone, ironicamente accusato da Cavalcanti di non saper creare *figure* secondo le giuste regole (*Da più a uno face un sollegismo*, 9: «per te non fu giammai una figura»). Una distinzione fra poeti e poeti anche in *De vulgari eloquentia*, II.IV.2.

XXVI. Questa gentilissima donna, di cui ragionato è [1] ne le precedenti parole, venne in tanta grazia de le genti [2], che quando passava per via, le persone correano per vedere lei [3]; onde mirabile letizia me ne giungea. E quando ella fosse presso d'alcuno, tanta onestade [4] giungea nel cuore di quello, che non ardia di levare li occhi [5], né di rispondere a lo suo saluto; e di questo molti, sì come esperti [6], mi [7] potrebbero testimoniare a chi non lo credesse. **2** Ella coronata e vestita d'umilitade [8] s'andava, nulla gloria [9] mostrando di ciò ch'ella vedea e udia. Diceano molti, poi che passata era: «Questa non è femmina [10], anzi è uno de li bellissimi angeli del cielo». E altri diceano [11]: «Questa è una maraviglia [12]; che benedetto sia lo Segnore, che sì mirabilemente sae adoperare! [13]». **3** Io dico ch' [14] ella si mostrava sì gentile e sì piena di tutti li piaceri [15], che quelli che la miravano comprendeano [16] in loro una dolcezza onesta e soave [17], tanto che ridicere [18] non lo sapeano; né alcuno era lo quale potesse mirare lei, che nel principio [19] nol convenisse sospirare [20]. **4** Queste e più mirabili cose [21] da lei procedeano virtuosamente [22]: onde io pensando a ciò, volendo ripigliare lo stilo de la sua loda [23] , propuosi di dicere parole, ne le quali io dessi ad intendere de le sue mirabili ed eccellenti operazioni; acciò che non pur [24] coloro che la poteano sensibilemente [25] vedere,

a li altri sappiano di lei quello che le parole ne possono
ſare intendere [26]. Allora dissi questo sonetto [27], lo quale
comincia: *Tanto gentile.*

5   Tanto gentile [28] e tanto onesta [29] pare [30]
    la donna mia quand'ella altrui [31] saluta,
    ch'ogne lingua deven tremando muta [32]
    e li occhi no l'ardiscon di guardare [33].   4

6   Ella si va [34], sentendosi laudare [35],
    benignamente d'umiltà vestuta [36];
    e par [37] che sia una cosa [38] venuta
    da cielo in terra a miracol mostrare [39].   8

7   Mostrasi [40] sì piacente [41] a chi la mira,
    che dà per li occhi [42] una dolcezza al core,
    che [43] 'ntender no la può chi no la prova [44]: 11
    e par che de la sua labbia si mova [45]
    un spirito soave pien d'amore,
    che va dicendo [46] a l'anima: Sospira [47].   14

8 Questo sonetto è sì piano [48] ad intendere, per quello che
narrato è dinanzi, che non abbisogna d'alcuna divisione [49]; e però lassando lui, [XXVII] dico che questa mia
donna venne in tanta grazia, che non solamente ella era
onorata e laudata, ma per lei erano onorate e laudate
molte [50]. 9 Ond'io, veggendo ciò e volendo manifestare [51]
a chi ciò non vedea [52], propuosi anche [53] di dire parole, ne
le quali ciò fosse significato; e dissi allora questo altro sonetto [54], che comincia: *Vede perfettamente onne salute,*
lo quale narra di lei come la sua vertude adoperava ne
l'altre, sì come appare ne la sua divisione.

10   Vede [55] perfettamente onne salute [56]
    chi la mia donna tra le donne vede;
    quelle che vanno con lei [57] son tenute
    di bella grazia a Dio render merzede. [58]   4

11   E sua bieltate è di tanta vertute [59],

che nulla invidia a l'altre ne procede[60],
anzi le face andar seco[61] vestute[62]
di gentilezza, d'amore e di fede[63].   8

12   La vista[64] sua fa onne cosa[65] umile[66];
e non fa sola sé parer piacente[67],
ma ciascuna per[68] lei riceve onore.   11

13   Ed è ne li atti suoi tanto gentile[69],
che nessun la si[70] può recare a mente[71],
che non sospiri in dolcezza d'amore[72].   14

14 Questo sonetto ha tre parti: ne la prima dico tra che
gente questa donna più mirabile parea[73], ne la seconda
dico sì come era graziosa[74] la sua compagnia; ne la terza
dico di quelle cose che vertuosamente operava[75] in altrui. La seconda parte comincia quivi: *quelle che vanno*;
la terza quivi: *E sua bieltate*. **15** Questa ultima parte si
divide in tre: ne la prima dico quello che operava ne le
donne, cioè per loro medesime[76]; ne la seconda dico quello che operava in loro per altrui; ne la terza dico come
non solamente ne le donne, ma in tutte le persone, e non
solamente ne la sua presenzia[77], ma ricordandosi di lei,
mirabilemente operava. La seconda comincia quivi: *La
vista sua*; la terza quivi: *Ed è ne li atti*.

---

[1] *ragionato è*, si è detto.

[2] *venne... genti*, arrivò ad essere tanto ammirata e benvoluta fra la
gente.

[3] *le persone... lei*, cfr. *Donne ch'avete*, 30 sgg., o anche Cino, *Or
dov'è*, 1-4. Ma lo Scherillo ha ben rilevato il richiamo scritturale, da
Marco III.7-8: «*et multa turba a Galilaea et Judaea secuta est eum;
et ab Hierosolymis et ab Idumaet et trans Iordanem, et qui circa
Tyrum et Sidonem, multitudo magna, audientes quae faciebat, vene-
runt ad eum*» («E lo seguì molta folla dalla Giudea, dalla Galilea, e da
Gerusalemme e dall'Idumea e d'oltre Giordano. Anche dalle vicinanze
di Tiro e Sidone molta gente, avendo udito le cose che faceva, venne a
lui»).

[4] *onestade*, «riflesso dell'onestà di lei» (De Robertis). Cfr. *Donne
ch'avete*, 33-34.

[5] *non ardia... occhi*, cfr. *Spesse fiate*, 12.

[6] *sì come esperti*, come coloro che l'hanno sperimentato (latinismo).

[7] *mi*, per me, a mio favore.

[8] *coronata... d'umilitade*, modulo tradizionale (cfr. *Tesoretto*, 34-35: «voi corona e manto/portate di franchezza», Guittone, *De valoroso voler coronata*; *Comune perta*, 16: «chi grandezza d'onor vol coronata»; «Meraviglioso beato/e coronato - d'onore»; *Com'eo più dico*, 7-8; Monte, *Non seppi mai*, 13: «cotant'è di bellezze coronata»; etc.).

[9] *nulla gloria*, nessun compiacimento.

[10] *femmina*, una donna comune (e cfr. Cino, *Li vostri occhi*, 13-14: «Questa non è terrena creatura: Dio la mandò da ciel, tant'è novella». Sull'origine angelica di madonna, *topos* ben attestato nella lirica occitanica (cfr. G. Montanhagol: «*Pero be.us dic que mielhs creire deuria/que sa beutatz desus del ciel partis/que tan sembla obra de paradis...*»); Guglielmo Beroardi, *Membrando - ciò c'Amore*, 14-15; l'adespoto *Amor m'ha veramente*, 13; e *Donzella gaia*, 1-6 etc.

[11] *E altri diceano*, «è significativo... come le formule introduttive di queste e delle parole precedenti riproducano uno schema tipico della prosa evangelica (e in particolare del *Vangelo di Giovanni*) a proposito delle diverse opinioni sulla natura di Cristo e i suoi prodigi (con riflesso quindi della forma sul contenuto)» (De Robertis).

[12] *una maraviglia*, v. *Donne ch'avete*, 17 (con XIV.6, XXII.1; XXIV.8, v. 11).

[13] *sì... adoperare*, sa compiere tali miracoli. Per *adoperare* v. nota a *Piangete, amanti*, 6. In *sae* si noti l'usuale epitesi.

[14] *Io dico ch(e)*, ancora la formula epigrafica di *Donne ch'avete*, 5, e della prosa.

[15] *sì piena di tutti li piaceri*, modulo cavalcantiano (*Avete 'n vo'*, 6; *In un boschetto*, 8), dove piacere è la bellezza *tout court*. Agisce forse anche una prima suggestione guittoniana, sul tipo diffuso presso l'aretino di «Dolente, tristo e pien di smarrimento».

[16] *comprendeano*, accoglievano in sé (in *Purgatorio*, IV.1-2).

[17] *onesta e soave*, pura e dolcissima (la coppia anche di *Ne li occhi porta*, 9).

[18] *ridicere*, ripetere. Il motivo dell'ineffabilità è cavalcantiano (*Posso degli occhi miei*, 16-17: «e non si pò di lei giudicar fòre/altro che dir: Quest'è novo splendore», etc.).

[19] *nel principio*, sin dal primo mirarla.

[20] *nol... sospirare*, non fosse costretto a sospirare (costruzione diretta); e v. ancora Cavalcanti, *Gli occhi di quella*, 20-23: «...ella si vede/tanto gentil, che non pò 'maginare/ch'om d'esto mondo l'ardisca mirare/che non convegna lui tremare in pria;/ed i', s'i' la sguardasse, ne morria».

[21] *cose*, effetti.

[22] *virtuosamente*, con i tradizionali caratteri virtuosi (v. anche XIX.8).

[23] *ripigliare... loda*, ché p. e. il sonetto *Io mi senti' svegliar* non poteva risultare congruente, assieme alla «digressione» del capitolo XXV, alla pura lode di Beatrice, di cui Dante aveva fornito il registro più adatto in *Ne li occhi porta*.

[24] *pur*, solo.

[25] *sensibilemente*, coi propri occhi, quando «andava per via».

²⁶ *quello... intendere*, quel poco che si potrà ricavare da un'espressione verbale (come in *Amor che ne la mente*, 17-18, e pure *Paradiso*, I.70-71 su piano più elevato).

²⁷ *sonetto*, lo schema identico a quello di *Ne li occhi porta*.

²⁸ *gentile*, nobile (inaugura, come ha rilevato Contini, un sistema di distribuzione binaria dei dati descrittivi - v. i versi 3-4, 6, 13 e, in generale il confronto 1-4 e 5-8, 9-11 e 12-14). La forte specificazione dell'*incipit* ricorda Guinizzelli, «Lo vostro bel saluto e 'l gentil sguardo/che fate...».

²⁹ *onesta*, è precisazione aggiuntiva di *gentile*.

³⁰ *pare*, verbo tecnico della fenomenologia stilnovistica (per cui cfr. *Io voglio del ver*, 3: «più che la stella dïana splende e pare»; Dante, *Qual che voi siate*, 8: «così parete saggio in ciascun canto»; ma anche Guittone, *Eo non son quel*, 13-14: «che piagente pare/in tutte cose ove bieltà s'apella»), in punta di verso determina l'evidenza figurativa dell'evento (e cfr. anche *Inferno*, XXXIII.134; *Paradiso*, XIII.91).

³¹ *altrui*, la gente.

³² *ogne... muta*, v. Cavalcanti, *Chi è questa che vèn*, 3-4: «sì che parlare/null'omo pote, ma ciascun sospira»; e, per il tremore, anche *Veggio negli occhi*, 16-18: «...s'i' 'l vo' contare, / sento che 'l su' valor mi fa tremare; / e movonsi nell'anima sospiri...». *Tremando* ha valore causale.

³³ *no l'ardiscon di guardare*, cfr. G. Alfani, *Quanto più mi disdegni*, 7-11: «Amor l'ucciderà 'n quella paura / ch'accende il pianto del crudel martire, / che mi spegne del volto / l'ardire, in guisa che non s'assicura / di volgersi a guardar negli occhi tuoi»; e Cavalcanti, *Gli occhi di quella*, 22-23; fino a Petrarca, *Del cibo onde 'l Signor*, 7: «vien, tal ch'a pena a rimirar l'ardisco».

³⁴ *si va*, s'impegna nel suo andare. Dalla rappresentazione degli effetti si trascorre alla visione diretta di lei.

³⁵ *sentendosi laudare*, alcuni interpreti citano Rambertino Buvalelli: «*tant es valens e de fin pretz verai, / e tant si fai lauzar a tota gen...*», e cfr. Petrarca, *Amor, se vuo'*, 85. Il movimento interno pare quello per cui «'l lauda en cor lo conoscente», in Guittone, *Gente noiosa e villana*, 84.

³⁶ *benignamente... vestuta*, con l'apparenza esterna di cortese benevolenza (e si citi Andrea Cappellano, *De Amore*, II.3: «*humilitatis ornatu vestiri*», con «la metafora della veste, così frequente in Dante e nello Stil novo, [che] ci riporta a quella manifestazione visibile d'un sentimento e d'una qualità che s'è vista concentrata nella parola *pare*» (Contini); si veda anche San Paolo, *Coloss.*, III.12: «*Induite... benignitatem, humilitatem, modestiam, patientiam...*» («Rivestitevi dunque... di visceri d'umiltà, modestia, pazienza e benevolenza...»). *D'umiltà vestita* anche in Onesto, *Non so s'è per mercè*, 12.

³⁷ *par, e credo che sia* sostituiva il *par* nella redazione del sonetto precedente all'inserimento entro il contesto della Vita Nuova: «L'intervento personale, Dante se ne era reso conto, rompeva quel clima di generale partecipazione, proponendo il miracolo come un'iperbole del sentimento del poeta, non come sentimento di tutti, introduceva un ele-

mento temporale, precario, in quella celebrazione fuori del tempo» (De Robertis).

³⁸ *cosa*, creatura (cfr. *Donne ch'avete*, 43).

³⁹ *da cielo... mostrare*, per il paragone «celeste» cfr. p. e. il più stereotipo Cavalcanti, *Biltà di donna*, 12-13: «e tanto più d'ogn'altr'ha canoscenza, / quanto lo ciel de la terra è maggio»; ma è in gioco l'effetto beatificante, già in *I' mi son pargoletta*, 3, organizzato poi nei termini (pure qui presenti) della donna tramite miracoloso della divinità: *Convivio*, III.VII.16-17. Cfr. Lapo, *Angelica figura novamente*, 1-4.

⁴⁰ *Mostrasi*, si rilevi il nesso anadiplosico (*mostrare - Mostrasi*) serrato dall'annominazione *miracol - mira*: a prolungare gli effetti miracolosi?

⁴¹ *piacente*, bella (dotata appunto del *piacere* di XXVI.3). «Tutto insiste sulla manifestazione delle qualità, sui rapporti delle sostanze» (Contini). Pura visibilità (accecante) in Monte, *Sì come i marinari*, 11-13: «ché là ove apar vostro angelico viso, / altro sprendor giamai non vi riluce», e cfr. Guittone, *Altra gioi' non m'è gente*, 37-42: «Tant'è dolce e piacente, / ched en core ed en face / sta sì che non se sface / già mai, ni fa partita, / la gioi', ch'aggio sentita / de lui...».

⁴² *per gli occhi*, secondo la fisica amorosa ovidiana, di cui ampie tracce in Cavalcanti, *Un amoroso sguardo*, 9-11: «Ma quando sento che sì dolce sguardo / dentro degli occhi mi passò al core / e posevi uno spirito di gioia...», e soprattutto *Veder poteste*, 9-11: «ma po' sostenne, quando vide uscire / degli occhi vostri un lume di merzede, / che pose dentr'al cor nova dolcezza». La *dolcezza* (per cui v. anche Cavalcanti, *In un boschetto*, 11 e 25) è quella stessa di *Ne li occhi porta*, 9, o *Sì lungiamente*, 8, ma affonda nel repertorio della *dulcedo* guittoniana.

⁴³ *che*, con ripetizione, arcaica (v. Federico II, *Dolze meo drudo*, 13-14) ma non gratuita, nel *la* (come in Cavalcanti, *Voi che per li occhi*, 4; Dante, *Poscia ch'Amor*, 44; Guittone, *Or son maestra*, 10: «omo ch'i' l'ho disdegnato» etc.).

⁴⁴ *'ntender... prova*, nel *Tesoretto* brunettiano, 2373-5, è Ovidio in persona a rispondere «in volgare / che la forza d'amare / non sa chi non la pruova»; cfr. Cavalcanti, *Donna me prega* , 53: «imaginar nol pote om che nol prova»; *Veggio negli occhi*, 8-9; *Paradiso*, III.39.

⁴⁵ *par... mova*, movimento tutto cavalcantiano (*Veggio negli occhi*, sapientemente «letto» da Dante all'occasione, e *Pegli occhi fere*, 3 e 9-10), ma influenzato da certa visionarietà mistica (cfr. almeno il *Volgarizzamento delle Vite dei santi padri*, ed. cit., p. 118: «se non fosse ch'era di sì onesti e composti costumi che parea che di lei uscisse un amore di castità sì mirabile e sì terribile che facea vergognare e temere chiunque l'avesse guatata disonestamente»). *Labbia* vede la trasformazione del neutro plurale *labia* in femminile singolare: cfr. Monte, *Tanto folleggiare*, 16, o D. Frescobaldi, *Per tanto pianger*, 7.

⁴⁶ *va dicendo*, dice (con effetto di indeterminatezza temporale).

⁴⁷ *Sospira*, v. Cavalcanti, *Io temo che la mia disaventura*, 10-11: «si parte da lo core uno sospiro / che va dicendo: Spiriti, fuggite». Su posizione arretrata, ma non dissimile, Bonagiunta, *Gli vostri occhi*, 9-11:

«Ella è saggia e di tanta beltate/che qual la vede conven che allora/mova sospiri di pianto d'amore». V. anche Onesto, *Ahi lasso taupino*, 20.

[48] *piano*, facile (anche nel *Tesoretto* in questo senso).

[49] *non abbisogna... divisione*, v. XIV.3.

[50] *per lei... molte*, estensione corale della *virtù*, come in Cino, *Or dov'è, donne*, 1-4; un effetto è anche in Cavalcanti, *Avete 'n vo'*, 9-10: «Le donne che vi fanno compagnia / assa' mi piaccion per lo vostro amore»; e il parlare di Virgilio «onora lui...» in *Inferno*, II.114. Ma appunto «posta l'equazione assoluta Beatrice /beatitudine è conseguenza necessaria che l'ambiente e quindi anche i soggetti femminili siano investiti della stessa "atmosfera". Per questa via - ed è fatto *fondamentale* — l'amore si avvia a divenire compiutamente l'*ideologia* tipica del rapporto cultura-società in quanto forza *mediatrice* per eccellenza, cardine della *riappacificazione* fra uomo e società divisa in classi: non per nulla amore sarà il tema fondamentale della poesia fino ai nostri giorni (anche se non sempre sono evidenti queste lontane origini della tematica)» (Antonelli).

[51] *manifestare*, sott. *ciò*.

[52] *vedea*; riprende *veggendo*, e anticipa i vv. 1-2 del sonetto.

[53] *anche*, inoltre.

[54] *sonetto*, «con le sue rime tutte alterne così nelle quartine come nelle terzine (su tre rime), ha aspetto più arcaico del precedente, dalle quartine ABBA e dalle terzine (pure su tre rime) a rime perfettamente speculari (CDE EDC), così da lasciare qualche dubbio circa la cronologia enunciata nella prosa» (Contini).

[55] *Vede*, cfr. Cavalcanti, «Vedeste, al mio parere, onne valore / e tutto gioco e quanto bene om sente»; e si rilevi l'epanalessi su *vede* dei vv. 1-2 (come in *Poscia ch'Amor*, 43-44: «veggendo rider cosa / che lo 'ntelletto cieco non la vede»).

[56] *salute*, perfezione (esempio di campo semantico mobile, come *fede* al v. 8, se si guarda anche a *Convivio*, III.VI.11-12). Caso di *conversio per metonymia* come in *Venite a intender*, 14; *Li occhi dolenti*, 25.

[57] *che vanno con lei*, v. *Donne ch'avete*, 32.

[58] *tenute... merzede*, obbligate a render grazie a Dio per il gran bene loro concesso (di accompagnarsi a Beatrice). Cfr. *Di donne io vidi*, 14.

[59] *vertute*, potenza.

[60] *nulla... procede*, le altre non ne ricavano alcun sentimento di invidia (tale è l'atteggiamento ammirativo di loro e la calma potenza di lei: cfr. p.e. Cavalcanti, *Fresca rosa novella*, 27-28: «Fra lor le donne dea / vi chiaman, come sète». Per il verbo v. *Donne ch'avete*, 17; *Vita Nuova*, XIX.18 e *Paradiso*, V.4.

[61] *seco*, con lei (riflessivo per il personale, come *ad abundantiam* nel latino medievale).

[62] *vestute*, sicilianismo (v. *Tanto gentile*, 6). Cfr. la metafora (stilnovistica) in Lapo, *Amor, nova ed antica*, 3; *Ballata, poi che ti compuose*, 20; ma anche in Monte, *Ahi lasso doloroso*, 13; Onesto, *Ahi lasso taupino*, 41; fino a Petrarca, *Sennuccio, i' vo'*, 7.

[63] *fede*, varrà fedeltà alla sua signoria, e quindi senso a tutti evidente di inalienabile devozione.

[64] *vista*, aspetto.

[65] *cosa*, persona (cfr. *Ne li occhi porta*, 2; con Guittone, *Me piacie dire*, 6, 8 e 14).

[66] *umile*, serena e tranquilla.

[67] *piacente*, bella (v. *Tanto gentile*, 9).

[68] *per*, grazie a, tramite. Cfr. per il concetto Maestro Rinuccino, *Gentil Donzella*, 12-14: «per voi tutte bellezze so' afinate, / e ciascun fior fiorisce in sua manera / lo giorno quando voi vi dimostrate».

[69] *tanto gentile*, il primo emistichio del sonetto precedente.

[70] *la si*, se la (disposizione arcaica dei pronomi).

[71] *recare a mente*, conservare nella memoria (v. *Inferno*, VI.89; XI.86 e 106-7; XVIII. 63, e *Purgatorio*, VI.6).

[72] *in dolcezza d'amore*, echeggia Cavalcanti, *Posso degli occhi miei*, 3: «che di dolcezza ne sospir' Amore».

[73] *parea*, si mostrava.

[74] *graziosa*, immagine operante di grazia (cfr. *Convivio*, II.VII.6).

[75] *vertuosamente operava*, v. XXI.6.

[76] *per loro medesime*, considerate in se stesse e non in relazione con altri.

[77] *non... presenzia*, «Si direbbe che Dante stia predisponendo le condizioni per la scomparsa (e la sopravvivenza) di Beatrice» (De Robertis).

XXVII [XXVIII]. Appresso ciò, cominciai a pensare uno giorno sopra quello che detto avea de la mia donna, cioè in questi due sonetti precedenti; e veggendo nel mio pensero che io non avea detto di quello che al presente tempo[1] adoperava in me, pareami defettivamente[2] avere parlato. **2** E però propuosi di dire parole, ne le quali io dicesse come me parea essere disposto[3] a la sua operazione, e come operava[4] in me la sua vertude; e non credendo potere ciò narrare in brevitade di sonetto[5], cominciai allora una canzone[6], la quale comincia: *Sì lungiamente*.

3   Sì lungiamente[7] m'ha tenuto Amore
          e costumato[8] a la sua segnoria,
          che sì com'elli m'era forte[9] in pria,

così mi sta soave ora nel core.

4 Però quando mi tolle [10] sì 'l valore [11],   5
li spiriti par che fuggan via [12],
allor sente la frale [13] anima mia
tanta dolcezza, che 'l viso ne smore [14],
poi [15] prende Amore in me tanta vertute [16],
che fa li miei spiriti gir parlando,   10
ed escon for [17] chiamando [18]
la donna mia, per darmi più salute [19].

5 Questo m'avvene ovunque ella mi vede [20],
e sì è cosa umil, che nol si crede [21].

---

[1] *al presente tempo*, al tempo di cui parlo (v.p.e. G. Villani, *Cronica*, VIII.49: «e la detta pace poco durò che avvenne il dì di Pasqua di Natale presente...».

[2] *defettivamente*, in modo manchevole, lacunoso.

[3] *disposto*, con riferimento preciso al pensiero aristotelico-scolastico, per cui v. *Convivio*, II.IX.7 e II.I.10, avvertibile anche in *Convivio* II.XII.8: «si credea... che disposto fosse a quello amore».

[4] *operava*, agiva.

[5] *in brevitade di sonetto*, nel breve e compatto giro di 14 versi.

[6] *canzone*, ridotta al frammento di stanza isolata (con schema ABBA ABBA, CDd CEE) per via della morte di Beatrice. Con essa «finiscono le rime appartenenti al secondo periodo dell'amore di Dante e alla seconda parte della *Vita Nuova*, quelle della loda di Beatrice cominciate con la canzone *Donne ch'avete*» (Melodia).

[7] *lungiamente*, a lungo (provenz. *lonjamen*), vivo presso i siciliani come Guido delle Colonne, *Amor che lungiamente m'hai menato*; Tommaso di Sasso, *D'amoroso paese*, 49, etc.; ma v. anche *Fiore*, XXXV.1, e Brunetto, *S'eo sono distretto*, 11.

[8] *costumato*, abituato: «ma la forma qui adoperata significa ridotto a conformità di costumi» (D'Ancona). Cfr. *Fiore*, XCIII.10; Guittone, *O Guidaloste*, 4; Chiaro, *Molto mi piace*, 2; etc.

[9] *forte*, acerbo, penoso (cfr. p.e. Monte, «Condizion pensando mia forte»).

[10] *tolle*, toglie.

[11] *valore*, forza vitale (come p.e. in *Donna pietosa*, 26). E cfr. Cavalcanti, *S'io fosse quelli*, 14: «li strugge 'l suo valore».

[12] *li spiriti... via*, come in Cavalcanti, *L'anima mia*, 13, ora rovesciato in motivo di inusitata dolcezza.

[13] *frale*, fragile (v. *Donna pietosa*, 29).

[14] *ne smore*, perde colore (questa volta per *dolcezza*: è sottile rovesciamento dei portati cavalcantiani in tema di dolore).

[15] *poi*, poiché.

[16] *vertute*, baldanza, forza.

[17] *escon for*, cfr. Bonagiunta, *Gli vostri occhi*, 2-4: «li spiriti che son dentro nel core, / ed escon for con sì gran tremore / ch'i' ho temenza che non sieno ancisi».

[18] *chiamando*, pronunciando il nome della. Cfr. ancora Cavalcanti, *Veggio negli occhi*, 13-20.

[19] *più salute*, per mio maggior conforto.

[20] *ovunque ella mi vede*, alla sua vera presenza.

[21] *e sì... crede*, v. *Ne li occhi porta*, 9 e 13-14.

XXVIII [xxix]. *Quomodo sedet sola civitas plena populo! facta est quasi vidua domina gentium*[1]. Io era nel proponimento[2] ancora di questa canzone, e compiuta n'avea questa soprascritta stanzia, quando lo segnore de la giustizia[3] chiamoe questa gentilissima a gloriare[4] sotto la insegna di quella regina benedetta virgo Maria, lo cui nome fue in grandissima reverenzia ne le parole di questa Beatrice beata[5]. **2** E avvegna che forse piacerebbe a presente[6] trattare alquanto de la sua partita[7] da noi, non è lo mio intendimento di trattarne qui per tre ragioni: la prima è che ciò non è del presente proposito[8], se volemo guardare nel proemio che precede questo libello; la seconda si è che, posto che fosse del presente proposito, ancora[9] non sarebbe sufficiente[10] la mia lingua a trattare come si converrebbe di ciò; la terza si è che, posto che fosse l'uno e l'altro, non è convenevole[11] a me trattare di ciò, per quello che, trattando, converrebbe essere me laudatore di me medesimo, la quale cosa è al postutto biasimevole a chi lo fae[12]; e però lascio cotale trattato ad altro chiosatore[13]. **3** Tuttavia, però che molte volte lo numero del nove ha preso luogo[14] tra le parole dinanzi, onde pare che sia non sanza ragione[15], e ne la sua partita cotale numero pare che avesse molto luogo[16], convenesi di dire quindi alcuna cosa, acciò che pare al proposito convenirsi. Onde prima dicerò come ebbe luogo ne la sua partita, e poi n'assegnerò alcuna ragione[17], per che questo numero fue a lei cotanto amico[18].

¹ *Quomodo... gentium, incipit* delle *Lamentationes* di Geremia, adducenti pure il ricordo della Gerusalemme celeste, di una serie di valori metafisici entro il motivo della coralità. La formula introduce anche la famosa elegia di Arrigo da Settimello, nonché un sonetto caudato di Marino Ceccoli, *Quomodo sola sedes, città artina.* («Come siede sola la città piena di popolo. La signora dei popoli è divenuta quasi vedova».)

² *nel proponimento,* nella fase di impostazione.

³ *lo segnore de la giustizia,* Dio «definito secondo l'attributo che permette di accettare la morte di Beatrice» (De Robertis).

⁴ *gloriare,* partecipare alla gloria celeste.

⁵ *Beatrice beata,* cfr. *Convivio,* II.II.1: «...di quella Beatrice beata che vive in cielo con li angeli e in terra con la mia anima, quando quella gentile donna, cui feci menzione ne la fine de la Vita Nuova...».

⁶ *a presente,* in questa circostanza (v. Cavalcanti, *Donna me prega,* 5).

⁷ *partita,* partenza (come in VII.2; *E' m'increscre di me,* 33; *Fiore,* LXXXV.7; *Detto,* 206, etc.).

⁸ *non è... proposito,* non rientra infatti nella trama dei ricordi conservati dal libro della memoria sotto *Incipit vita nuova.*

⁹ *ancora,* oltre a quanto ho premesso.

¹⁰ *sufficiente,* all'altezza. Cfr. *Convivio,* III.IV.3, e il relativo *Amor che ne la mente,* 7-8, 12-13 e 14-18. V. anche *Paradiso,* XIII.96 e XXVIII.58-59.

¹¹ *non è convenevole,* è disdicevole.

¹² *converrebbe... fae,* «e questo perché, se in genere chi avvicinava Beatrice ne ritraeva lode, tanto più dovette averne, in quell'occasione della morte, Dante, che era stato eletto ad amarla e a rivelarne agli altri la mirabile natura. Nella canzone dettata da Cino da Pistoia per la morte della donna dell'Alighieri... s'accenna appunto a quelle lodi» (Sapegno). Cfr. anche S. Boezio, *Cons. Philos.,* I.4: *Scis me haec et vera proferre et in nulla unquam mei laude iactasse; minuit enim quodam modo se probantis conspicientiae secretum, quotiens ostentando quis factum recipit famae pretium.*» («Tu sai quanto queste mie affermazioni siano vere e come non me ne sia mai vantato a mia gloria; in certo modo infatti si svilisce la segreta approvazione della coscienza ogni qual volta, mettendo in mostra il proprio merito, se ne riceve in premio la gloria»). *Al postutto* vale «completamente».

¹³ *ad altro chiosatore,* per alcuni interpreti vi sarebbe allusione alla ciniana *Avegna ched el m'aggia.* Ma forse si tratta di una formula di preterizione a scopo autopromozionale. Per *chiosatore* v. i modelli guittoniani di *partitore* (*Doglioso e lasso,* 7), *prenditore* (*Gioia ed allegranza,* 16), o *cantatore* (*Comune perta,* 23).

¹⁴ *ha preso luogo,* è occorso.

¹⁵ *sanza ragione,* casuale.

¹⁶ *avesse molto luogo,* giocasse un ruolo assai importante.

[17] *n'assegnerò alcuna ragione*, fornirò una precisa documentazione (v. le «ragioni assegnate» di *Convivio*, II.VI.5, «motivi allegati»).

[18] *cotanto amico*, cfr. «questa donna fue accompagnata da questo numero del nove».

XXIX [xxx]. Io dico che, secondo l'usanza d'Arabia[1], l'anima sua nobilissima si partio ne la prima ora del nono giorno del mese; e secondo l'usanza di Siria, ella si partio nel nono mese de l'anno[2], però che lo primo mese è ivi[3] Tisirin primo[4], lo quale a noi[5] è Ottobre; e secondo l'usanza nostra[6], ella si partio in quello anno de la nostra indizione[7], cioè de li anni Domini, in cui lo perfetto numero[8] nove volte era compiuto in quello centinaio nel quale in questo mondo ella fue posta[9], ed ella fue de li cristiani del terzodecimo centinaio[10]. **2** Perché questo numero fosse in tanto[11] amico di lei, questa potrebbe essere una ragione: con ciò sia cosa che, secondo Tolomeo e secondo la cristiana veritade[12], nove siano li cieli che si muovono[13], e, secondo comune oppinione astrologa[14], li detti cieli adoperino[15] qua giuso[16] secondo la loro abitudine insieme[17], questo numero fue amico di lei per dare ad intendere che ne la sua generazione[18] tutti e nove li mobili cieli perfettissimamente s'aveano insieme[19]. **3** Questa è una ragione di ciò; ma più sottilmente pensando[20], e secondo la infallibile veritade, questo numero fue ella medesima; per similitudine dico[21], e ciò intendo[22] così. Lo numero del tre è la radice[23] del nove, però che, sanza numero altro alcuno, per se medesimo[24] fa nove, sì come vedemo manifestamente che tre via[25] tre fa nove. Dunque se lo tre è fattore per se medesimo del nove, e lo fattore per se medesimo de li miracoli è tre, cioè Padre e Figlio e Spirito Santo, li quali sono tre e uno[26], questa donna fue accompagnata da questo numero del nove a dare ad intendere ch'ella era uno nove, cioè uno miracolo[27], la cui radice, cioè del miracolo, è solamente la mirabile[28] Trinitade. **4** Forse ancora per più sottile persona[29] si vederebbe in ciò più sottile ragione[30]; ma questa è quella ch'io ne[31] veggio, e che più mi piace.

---

[1] *secondo l'usanza d'Arabia*, Dante vuole indicare nella sera dell'otto giugno 1290 il momento della morte di Beatrice; cerca per questo di ridurre ognuno dei tre elementi (giorno, mese, anno) alla ragione del numero nove, ricorrendo per i primi due al calendario arabico e siriaco, e per il terzo a quello «romano». L'*usanza d'Arabia* è riferimento al modo arabo di contare le ore: «*Auspicantur enim Arabes diem quemque cum sua nocte, id est civilem ab eo momento, quo Sol occidit: propterea quod dies cuiusque mensis apud illos ineunt a prima Lunae visione; ea autem contigit circa occasum Solis*». (Gli Arabi fanno iniziare ciascun giorno con la sua propria notte, a partire dal momento esatto del tramonto: perché i giorni di ogni mese, per loro, hanno inizio col primo apparire della luna, che avviene appunto in concomitanza col tramonto del sole), come spiega il *Liber de aggregationibus stellarum* di Alfragano. Così «la prima ora del nono giorno del mese» equivale alla prima ora passato il tramonto del giorno otto.

[2] *secondo... anno*, per il calendario siriaco, pure diffuso da Alfragano, il «nono mese de l'anno» è il nostro giugno (*Hazirân*).

[3] *ivi*, in Siria.

[4] *Tisirin primo*, «*Tyxrin prior*» appunto il primo mese del calendario siriaco, corrispondente al nostro ottobre.

[5] *a noi*, per noi.

[6] *l'usanza nostra*, il nostro calendario (romano).

[7] *nostra indizione*, l'era volgare (per quanto l'indizione sia propriamente un ciclo o serie di quindici anni al termine del quale ritornano le stesse designazioni cronologiche. L'inizio di uno di questi cicli avrebbe avuto luogo nel terzo anno a.c.: dovrebbe essere qui l'*indizione bedana*, che si inizia il 24 settembre, molto diffusa a Firenze e nell'Europa occidentale).

[8] *lo perfetto numero*, il dieci (come somma dei primi quattro numeri, per cui v. *Convivio*, II.XIV.3; e S. Tommaso: «*Denarius est quodammodo numerus perfectus, quasi primus limes numerorum, ultra quem numeri non procedunt, sed reiterantur ab uno*» [«*Denario* è, come dire, numero perfetto, grosso modo il primo discrimine dei numeri oltre il quale essi non procedono ma si ripetono a partire dall'unità»]).

[9] *nove... posta*, cioè nove volte erano trascorsi dieci anni nel secolo che vide la nascita di Beatrice.

[10] *fue... centinaio*, appartenne al tredicesimo secolo di questa era cristiana.

[11] *in tanto*, tanto.

[12] *secondo la cristiana veritade*, secondo la verità conforme alla teologia cristiana, che aveva integrato a sé lo stesso sistema tolemaico (Tolomeo compare ben quattro volte nel *Convivio*, e una nella *Quaestio*).

[13] *che si muovono*, mobili (a differenza dell'Empireo *ciel quieto di Convivio* II.III.9).

[14] *secondo... astrologa*, in base alle più accreditate dottrine astronomiche.

[15] *adoperino*, operino, producano il loro influsso.

[16] *qua giuso*, sulla terra (*giuso*, dal latino *deorsum*, in analogia a *suso*).

[17] *secondo... insieme*, contemporaneamente a norma delle reciproche disposizioni; cfr. *Purgatorio*, XXX.109-111: «ovra de le rote magne / che drizzan ciascun seme ad alcun fine / secondo che le stelle son compagne».

[18] *generazione*, concepimento.

[19] *perfettissimamente... insieme*, «erano nella posizione più favorevole, dimodoché ognuno di questi cieli poteva far agire i benefici suoi influssi in perfetta armonia cogli altri» (Witte); e gli interpreti allegano *Convivio* IV.XXI.10: «E sono alcuni di tale oppinione che dicono, se tutte le precedenti vertudi s'accordassero sovra la produzione d'un'anima ne la loro ottima disposizione, che tanto discenderebbe in quella de la deitade, che quasi sarebbe un altro Iddio incarnato».

[20] *più sottilmente pensando*, volendo approfondire l'argomentazione e la riflessione.

[21] *per similitudine dico*, Beatrice fu cioè simile al nove che, come è detto poco dopo, è prodotto miracoloso della Trinità: la donna è appunto un «miracolo».

[22] *intendo*, definisco per interpretazione.

[23] *radice*, Dante spiega che il tre è radice quadrata del nove; il tre, vale a dire la Trinità, è *fattore* di miracoli, per cui anche il nove è un miracolo (al pari di Beatrice che con esso si identifica). Si ricordi per inciso che, ancora in *Convivio* II.I, Dante, parlando della trasfigurazione di Cristo, evince il senso morale dal fatto che tre dei dodici Apostoli furono presenti sul monte Tabor.

[24] *per se medesimo*, moltiplicato per se stesso.

[25] *via*, moltiplicato per.

[26] *li quali sono tre e uno*, cfr. almeno *Paradiso*, XIII.55-60; XXIV.139-41.

[27] *cioè uno miracolo*, come già detto in *Ne li occhi porta*, 14.

[28] *mirabile*, miracolosa (aggettivo già conveniente peraltro a Beatrice, p. e., in III.1 e XIV.5).

[29] *ancora... persona*, l'ingegno di persona ancora più acuta.

[30] *più sottile ragione*, un significato più riposto e come sfuggente.

[31] *ne*, su questo argomento.

XXX [xxxı]. Poi che fue partita da questo secolo, rimase tutta la sopradetta cittade quasi vedova [1] dispogliata da ogni dignitade; onde io, ancora lagrimando in questa desolata cittade, scrissi a li principi de la terra[2] alquando de la sua[3] condizione, pigliando quello cominciamento di Geremia profeta che dice: *Quomodo sedet sola civitas*[4]. E questo dico, acciò che altri[5] non si maravigli perché io l'abbia allegato[6] di sopra, quasi come entrata[7] de la nuova materia che appresso vene. **2** E se alcuno volesse me riprendere di ciò, ch'io non scrivo[8] qui le parole che seguitano a quelle allegate[9], escusomene, però che lo intendimento mio non fue dal principio[10] di scrivere altro che per volgare; onde, con ciò sia cosa che le parole che seguitano a quelle che sono allegate, siano tutte latine, sarebbe fuori del mio intendimento se le scrivessi. **3** E simile[11] intenzione so ch'ebbe questo mio primo amico a cui io ciò scrivo[12], cioè ch'io li scrivessi solamente volgare.

---

[1] *quasi vedova*, cita il «*quasi vidua*» di Geremia, *Lamentationes*, I.1, come pure *desolata cittade* riproduce il «Ierusalem deserta».

[2] *li principi de la terra*, i governanti della città (con sfumatura però ecumenica indotta dall'origine biblica dell'espressione).

[3] *sua*, della città medesima.

[4] *pigliando... civitas*, e sono due le epistole dantesche (la quinta e l'undicesima, ai prìncipi e ai cardinali d'Italia) a iniziare con citazione biblica.

[5] *altri*, qualcuno.

[6] *allegato*, citato.

[7] *entrata*, introduzione.

[8] *scrivo*, registro (v. V.4; VII.2).

[9] *le parole... allegate*, il testo successivo all'inizio che suona *Quomodo...*

[10] *dal principio*, sin dall'inizio.

[11] *simile*, la stessa. Il passato remoto *ebbe* si riferisce certo al momento dell'ideazione.

[12] *a cui io ciò scrivo*, cui è dedicata la mia opera.

XXXI [XXXII]. Poi che li miei occhi ebbero per alquanto tempo lagrimato, e tanto affaticati erano che non poteano disfogare la mia tristizia[1], pensai di volere[2] disfogarla con alquante parole dolorose; e però propuosi di fare una canzone, ne la quale piangendo ragionassi di lei per cui tanto dolore era fatto distruggitore de l'anima mia[3]; e cominciai allora una canzone[4], la qual comincia: *Li occhi dolenti per pietà del core.* 2 E acciò che questa canzone paia rimanere più vedova[5] dopo lo suo fine, la dividerò prima che io la scriva; e cotale modo terrò da qui innanzi[6].

3 Io dico che questa cattivella[7] canzone ha tre parti: la prima è proemio; ne la seconda ragiono di lei[8], ne la terza parlo a la canzone pietosamente[9]. La seconda parte comincia quivi: *Ita n'è Beatrice*; la terza quivi: *Pietosa mia canzone.* 4 La prima parte si divide in tre: ne la prima dico perché io mi muovo a dire; ne la seconda dico a cui io voglio dire; ne la terza dico di cui io voglio dire. La seconda comincia quivi: *E perché me ricorda*; la terza quivi: *e dicerò.* 5 Poscia quando dico: *Ita n'è Beatrice*, ragiono di lei; e intorno a ciò foe[10] due parti: prima dico la cagione per che tolta ne[11] fue; appresso dico come altri si piange[12] de la sua partita, e comincia questa parte quivi: *Partissi de la sua.* 6 Questa parte si divide in tre: ne la prima dico chi non la piange; ne la seconda dico chi la piange; ne la terza dico de la mia condizione. La seconda comincia quivi: *ma ven tristizia e voglia*; la terza quivi: *Dannomi angoscia.* 7 Poscia quando dico: *Pietosa mia canzone*, parlo a questa canzone, disignandole[13] a quali donne se ne vada, e steasi con loro[14].

8   Li occhi dolenti[15] per pietà[16] del core
         hanno di lagrimar sofferta pena[17],
         sì che per vinti[18] son remasi[19] omai.
         Ora[20], s'i' voglio sfogar[21] lo dolore,
         che a poco a poco a la morte mi mena,   5
         convenemi parlar traendo guai[22].
9   E perché me ricorda[23] ch'io parlai
         de la mia donna, mentre che vivia,
         donne gentili[24], volentier con vui,

non voi [25] parlare altrui [26],   10
se non a cor gentil che in donna sia [27],
e dicerò di lei piangendo, pui [28]
che si n'è gita in ciel subitamente [29],
e ha lasciato Amor meco dolente.

10 Ita n'è Beatrice in l'alto cielo [30],   15
nel reame [31] ove li angeli hanno pace [32],
e sta con loro [33], e voi, donne, ha lassate:
no la ci tolse qualità [34] di gelo
né di calore, come l'altre face [35],
ma solo fue sua gran benignitate [36];   20
ché luce [37] de la sua umilitate
passò li cieli [38] con tanta vertute [39],
che fé maravigliar l'etterno sire,
sì che dolce disire
lo giunse di chiamar tanta salute [40];   25
e fella [41] di qua giù a sé venire,
perché vedea ch'esta vita noiosa [42]
non era degna di sì gentil cosa [43].

11 Partissi de la sua bella persona [44]
piena di grazia [45] l'anima gentile [46]   30
ed èssi [47] gloriosa [48] in loco degno.
Chi no la piange, quando ne ragiona,
core ha di pietra sì malvagio e vile [49],
ch'entrar no i puote spirito benegno [50].
Non è di cor villan sì alto ingegno,   35
che possa imaginar di lei alquanto [51],
e però no li ven di pianger doglia [52]:
12 ma ven tristizia [53] e voglia
di sospirare e di morir di pianto,
e d'onne consolar [54] l'anima spoglia [55]   40
chi vede nel pensero [56] alcuna volta
quale ella fue, e com'ella n'è tolta.

13 Dannomi angoscia [57] li sospiri forte [58],
quando 'l pensero ne la mente grave [59]
mi reca quella che m'ha 'l cor diviso: [60]   45

                e spesse fiate pensando a la morte,
                venemene un disio tanto soave,
                che mi tramuta lo color nel viso[61].
14   E quando 'l maginar mi ven ben fiso[62],
                giugnemi tanta pena d'ogne parte[63],   50
                ch'io mi riscuoto[64] per dolor ch'i' sento;
                e sì fatto divento,
                che da le genti vergogna mi parte[65].
                Poscia piangendo, sol nel mio lamento[66]
                chiamo[67] Beatrice, e dico: «Or[68] se' tu
                                                            [morta?»;   55
                e mentre ch'io la chiamo, me conforta.
15   Pianger di doglia e sospirar d'angoscia[69]
                mi strugge[70] 'l core ovunque[71] sol mi trovo,
                sì che ne 'ncrescerebbe a chi m'audesse[72]:
                e quale è stata la mia vita, poscia   60
                che la mia donna andò nel secol novo[73],
                lingua non è che dicer lo sapesse:
16   e però, donne mie, pur ch'io volesse,
                non vi saprei io dir ben quel ch'io sono,
                sì mi fa travagliar[74] l'acerba vita[75];   65
                la quale è sì 'nvilita[76],
                che ogn'om par che mi dica: «Io
                                                [t'abbandono»[77],
                veggendo la mia labbia tramortita[78].
                Ma qual ch'io sia la mia donna il si vede[79];
                e io ne spero ancor[80] da lei merzede.   70
17   Pietosa[81] mia canzone, or va piangendo[82];
                e ritruova[83] le donne e le donzelle
                a cui le tue sorelle[84]
                erano usate di portar letizia;
                e tu, che se' figliuola di tristizia[85],   75
                vatten disconsolata a star con elle[86].

---

[1] *tristizia*, dolore (come in XXII.4).

[2] *volere*, qui fraseologico.

[3] *per cui... mia*, per la quale un grande tormento mi distruggeva. Si
noti l'oggettivazione degli enti implicati nell'evento.

[4] *canzone*, di cinque strofe con schema ABC ABC, CDE e DEFF, e commiato GHhIIH.

[5] *vedova*, spoglia, disadorna (come la *vedova vita* di *Convivio*, II.2).

[6] *cotale... innanzi*, «lo spostamento della "divisione", mentre conferma (D'Ancona) l'organicità di questa, è il contrassegno della "nuova materia"» (De Robertis). Peraltro Dante riterrà opportuno non operare divisioni nei capitoli XXXV, XXXVI, XXXIX e XL.

[7] *cattivella*, misera (cfr. *Un dì si venne*, 12; *Fiore*, CLXXXII, 1. Sarà epiteto largamente boccacciano).

[8] *di lei*, di Beatrice.

[9] *pietosamente*, in termini lacrimosi (giusta il v. 71 e *pietate* = pianto del capitolo XXIII, nota 71).

[10] *foe*, faccio (*fo* con epitesi).

[11] *ne*, a noi, ci.

[12] *si piange*, piange (forma media).

[13] *disignandole*, indicandole.

[14] *e steasi con loro*, anacoluto o costrutto indipendente da quanto precede. *Stea* è la forma originaria poi adeguata a *sia*. Cfr. *Sonetto, se Meuccio*, 14; *Io sento sì d'Amor*, 86.

[15] *dolenti*, addolorati (v.p.e. *Venite a intender*, 13; Cavalcanti, *Perché non fuoro*, 7-8: «che l'anima chiamò: Donna, or ci aiuta, / che gli occhi ed i' non rimagnàn dolenti»; cfr. qui anche il v. 14. *Spiriti dolenti* in Onesto, *Bernardo, quel dell'arco*, 3, e v. Guittone, *La dolorosa mente*, 12).

[16] *per pietà*, perché mossi a compassione.

[17] *hanno... pena*, ha tanto sopportato la fatica del piangere (si leghi *di lagrimar... pena* sul modello di *angoscia del pianto* di *Donna pietosa*, 16, o il *tormento di sospir* cavalcantiano, *Io non pensava*, 2).

[18] *per vinti*, come sopraffatti («impetrati» a norma di *Inferno*, XXXIII.49).

[19] *remasi*, cfr. *Salmi*, LXXXVII.10: «*oculi mei languerunt prae inopia*» («i miei occhi sono stati consumati dal pianto»).

[20] *Ora*, insomma.

[21] *sfogar*, cfr. *Donne ch'avete*, 4: «E non è che il primo addentellato ed esplicito richiamo alla canzone della lode, su cui questa· è in gran parte modellata» (De Robertis). Per lo «sfogarsi» cfr. Noffo di Bonaguida, *Le dolorose pene*, 12-13: «E gli occhi con amaro lagrimare / si sfogheranno il cor»; Monte, *Ai doloroso lasso*, 19-22 e Petrarca, *Gentil mia donna*, 59; *Piangete, donne*, 8; *Cesare, poi*, 8; etc...

[22] *convenemi... guai*, devo parlare e pianger forte insieme (v. anche *Donna pietosa*, 47).

[23] *me ricorda*, per l'uso impersonale, reliquia di Provenza, cfr. Cavalcanti, *Era in penser*, 31: «E' mi ricorda che 'n Tolosa...»; *Inferno*, IX.98; *Purgatorio*, XXXIII.91 etc. Sul ricordo basti *E' m'incresce di me*, 73.

[24] *donne gentili*, v. XIX.1.

[25] *voi*, voglio (come in *Ballata, i' voi*...).

[26] *parlare altrui*, cfr. Cavalcanti, *Donna me prega*, 6-9: «perch'io no spero - ch'om di basso core / a tal ragione porti canoscenza: / ché sen-

za - natural dimostramento / non ho talento - di voler provare / là dove posa...» (ma anche il più vicino dantesco *Donne ch'avete*, 14).

[27] *a... sia*, insomma, a una donna gentile. Così Dante, *Se Lippo amico*, 17: «priego il gentil cor che 'n te riposa».

[28] *pui*, si unisca al *che* iniziale del v. 13.

[29] *subitamente*, improvvisamente. V. Petrarca, *La bella donna*, 2-3: «subitamente s'è da noi partita, / e, per quel ch'io ne speri, al ciel salita».

[30] *Ita... cielo*, a riprodurre *Donne ch'avete*, 29: «Madonna è disiata in sommo cielo»; e cfr. la citata canzone di Giacomino Pugliese, 14: «Or n'è gita madonna in paradiso». Si noti la designazione di madonna con *Beatrice*: «come se, "salita da carne a spirito" e sciolta da ogni legame terreno, Beatrice acquistasse la sua vera realtà, identificandosi col (e pienamente adempiendo e come esaudendo il) significato del suo nome (Spitzer), prima dissimulato dalla consuetudine (e cfr. II.I e *Io mi senti' svegliar*, 9, ma nel capitolo dell' "epifania"· di lei), e fatta finalmente simile a se stessa» (De Robertis).

[31] *reame*, «dove la parola contribuisce, col prolungamento della dieresi, alla pacata grandiosità dell'immagine, fonicamente costruita su suoni vocalici chiari e aperti» (Blasucci). E cfr. *Al cor gentil*, 56 e, in Dante, *Donna pietosa*, 82, o *Paradiso*, XXXII.5.

[32] *nel reame... pace*, v. anche Pacino Angiulieri, *Quale che per amor*, 55-58: «e piacciati che sua dolze alma sia / acolta nel tuo regno, / e posta i' lloco di riposo e d'agio / ove non sia disagio».

[33] *sta con loro*, v. *Convivio* , II.II.1: «... di quella Beatrice beata che vive in cielo con gli angeli e in terra con la mia anima».

[34] *qualità*, una particolare (indefinita) condizione (interessante il confronto con Guittone, *La dolorosa mente*, 1-4: «La dolorosa mente, ched eo porto, / consuma lo calor, che mi sostene, / sì ch'eo non aggio membro se non morto, / for che la lingua, ch'a lo cor si tene»), e v. Petrarca, *Una donna più bella*, 31: «Ma non mel tolse la paura o 'l gelo...»). Boccaccio, nel *Trattatello*, così aggrega: «Un poco di soperchio freddo o di caldo che noi abbiamo (lasciando stare gli altri infiniti accidenti e possibili) da essere a non essere sanza difficoltà ci conduce» (§ 3).

[35] *face*, toglie (verbo vicario al pari di *fue* del verso successivo).

[36] *benignitate*, generosa bontà (che la fece considerare persino da Dio; cfr. p.e. *Paradiso* XVII.73-75; XXXIII.16).

[37] *luce*, un raggio (si pensi, in termini meno trascendenti, al *viso lucente* in Guittone, *Partito son*, 1).

[38] *passò li cieli*, penetrò per i nove cieli (evidente Guinizzelli, *Al cor gentil*, 53: «lo ciel passasti...»).

[39] *con tanta vertute*, con ascesa tanto irresistibile (cfr. *Vede perfettamente*, 5; *Tre donne*, 5; Petrarca, *Amor, se vuo'*, 100, etc.).

[40] *chiamar tanta salute*, far venire a sé una tale perfezione (la *salute* di *Vede perfettamente*, 1).

[41] *fella*, la fece.

[42] *noiosa*, è all'opposto di «gentile» del v. 28, con una sfumatura pe-

rò di intolleranza (si pensi all'*annoiosa gente*) che non ha l'altro epiteto *villano*.

⁴³ *cosa*, creatura (v. S. Paolo, *ad Hebraeos*, XI.38: «*quibus dignus
non erat mundus*» [«coloro di cui non era degno il mondo»]).

⁴⁴ *persona*, corpo (cfr. XIV.4; XIX.18 e 19; e *Inferno*, V.101; v. anche l'adespota *Oi lassa 'namorata*, 17: «La sua persona bella / tolto
m'à gioco e risa», con Petrarca, *Quella finestra*, 7).

⁴⁵ *piena di grazia*, come in *Luca*, I.28: «*Ave, gratia plena*».

⁴⁶ *l'anima gentile*, in rima con *vile* anche, molto dopo gli esempi più
noti, in Petrarca, *In quella parte*, 37.

⁴⁷ *èssi*, se ne sta.

⁴⁸ *gloriosa*, in gloria (v. XXVIII.1).

⁴⁹ *core... vile*, cfr. Guittone, *Ahi dolze terra aretina*, 3: «e ben chi
non piange ha dur cuore»; Dante, *Io son venuto*, 72, anche sulla base
del *cor lapideum* di *Ezechiele*, XI.19; o il tradizionale «core meo... diamante», p.e. in Rustico Filippi, *Oi amoroso*, 5. Per *malvagio e vile*,
cfr. *Poscia ch'Amor*: «o falsi cavalier', malvagi e rei» (v. 112).

⁵⁰ *entrar... benegno*, cfr. *Inferno*, XIII.36: «non hai tu spirto di pietà
alcuno?».

⁵¹ *imaginar di lei alquanto*, approssimarsi a una raffigurazione mentale di lei. Cfr. Panuccio, *Madonna, vostr'altero*, 61-62: «Donna, poi
'nmaginai / la piagente di voi nel cor figura...».

⁵² *di pianger doglia*, il dolore tipico del pianto (v. nota al v. 2).

⁵³ *tristizia*, dolore.

⁵⁴ *consolar*, infinito sostantivato.

⁵⁵ *spoglia*, segno di privazione totale (v.p.e. Paganino, *Contra lo meo
volere*, 33-34: «madonna, che mi spoglia / di coraggio e di fede»; Guinizzelli, *Fra l'altre pene*, 8: «che pur lo stringe e di forza lo spoglia»;
Cavalcanti, *Quando di morte*, 9: «e di vertù lo spoglia...»; Cino, *Dante,
i' ho preso*, 4, etc.

⁵⁶ *vede nel pensero*, equivale all'*imaginar* del v. 36.

⁵⁷ *angoscia*, v. *Donna pietosa*, 16.

⁵⁸ *forte*, molto.

⁵⁹ *grave*, oppressa (non escluderei però il collegamento *'l pensero...
grave*, magari ricordando Cavalcanti, *Veder poteste*, 12-14: «e quel sottile spirito che vede / soccorse gli altri, che credean morire, / gravati
d'angosciosa debolezza»; Monte, *Nel core aggio*, 47-48: «Ché 'l cor mi
grava / quando pensava / aver gioia...»; e cfr. *Paradiso*, X.134-135).

⁶⁰ *quella... diviso*, probabilmente madonna stessa, più che la Morte
addotta dal suggerimento di Cavalcanti, *Perché non fuoro*, 12-14:
«... una profonda voce / la quale dice: «Chi gran pena sente / guardi
costui, e vederà 'l su' core / che Morte 'l porta 'n man tagliato in croce' ».

⁶¹ *mi... viso*, cfr. il *color trafigurato* di Maestro Rinuccino, *Amore à
nascimento*, 6; e v. l'energico latinismo *trasmutare*, «uno dei più frequenti e pregnanti composti danteschi dal *Convivio* (dove però prevale
il significato tecnico di "tradurre") alla *Commedia* (dove abbraccia tutta la fenomenologia del mutamento, materiale e spirituale» (Folena).

⁶² *quando... fìso*, quando il ricordo si precisa nella mia mente (anche

in senso figurativo); per *fiso* v. Cavalcanti, *Era in penser d'amor*, 41; Lapo, *Angioletta in sembianza*, 12; in rima con *viso* in *Tesoretto*, 2915.

[63] *d'ogne parte*, come in Cavalcanti, *Quando di morte*, 7: «e di sospir' sì d'ogni parte priso»; in Dante v. *Savere e cortesia*, 5; *Io Dante a te*, 10.

[64] *mi riscuoto*, torno in me (come ad esempio in *Inferno* IV.2-3, o *Purgatorio*, IX.34-35).

[65] *mi parte*, mi separa, mi allontana.

[66] *sol... lamento*, tutto solo con l'espressione del mio dolore.

[67] *chiamo*, nomino.

[68] *Or*, normale ad apertura di interrogativa.

[69] *Pianger... angoscia*, perfetto parallelismo, a sottolineare un'intensificazione di concetto (ché la *doglia* ha congenito il *pianger*, come l'*angoscia* il *sospirar*).

[70] *strugge*, si è già detto di questo verbo ben vulgato in area guittoniana e quindi cavalcantiana.

[71] *ovunque*, in ogni occasione in cui.

[72] *ne 'ncrescerebbe a chi m'audesse*, v. *Ciò che m'incontra*, 9 sgg.

[73] *nel secol novo*, alla vita eterna (e v. la *seconda etade* di *Purgatorio*, XXX.125). Cfr. anche *Pietro*, II.III.13: «*Novos vero coelos et novam terram... expectamus, in quibus iustitia habitat* («Ma noi aspettiamo secondo la promessa di Lui nuovi cieli e nuova terra, nei quali abiti la giustizia» (con *Apoc.*, XXI.1).

[74] *travagliar*, soffrire.

[75] *l'acerba vita*, la vita che vivo in questo crudo dolore (v. anche l'*acerbo amore* di Guittone, *Eo sono sordo*, 2; e Petrarca, *Apollo, s'ancor*, 10; *Se 'l pensier*, 62).

[76] *'nvilita*, prostrata, caduta in basso (e v. Cavalcanti, *I' vegno 'l giorno a te*, 14).

[77] *ogn'om... abbandono*, ancora un modulo cavalcantiano: v. *Io non pensava*, 36: «Amor... / mi sbigottisce... / ché sospirando dice: Io ti dispero»; *Li mie' foll'occhi*, 12-14: «Quando mi vider, tutti con pietanza / dissermi: Fatto se' di tal servente, / che mai non déi sperar altro che morte»; *Veggio negli occhi*, 11-12: «da la qual par ch'una stella si mova / e dica...».

[78] *la mia labbia tramortita*, «il colore e l'espressione del mio viso che sembrano d'uomo morto» (Witte). Per *tramortita* v. *Ciò che m'incontra*, 6. *Labbia* anche in *Tanto gentile*, 12.

[79] *Ma... vede*, cfr. Petrarca, *Amor, quando fioria*, 11-12: «nel mezzo del meo cor Madonna siede, / e qual è la mia vita ella sel vede».

[80] *ancor*, anche adesso.

[81] *Pietosa*, caratterizzata dal dolore.

[82] *va piangendo*, cfr. i vv. 6 e 12.

[83] *ritruova*, v. Cavalcanti, *Posso degli occhi miei*, 18: «Va, ballatetta, e la mia donna trova».

[84] *le tue sorelle*, cfr. XXII.1; l'usuale metafora, chiarita in *Convivio*, III.IX.4, ricorre anche in *Parole mie*, 11; *O dolci rime*, 1-4, etc. E cfr. Petrarca, *Gentil mia donna*, 76.

85 *figliuola di tristizia*, cfr. *Donne ch'avete*, 60; ma anche, p.e. Guittone, *Castitate, tu*, 5: « Figlia spezial di Dio, d'angel sorore ».

86 *elle*, obliquo (come in « suon di man con elle », *Inferno*, III.27; *Poscia ch'Amor*, 118; *Non mi poriano*, 8; Dante da Maiano, *Usato avea*, 4, etc.).

XXXII [xxxiii]. Poi che detta fue questa canzone, sì[1] venne a me uno, lo quale, secondo li gradi de l'amistade, è amico a me immediatamente dopo lo primo; e questi fue tanto distretto di sanguinitade[2] con questa gloriosa, che nullo più presso l'era. **2** E poi che fue meco a ragionare[3], mi pregoe ch'io li dovessi dire alcuna cosa[4] per una donna che s'era morta; e simulava sue parole[5], acciò che paresse che dicesse d'un'altra, la quale morta era certamente[6]: onde io, accorgendomi che questi dicea solamente per[7] questa benedetta, sì li dissi di fare[8] ciò che mi domandava lo suo prego[9]. **3** Onde poi, pensando a ciò, propuosi di fare uno sonetto, nel quale mi lamentasse alquanto[10], e di darlo a questo mio amico, acciò che paresse che per lui[11] l'avessi fatto; e dissi allora questo sonetto[12], che comincia: *Venite a intender li sospiri miei*. **4** Lo quale ha due parti: ne la prima chiamo li fedeli d'Amore[13] che m'intendano[14]; ne la seconda narro de la mia misera condizione. La seconda comincia quivi: *li quai disconsolati*.

5   Venite a intender li sospiri miei[15],
          oi cor gentili, ché pietà 'l disia[16]:
          li quai disconsolati[17] vanno via,
          e s'e' non fosser[18], di dolor morrei;   4
          però che li occhi mi sarebber rei[19],
          molte fiate[20] più ch'io non vorria,
          lasso!, di pianger sì[21] la donna mia,
          che sfogasser lo cor, piangendo lei[22].   8
6   Voi udirete lor chiamar sovente
          la mia donna gentil, che si n'è gita[23]

al secol degno [24] de la sua vertute [25];   11
e dispregiar talora questa vita [26]
in persona de [27] l'anima dolente [28]
abbandonata de la sua salute.   14

[1] *sì*, paraipotattico, dopo subordinata temporale.

[2] *tanto... sanguinitade*, così stretto parente (v. XXIII.12). Un fratel-
lo di Beatrice, forse quel Manetto cui Cavalcanti avrebbe inviato il sonetto «comico» *Guata, Manetto, quella scrignutuzza*.

[3] *fue... ragionare*, si venne a ragionare con me.

[4] *dire alcuna cosa*, comporre alcuni versi. *Dovessi* è fraseologico.

[5] *simulava sue parole*, nascondeva qualcosa dietro il suo discorso,
parlava in modo dissimulato.

[6] *certamente*, davvero, realmente (affinché la «simulata ragione»
sembrasse vera).

[7] *dicea... per*, intendeva di.

[8] *di fare*, che avrei fatto.

[9] *prego*, preghiera (cfr. *Ballata, i' voi*, 41, e anche Guittone, *Voglia
de dir* 37; Chiaro, *Allegrosi cantari*, 32, etc.).

[10] *alquanto*, «in questo sonetto l'autore non si lamenta che *alquanto*,
acciocché paresse che non per sé stesso, ma per l'amico l'avesse fatto»
(Witte).

[11] *per lui*, da lui.

[12] *questo sonetto*, con schema ABBA ABBA, CDE DCE, al pari di
Volgete li occhi, *De gli occhi de la mia donna*, *Ne le man vostre*, *O
dolci rime* e *Io mi credea*.

[13] *li fedeli d'Amore*, gli amanti «intendenti».

[14] *m'intendano*, mi ascoltino attentamente.

[15] *Venite... miei*, cfr. gli *incipit* di Cavalcanti, *I' prego voi*, 1-4 e, dello stesso Dante, *Voi, che 'ntendendo*, 1-2.

[16] *'l disia*, lo richiede (quasi lo esige, dato il contesto).

[17] *disconsolati*, già in *Li occhi dolenti*, 76; e v. Cavalcanti, *Io non
pensava*, 9.

[18] *s'e' non fosser*, se non fosse per loro (se, appunto, io non potessi sospirare).

[19] *rei*, debitori (non riuscendo a smaltire in lacrime tutto il dolore del
poeta).

[20] *fiate*, volte.

[21] *sì*, così tanto.

[22] *piangendo lei*, a forza di piangere per lei.

[23] *si n'è gita*, v. *Li occhi dolenti*, 13.

[24] *secol degno*, cfr. il *secol novo* di *Li occhi dolenti*, 61, a significare
la nuova realtà celeste di Beatrice. L'impiego di perifrasi nobilitante
per indicare la morte (v. *Era venuta*, 14; *Li occhi dolenti*, 15 e 60-61;
Quantunque volte, 22, etc.) sarebbe «dimostrazione che la morte è divenuta realmente "cosa gentile" ora che "è stata nella sua donna"»
(Boyde), e rinnoverebbe un uso già estesamente guittoniano.

[25] *vertute*, qui «perfezione».
[26] *questa vita*, terrena, si intende.
[27] *in persona de*, a nome di.
[28] *l'anima dolente*, è sintagma cavalcantiano: *S'io prego*, 9; *I' prego voi*, 5; *O tu, che porti*, 4.

XXXIII [xxxiv]. Poi che detto ei[1] questo sonetto, pensandomi[2] chi[3] questi era a cui lo intendea dare quasi come per lui[4] fatto, vidi[5] che povero[6] mi parea lo servigio e nudo[7] a[8] così distretta persona[9] di questa gloriosa. **2** E però anzi ch'io li dessi questo soprascritto sonetto, sì dissi due stanzie d'una canzone, l'una per costui veracemente, e l'altra per me[10], avvegna che paia l'una e l'altra per una persona[11] detta, a chi non guarda sottilmente[12], ma chi sottilmente le mira[13] vede bene che diverse persone parlano, acciò che[14] l'una non chiama sua donna costei, e l'altra sì[15], come appare manifestamente. **3** Questa canzone e questo soprascritto sonetto li[16] diedi, dicendo io lui che per lui solo fatto[17] l'avea.

4 La canzone[18] comincia: *Quantunque volte*, e ha due parti: ne l'una, cioè ne la prima stanzia, si lamenta questo mio caro e distretto a lei[19]; ne la seconda mi lamento io, cioè ne l'altra stanzia, che comincia: *E' si raccoglie ne li miei*. E così appare che in questa canzone si lamentano due persone, l'una de le quali si lamenta come frate, l'altra come servo[20].

5   Quantunque[21] volte, lasso!, mi rimembra[22]
            ch'io non debbo già mai[23]
            veder la donna ond'[24] io vo sì dolente,
        tanto dolore intorno 'l cor m'assembra[25]
            la dolorosa mente,   5
            ch'io dico[26]: « Anima mia, ché non ten vai?
            ché li tormenti che tu porterai[27]
            nel secol, che t'è già tanto noioso[28],

     mi fan pensoso di paura forte »²⁹.

6   Ond'io chiamo la Morte³⁰,   10
     come soave e dolce³¹ mio riposo³²;
     e dico « Vieni a me » con tanto amore³³,
     che sono astioso³⁴ di chiunque more.

7   E' si raccoglie³⁵ ne li miei sospiri
     un sono di pietate³⁶,   15
     che va chiamando Morte tuttavia³⁷:
     a lei si volser tutti i miei disiri,
     quando la donna mia
     fu giunta³⁸ da la sua crudelitate;

8   perché 'l piacere de la sua bieltate³⁹,   20
     partendo sé da la nostra veduta⁴⁰,
     divenne spirital bellezza grande⁴¹,
     che per lo cielo spande⁴²
     luce d'amor⁴³, che li angeli saluta⁴⁴,
     e lo intelletto loro alto, sottile   25
     face maravigliar⁴⁵, sì v'è gentile.

---

¹ *ei*, ebbi (v. XXIII.3).

² *pensandomi*, riflettendo.

³ *chi*, quanto cioè fosse strettamente congiunto a Beatrice.

⁴ *per lui*, da lui.

⁵ *vidi*, mi resi conto, al solito.

⁶ *povero*, misero, inadeguato.

⁷ *e nudo*, dislocato in iperbato, vale « disadorno ».

⁸ *a*, a rispetto di (si veda ad esempio, G. Villani, *Cronica*, XII.50: « la moglie ne fece piccolo lamento a ciò ch'ella dovea fare »).

⁹ *distretta persona*, parente stretto.

¹⁰ *per costui... me*, una davvero a suo nome, e l'altra solo apparentemente.

¹¹ *per una persona*, a nome di una sola persona.

¹² *a... sottilmente*, a chi non presta particolare attenzione (v. XXIX.4).

¹³ *mira*, esamina, considera.

¹⁴ *acciò che*, causale.

¹⁵ *l'una... sì*, scritte per una sola donna (Beatrice) ma appunto a nome di due persone diverse.

¹⁶ *li*, a lui (e il *lui* successivo è obliquo).

¹⁷ *fatto*, neutro, a inglobare sia il sonetto che le due stanze.

¹⁸ *la canzone*, con schema AbC AcB, BDEeDFF.

¹⁹ *mio... lei*, caro personalmente a me e parente stretto di lei.

20 *servo*, fedele amante dunque.

21 *Quantunque*, quante (v. anche il *quandunque* di *Purgatorio*, IX.121 o di *Al poco giorno*, 37). È il latino *quantuscumque*. Cfr. *Amor che ne la mente*, 85.

22 *mi rimembra*, mi viene alla mente (e cfr. Cavalcanti, *S'io fosse quelli*, 2: «del qual non trovo sol che rimembranza»; Dante, *Li occhi dolenti*, 7; Bonagiunta, *Ormai lo meo cor*, 24; Jacopo da Leona, *Madonna 'n voi*, 12; etc...

23 *già mai*, mai più.

24 *ond(e)*, per la quale (causale).

25 *assembra*, raccoglie, accumula. Così in *Se' tu colui*, 8, con la corrispondenza ampia di Cavalcanti, «Tu m'hai sì piena di dolor la mente»; cfr. comunque, *L'Intelligenza*, CXXXVII.5; CCXL.3; CCLXIV.3, etc.

26 *ch'io dico*, «la formulazione diretta, espressione... del desiderio di morte (cfr. *Li occhi dolenti*, 47-8, e qui i vv. 10-3, 16-7, e in particolare il v. 12 e relativo riscontro con *Donna pietosa* , 73-9), e che richiama l'invito di *Ciò che m'incontra*, 4, qui XV.4 (ma meglio, per la proiezione drammatica di un nuovo "aspetto" psicologico, "Spiriti, fuggite", "Spiritei, non vi partite" di *Io temo che la mia disaventura*, 11, 14 di Cavalcanti), è l'equivalente imperativo (ché vale "perché", e l'interrogazione è una forma retorica di esortazione: "che aspetti ad andartene?") di "io men vo' gire" detto dall' "anima" in *Voi che 'ntendendo*, 19 (*Conv.*, II), e rispecchiante un'analoga situazione (al v. 14 "lo cor dolente" — e cfr. ancora *Tu m'hai sì piena di dolor la mente*, 2: "l'anima si briga di partire"); ma con trasposizione dalla dimensione narrativa a quella evocativa (e conseguente indeterminazione realistica), che sembra passata attraverso (e in sostanza "conversione" di) "che va dicendo all'anima: Sospira" di *Tanto gentile*, 14 (e si ricordi l'effetto che Dante sa trarre dall'interrogazione in *Se' tu colui*, XXII, 13-4): più stile *Vita Nuova*, dunque, e coerentemente con l'andamento più "arioso" (cfr. vv. 7-9) del presente componimento». (De Robertis).

27 *porterai*, dovrai sopportare (cfr. *Qual che voi siate*, 14: «che 'n cor porti dolor senza paraggio»; *Non canoscendo, amico*, 11; con Cavalcanti, *Era in penser*, 10.

28 *secol... noioso*, cfr. *Li occhi dolenti*, 27 e 61. *Già* vale «ormai».

29 *pensoso di paura forte*, assai preoccupato per l'avvenire.

30 *chiamo la Morte*, v. *Donna pietosa*, 3; e cfr. qui il v. 16 con Cino, *Audite la cagion*, 10, e Petrarca, *Nel dolce tempo*, 140.

31 *soave e dolce*, la stessa coppia di *O voi che per la via*, 9.

32 *riposo*, cfr. Guittone, *Tuttor ch'eo dirò gioi*, 12-14: «per ch'eo, gioiosa gioi', sì disïoso / di voi mi trovo, che mai gioi' non sento / se 'n vostra gioi' il meo cor non riposo»; e anche Cavalcanti, *Io non pensava*, 5.

33 *con tanto amore*, così affettuosamente, per meglio convincere la Morte.

34 *astioso*, invidioso. Foster-Boyde citano il lucchese Pietro de' Faitinelli, *Onde mi dée venir*, 14: «Ond'io porto asto grande a chi ci more»; cfr. anche Chiaro, *Di picciolo alber*, 10: «s'Amor per astio cresce in

225

nulla guisa»; *Purgatorio*, VI.20, e Niccolò de' Rossi, *I' ò fato*, 14: «ch'i' porto asto più volte nei morti».

35 *E' si raccoglie*, «l'applicazione di questo verbo, e dell'equivalente *s'accoglie*, ai suoni in *Purg.*, XXVIII.19 e in *Par.*, XIV.121-2, confermerebbe che i *sospiri* sono i suoni o le note (i *pneumata*) elementari di cui si compone il "sono", la voce di pietà» (De Robertis). *E'* è l'usuale prolessi pronominale del soggetto posposto.

36 *di pietate*, come forma di pietà, sua manifestazione (cfr. la «voce alquanta, che parla dolore» di Cavalcanti, *Voi che per li occhi*, 8, con Guittone, *Ben saccio*, 7-8: «allora alcuna voce audir me pare / dicendome ch'eo sia di bon sofrere», ancora Cavalcanti, *Perché non fuoro*, 11-14; D. Frescobaldi, *Poscia che dir*, 69-70; *Inferno*, V.19, etc.).

37 *tuttavia*, di continuo.

38 *giunta*, raggiunta, ghermita (cfr. *Inferno*, VIII.18; XXII.126).

39 *'l piacere... bieltate*, espressione ridondante: vale «l'insieme della sua bellezza».

40 *veduta*, vista (*nostra* perché una sorta di bene comune della cortesia).

41 *divenne... grande*, basti, com'è ormai tradizione, *Purgatorio*, XXX.127-128: «Quando di carne a spirto era salita / e bellezza e virtù cresciuta m'era...».

42 *spande*, effonde (cfr. gli esempi di Lapo, *Angelica figura*, 2; Chiaro, *Fa.mi semblanza*, 12; *Inferno*, XXVI.3; Panuccio, *Di sì alta valens'a*, 75; Maestro Rinuccino, *A guisa d'om*, 10: «e ricca gioia che spande tra gli amanti», e *Veracemente Amore*, 4; Cino, *Messer, lo mal*, 3, etc.).

43 *luce d'amor*, una splendente emanazione amorosa (per cui cfr. *Paradiso*, XXVII.112; XXVIII.54; XXX.40, etc.).

44 *saluta*, «il saluto di colei che beatificava gli uomini, ora rende beati gli angeli, che ad alta voce la chiedevano a Dio, perché fosse piena la loro gloria» (D'Ancona).

45 *face maravigliar*, v. *Li occhi dolenti*, 23; e soprattutto Petrarca, *Li angeli eletti*, 1-5: «Li angeli eletti e l'anime beate / cittadine del cielo, il primo giorno / che Madonna passò, le fur intorno / piene di meraviglia e di pietate».

XXXIV [xxxv]. In quello giorno nel quale si compiea l'anno che questa donna era fatta[1] de li cittadini di vita eterna[2], io mi sedea[3] in parte ne la quale, ricordandomi di lei, disegnava uno angelo sopra certe tavolette; e mentre io lo disegnava, volsi li occhi, e vidi lungo me[4] uomini a li quali si convenia di fare onore[5]. **2** E' riguardavano quello che io facea; e secondo che me fu detto poi, elli èrano stati[6] già alquanto anzi che io me ne accorgesse. Quando li vidi[7] mi levai, e salutando loro dissi: «Altri[8] era testé[9] meco, però pensava[10]». 3 Onde partiti costoro, ritornaimi a la mia opera, cioè del disegnare figure d'angeli: e faccendo ciò, mi venne uno pensero di dire parole, quasi per annovale[11], e scrivere a costoro li quali erano venuti a me; e dissi allora questo sonetto[12], lo quale comincia: *Era venuta*; lo quale ha due cominciamenti [13], e però lo dividerò secondo l'uno e secondo l'altro.

4 Dico che secondo lo primo questo sonetto ha tre parti: ne la prima dico che questa donna era già ne la mia memoria; ne la seconda dico quello che Amore però mi facea; ne la terza dico de gli effetti d'Amore. La seconda comincia quivi: *Amor, che*; la terza quivi: *Piangendo uscivan for*. 5 Questa parte si divide in due: ne l'una dico che tutti li miei sospiri uscivano parlando[14]; ne la seconda dico che alquanti[15] diceano certe parole diverse da gli altri. 6 La seconda comincia quivi: *Ma quei*. Per questo medesimo modo si divide secondo l'altro cominciamento, salvo che ne la prima parte dico quando questa donna era così venuta ne la mia memoria, e ciò non dico ne l'altro.

Primo cominciamento

7   Era venuta ne la mente mia[16]
      La gentil donna che per suo valore[17]
      fu posta da l'altissimo signore[18]
      nel ciel de l'umiltate[19], ov'è Maria.   4

Secondo cominciamento

8   Era venuta ne la mente mia
      quella donna gentil cui[20] piange Amore,
      entro 'n quel punto[21] che lo suo valore[22]
      vi trasse a riguardar quel ch'eo facia[23].   4

9   Amor, che ne la mente la sentia[24],
      s'era svegliato nel destrutto[25] core,

e diceva a' sospiri: «Andate fore»[26];
per che ciascun dolente si partia.   8

10   Piangendo uscivan for de lo mio petto
con una voce[27] che sovente mena
le lagrime dogliose[28] a li occhi tristi[29].   11

11   Ma quei che n'uscian for con maggior pena[30],
venian dicendo: «Oi nobile[31] intelletto,
oggi fa[32] l'anno che nel ciel salisti».   14

---

[1] *fatta*, diventata (lat. *facta erat*).

[2] *de li cittadini... eterna*, v.p.e. *Purgatorio*, XIII.94-96; e Petrarca, *Deh, porgi mani*, 3-4: «... quella ch'è fatta immortale / e cittadina del celeste regno».

[3] *mi sedea*, ero seduto.

[4] *lungo me*, vicino a me.

[5] *si convenia... onore*, era doveroso rendere accoglienza cortese. Erano cioè degni di rispetto.

[6] *stati*, si intende ad osservarmi.

[7] *Quando li vidi*, cfr. *Cavalcando l'altr'ier*, 9.

[8] *Altri*, il ricordo di Beatrice.

[9] *testé*, poco fa.

[10] *però pensava*, ecco il motivo per cui ero assorto.

[11] *per annovale*, per ricordare, celebrare l'anniversario della morte di Beatrice. Si noti l'epentesi di -*v*- fra vocali contigue.

[12] *questo sonetto*, schema ABBA ABBA, CDE DCE (cfr. *Venite a intender*).

[13] *due cominciamenti*, «Oltre che nella tradizione testuale della *Vita Nuova*, è presente anche in quella "estravagante" che fa capo al codice Escorialense e III.23 (O 63 sup. della Bibl. Ambrosiana; 1081 della Bibl. Palatina di Parma), con varianti che a D. De Robertis sono apparse in gran parte d'autore (ad es., v. 9 *Parlando*; v. 11 *dolenti*; v. 12 *con minor pena*). La presenza, in questi codici, del secondo cominciamento soltanto ha indotto il critico (seguito, per altre ragioni, dal Maggini e dal Montanari) a considerarlo come prima redazione effettiva, contrariamente all'opinione del Leo e del Folena. È difficile raggiungere una conclusione sicura, e inopportuno ricercare un progresso stilistico fra le due redazioni; converrà attenersi al discorso di D., che presenta i due concepimenti senza stabilire fra di essi una distanza temporale; sostanzialmente, dunque, coevi, anche se ben distinti per ispirazione. Il primo, infatti, incentrato quasi epigrammaticamente sulla "gloria" di Beatrice, anticipa e al tempo stesso ottunde la conclusione del sonetto; il secondo, delineandone solo l'occasione storica, dispone la lirica in una sequenza più dinamica che culmina nella rivelazione finale (*oggi fa l'anno che nel ciel salisti*), dove il lamento si trasfigura nel tema della memoria e della gloria, centrale nel libro e soprattutto in quest'ultima parte» (Pazzaglia).

[14] *uscivano parlando*, v. *Quantunque volte*, 14-16.

[15] *alquanti*, certuni.

[16] *mente mia*, memoria, come è anticipato chiaramente in fine del paragrafo 6. Cfr. *Spesse fiate vegnonmi a la mente*, nel cap. XVI.

[17] *per suo valore*, per la sua grande bontà e virtù.

[18] *l'altissimo signore*, v. anche *Paradiso*, XXXII.71, o *Convivio*, IV.V.3: «in quello altissimo e congiuntissimo consistorio de la Trinitade...».

[19] *ciel de l'umiltate*, l'Empireo, informato dalla virtù precipua di Maria. Si ricordi il concetto di pace in *Donna pietosa*, 69-72, con *Li occhi dolenti*, 16 e 21.

[20] *cui*, complemento oggetto. V. anche *Piangete, amanti*, 10-11.

[21] *entro 'n quel punto*, cfr. XXIII.13.

[22] *valore*, potenza.

[23] *facia*, facevo (sicilianismo).

[24] *Amor... sentia*, poi in «Amor che ne la mente mi ragiona» (*Convivio*, II), ma già provato da Cavalcanti, *Tu m'hai sì piena*, 5: «Amor, che lo tuo grande valor sente...».

[25] *destrutto*, disfatto (è ancora aggettivo, e verbo, cavalcantiano, per cui v. *Noi siàm le triste penne*, 9; *La forte e nova*, 6; *Perch'i' no spero*, 21; *A me stesso di me*, 11, etc.).

[26] *Andate fore*, v. anche qui Cavalcanti, *Gli occhi di quella*, 11-12: «I' sento pianger for li miei sospiri, / quando la mente di lei mi ragiona».

[27] *una voce*, v. nota 36 al capitolo XXXIII.

[28] *dogliose*, di dolore (specificativo).

[29] *occhi tristi*, poi ad esempio in Neri Moscoli, *Da poi che per la sua*, 14.

[30] *quei... pena*, «Ma a parte la variante *che si partian* di una sezione della tradizione estravagante (da ricollegare ad analoga oscillazione già per il v. 9), questa legge "con minor pena": ossia nelle migliori condizioni di esprimersi e quindi di essere percepiti (serrando così il rapporto logico tra prima e seconda terzina: di contro all'indefinita *voce* del v.10, le esplicite dichiarazioni dei vv. 13-14). Ovvero, con più facile passaggio alla lezione della tradizione organica del libro, il minimo di pena era costituito dal ricordo della morte di lei, questa non era che la minima delle sofferenze» (De Robertis).

[31] *nobile*, perché è «l'anima designata dalla sua parte più nobile», secondo Foster-Boyde (v. *Convivio*, III.II.14-16); e *intelletti* sono gli angeli di *Paradiso*, VIII.109 «che muovon queste stelle».

[32] *fa*, si compie.

XXXV [XXXVI]. Poi per alquanto tempo [1], con ciò fosse cosa che io fosse in parte ne la quale mi ricordava del passato tempo, molto stava pensoso, e con dolorosi pensa-

menti [2], tanto che mi faceano parere de fore [3] una vista [4]
di terribile sbigottimento. **2** Onde io, accorgendomi del
mio travagliare [5], levai li occhi per vedere se altri mi vedesse. Allora vidi una gentile donna [6] giovane e bella
molto, la quale da una finestra mi riguardava sì pietosamente, quanto a la vista [7], che tutta la pietà parea in lei
accolta [8]. **3** Onde, con ciò sia cosa che quando li miseri [9]
veggiono di loro compassione altrui [10], più tosto [11] si muovono a lagrimare, quasi come di se stessi avendo pietade,
io senti' allora cominciare li miei occhi a volere piangere;
e però, temendo di non [12] mostrare la mia vile vita [13], mi
partio dinanzi da li occhi di questa gentile; e dicea poi
fra me medesimo: «E' non puote essere che con [14] quella
pietosa donna non sia nobilissimo amore». **4** E però propuosi di dire uno sonetto [15], ne lo quale io parlasse a lei, e
conchiudesse [16] in esso tutto ciò che narrato è in questa
ragione [17]. E però che per questa ragione è assai manifesto, sì nollo [18] dividerò. Lo sonetto comincia: *Videro li occhi miei.*

5   Videro [19] li occhi miei quanta pietate
       era apparita [20] in la vostra figura [21],
       quando guardaste li atti e la statura [22]
       ch'io faccio per dolor molte fiate.   4

6   Allor m'accorsi che voi pensavate [23]
       la qualità de la mia vita oscura [24],
       sì che mi giunse ne lo cor paura
       di dimostrar con li occhi [25] mia viltate [26].   8

7 E tolsimi dinanzi a voi, sentendo
       che si movean le lagrime dal core [27],
       ch'era sommosso [28] da la vostra vista.   11

8   Io dicea poscia ne l'anima trista [29]:
       «Ben [30] è con quella donna quello Amore [31]
       lo qual mi face andar così piangendo» [32].   14

¹ *Poi... tempo*, qualche tempo dopo.

² *pensoso... pensamenti*, gravato da tristi riflessioni.

³ *parere de fore*, apparire (cfr. Cavalcanti, *Vedete ch'i' son un*, 11: «secondo che ne par de fòre».

⁴ *una vista*, una figura, un aspetto (cfr. Guittone, *Amor, tanto altamente*, 6-8).

⁵ *travagliare*, tormento (infinito sostantivato).

⁶ *una gentile donna*, «è la donna gentile che lo stesso Dante, nel *Convivio*, II.II.1-5, ... identificherà con la Filosofia; amplissima, quindi, presso i critici moderni, la discussione sul valore da dare alle indicazioni di Dante e alla *Vita Nuova* (non è mancato neppure chi ha ipotizzato, alquanto arbitrariamente, addirittura l'esistenza di due redazioni per gli ultimi capitoli della *Vita Nuova*). Qualunque sia la soluzione definitiva da dare alla questione, è certo comunque che la "donna gentile" della *Vita Nuova* si presenta come "avversaria della ragione" (al contrario di Beatrice) e che nel *Convivio* Dante è assolutamente esplicito nell'affermare il valore allegorico della "donna gentile", che non è altri che la Filosofia. Dunque, poiché è del tutto infondata l'ipotesi dell'esistenza di due redazioni, bisognerà concludere che ben difficilmente la "donna gentile" della *Vita Nuova* potrà avere valore allegorico (come nel *Convivio*)» (Antonelli).

⁷ *quanto a la vista*, almeno a giudicare dall'aspetto di lei.

⁸ *accolta*, cfr. *Amor, tu vedi ben*, 37: «In lei s'accoglie d'ogni bieltà luce», o *Io sento sì d'Amor*, 42: «... nel bel viso d'ogni bel s'accoglie», con le tappe successive di *Inferno*, XIV.114 e IV.9.

⁹ *li miseri*, gli infelici.

¹⁰ *veggiono... altrui*, fondamentale il richiamo a *Purgatorio*, XXX.94-99: «ma poi che 'ntesi nelle dolci tempre / lor compatire a me, più che se detto / avesser: Donna, perché sì lo stempre?, / lo gel che m'era intorno al cor ristretto / spirito e acqua fessi, e con angoscia / della bocca e delli occhi uscì del petto».

¹¹ *più tosto*, più facilmente.

¹² *temendo... non*, diffusa costruzione latineggiante (*timens ne*).

¹³ *la mia vile vita*, il mio deperimento (in senso etico); si veda in proposito Cavalcanti, *l' vegno 'l giorno a te*, 9: «per la vil tua vita», e già Guittone, *O cari frati miei*, 193: «e d'esta vita vil grande partire».

¹⁴ *con*, in, «ma con l'idea concomitante (e cfr. il v.13) dell'accompagnarsi di Amore a lei (cfr. Cavalcanti, *Chi è questa che vèn*, 3, "e mena seco Amor", e *Di donne io vidi* [*Rime*, LXIX], 4; e *Conv.*, II,II,i, "accompagnata d'Amore"» (De Robertis).

¹⁵ *uno sonetto*, schema ABBA ABBA, CDE EDC (come in *Piangete, amanti*; *Ne li occhi porta*; *Tanto gentile*).

¹⁶ *conchiudesse*, sintetizzassi (v. XXII.7).

¹⁷ *ragione*, dal provenz. *razo*, vale qui «ragionamento prosastico». Cfr. *Voi che 'ntendendo*, 53-54 per il valore affine di «assunto generale», con *Savete giudicar*, I. E v. *Inferno*, XI.67; *Purgatorio*, XXII.130; Cavalcanti, *Donna me prega*, 7 e 73.

¹⁸ *nollo*, non lo (assimilato).

[19] *Videro...*, ancora presente Cavalcanti, nel ricordo di *incipit* quali *Io vidi li occhi* o *Veggio negli occhi*. Nel primo verso è un esempio di sineddoche affine a quanto reperibile in *Li occhi dolenti*, 1-2, o *Tanto gentile*, 4.

[20] *apparita*, forma debole di participio passato.

[21] *figura*, sembiante, aspetto.

[22] *la statura*, l'atteggiamento, il modo di stare (a complemento forse del dinamismo de *li atti*).

[23] *pensavate*, consideravate.

[24] *qualità... oscura*, il mio «tetro modo di essere» (Contini), la condizione angosciosa della mia vita; v. *Spesse fiate*, 2; Cino, *Giusto dolore*, 9; *Se conceduto*, 7: «con la pietà de la mia vita oscura»; Petrarca, *Anima bella*, 3.

[25] *con li occhi*, piangendo.

[26] *viltate*, avvilimento.

[27] *si movean... core*, essendo il cuore fonte del pianto. V. ancora Cavalcanti, *I' prego voi*, 18: «Lagrime ascendon de la mente mia»; *Io non pensava*, 3: «... che dell'anima mia nascesse pianto».

[28] *sommosso*, sconvolto, agitato (non «separato», giusta il v. 9?). Cfr. Panuccio, *La dolorosa noia*, 110, e *Dolendo, amico*, 5.

[29] *dicea... trista*, anima trista è anche di Cavalcanti, *Se Mercé fosse amica*, 13; *Veder poteste*, 8; cfr. *Inferno*, XXX.76, e Petrarca, *Sì è debile il filo*, 11. E per il passaggio *Veggio negli occhi*, 18-19: «e movonsi nell'anima sospiri / che dicon: Guarda; se tu coste' miri...». Cfr. anche *li occhi tristi* di *Era venuta*, 10.

[30] *Ben*, rafforzativo: «proprio».

[31] *quello Amore*, v. *Voi che 'ntendendo*, 36-37.

[32] *andar... piangendo*, cfr. Cavalcanti, «Vedete ch'i' son un che vo piangendo...».

XXXVI [xxxvii] Avvenne poi che là ovunque questa donna mi vedea[1], sì[2] si facea d'una vista pietosa[3] e d'un colore palido quasi come d'amore[4], onde molte fiate mi ricordava[5] de la mia nobilissima donna, che di simile colore si mostrava tuttavia[6]. **2** E certo molte volte non potendo lagrimare né disfogare la mia tristizia[7], io andava per vedere questa pietosa donna, la quale parea che tirasse le lagrime fuori de li miei occhi per la sua vista[8]. **3** E però mi venne volontade di dire anche parole, parlando a lei, e dissi questo sonetto[9], lo quale comincia: *Color d'amore*; ed è piano[10] sanza dividerlo, per la sua precedente ragione.

4   Color d'amore e di pietà sembianti [11]
non preser [12] mai così mirabilmente [13]
viso di donna, per veder [14] sovente
occhi gentili o dolorosi pianti [15],   4
come lo vostro, qualora davanti
vedetevi la mia labbia dolente [16];
sì che per voi [17] mi ven cosa [18] a la mente,
ch'io temo forte non [19] lo cor si schianti [20].   8

5   Eo non posso tener [21] li occhi distrutti [22]
che non reguardin voi spesse fiate,
per desiderio di pianger ch'elli hanno: 11
e voi crescete [23] sì lor volontate [24],
che de la [25] voglia si consuman tutti [26];
ma lagrimar dinanzi a voi non sanno [27].   14

---

[1] *là... vedea*, identico in *Sì lungiamente*, 13.

[2] *sì*, paraipotattico.

[3] *si facea... pietosa*, assumeva un aspetto ispiratore di pietà.

[4] *d'un colore... d'amore*, come insegnavano gli antichi, da Orazio (*Carm.*, III.X.14: «*tinctus viola pallor amantium*») a Ovidio (*Ars am.* 1.729: «*Palleat omnis amans: hic est color aptus amanti*» [«Il pallore degli innamorati pinto di viola» — «tutti gli innamorati pallidi: ecco la cera loro conveniente»], poi in Petrarca, *S'una fede*, 8); e cfr. Lapo, *Ballata, poi che*, 21-24. È il tipico *color d'amore* del v. 1 del sonetto successivo. *Palido* è usuale nell'ortografia dantesca.

[5] *mi ricordava*, al solito impersonale. Non c'è richiamo esplicito al «color di perle» *di Donne ch'avete*, 47; vale piuttosto un confronto con la traslazione di qualità di cui già Cavalcanti, *Una giovane donna di Tolosa*, 1-7.

[6] *tuttavia*, sempre.

[7] *non potendo... tristizia*, come in XXXI.1.

[8] *per la sua vista*, con la sua pietosa presenza.

[9] *sonetto*, schema ABBA ABBA, CDE DCE (cfr. *Venite a intender* e *Era venuta*).

[10] *piano*, facile ad intendersi (v. XXVI.8).

[11] *Color... sembianti*, si noti il chiasmo iniziale reperibile anche in altre prove dantesche (v. *Sonar bracchetti*, 1-2 e cfr. *Voi, donne, che pietoso*, 5-6: «Ben ha le sue sembianze sì cambiate, / e la figura sua mi par sì spenta...», oltre al v. 4 di questo sonetto, in perfetta rispondenza semantica al v.1. Per *sembianti* basti *Purgatorio*, XXVIII.44.

[12] *preser*, occuparono. Cfr. Cavalcanti, *Li mie' foll'occhi*, 7: «per che sospiri e dolor mi pigliaro».

[13] *così mirabilmente*, in modo tanto eccezionale (cfr. Notaro, «Maravigliosamente / un amor mi distringe...».

233

¹⁴ *per veder*, per il fatto di vedere.

¹⁵ *occhi... pianti*, v. *Purgatorio*, XXXI.49-51: « Mai non t'appresentò natura o arte / piacer, quanto le belle membra in ch'io / rinchiusa fui, e che so' in terra sparte ».

¹⁶ *labbia dolente*, cfr. *Tanto gentile*, 12; *Li occhi dolenti*, 68, etc.

¹⁷ *per voi*, per causa vostra.

¹⁸ *cosa*, qualcosa di indefinibile.

¹⁹ *temo... non*, ancora il *timeo ne* latino. *Forte* è avverbiale (« parecchio »).

²⁰ *si schianti*, esploda, vada in pezzi. V. Monte, *Sentomi, al core, dolorosi schianti*, con il « gravoso ischianto » di Guittone, *Or dirà l'omo*, 13; Onesto, *Sì m'è fatta nemica*, 14.

²¹ *tener*, (da collegare al *che* iniziale del v. 10) impedire a, frenare.

²² *distrutti*, v. nota a *Era venuta*, 6.

²³ *crescete*, incrementate.

²⁴ *volontate*, desiderio (di piangere Beatrice).

²⁵ *de la*, per la.

²⁶ *si consuman tutti*, cfr. Cavalcanti, *Vedete ch'i' son un*, 14; *O donna mia*, 14, con *Lo doloroso amor*, 32; *Onde venite voi*, 12, etc. (ma si ricordi il forte *Tutto mi struggo* di Guido, *A me stesso di me*, 5).

²⁷ *non sanno*, non riescono (vinti forse dalla presente bellezza). Il verso è riecheggiato fonicamente in Petrarca, *Se bianche non son*, 9: « Lagrime omai dagli occhi uscir non ponno ».

XXXVII [XXXVIII]. Io venni a tanto¹ per la vista di questa donna, che li miei occhi si cominciaro a dilettare troppo² di vederla; onde molte volte me ne crucciava³ nel mio cuore ed aveamene per vile assai⁴. **2** Onde più volte bestemmiava⁵ la vanitade⁶ de li occhi miei, e dicea loro nel mio pensero: « Or⁷ voi solavate⁸ fare piangere chi vedea la vostra dolorosa condizione, e ora pare che vogliate dimenticarlo⁹ per questa donna che vi mira; che non mira voi, se non in quanto le pesa¹⁰ de la gloriosa donna di cui piangere solete¹¹, ma quanto potete fate, ché io la vi¹² pur¹³ rimembrerò molto spesso, maladetti occhi, ché mai, se non dopo la morte¹⁴, non dovrebbero le vostre lagrime avere restate¹⁵ ». **3** E quando così avea detto fra me medesimo a li miei occhi, e¹⁶ li sospiri m'assalivano grandissimi e angosciosi. E acciò che questa battaglia che io avea meco¹⁷ non rimanesse saputa pur dal misero che la sentia, propuosi di fare un sonetto, e di comprendere in ello [18] questa orribile condizione. E dissi questo sonetto [19], la quale comincia: *L'amaro lagrimar*. **4** Ed hae due parti: ne la prima parlo a li occhi miei sì come parlava lo mio cuore in me medesimo; ne la seconda rimuovo alcuna dubitazione [20], manifestando chi è che così parla; e comincia questa parte quivi: *Così dice*. **5** Potrebbe bene [21] ancora ricevere più divisioni, ma sariano indarno [22], però che è manifesto per la precedente ragione.

6 « L'amaro lagrimar [23] che voi faceste,
oi occhi miei [24], così lunga stagione [25],
facea lagrimar l'altre persone
de la [26] pietate, come voi vedeste [27].   4

7 Ora mi par che voi l'obliereste,
s'io fosse dal mio lato [28] sì fellone [29],
ch'i' non ven disturbasse ogne cagione [30],
membrandovi [31] colei cui [32] voi piangeste.   8

8 La vostra vanità [33] mi fa pensare [34],
e spaventami sì [35] ch'io temo forte
del viso d'una donna che vi mira [36].   11
Voi non dovreste mai, se non per morte [37],
la vostra donna, ch'è morta, obliare ».
Così dice 'l meo core, e poi sospira [38].   14

---

[1] *Io venni a tanto*, mi ridussi a tale condizione.

[2] *troppo*, più del lecito.

[3] *crucciava*, dolevo.

[4] *aveamene... assai*, per lo stesso motivo mi giudicavo assai spregevole.

[5] *bestemmiava*, maledicevo (per questo verbo cfr. *Inferno*, III.103; V. 36; o anche Rustico Filippi, *Due donzei nuovi* , 13).

[6] *vanitate*, la colpevole incostanza, leggerezza, (v.p.e. *Purgatorio*, XXXI.58-60: « Non ti dovea gravar le penne in giuso, / ad aspettar più colpi, o pargoletta / o altra vanità con sì breve uso »; e anche *Paradiso*, IX.12; *Convivio*, III.XV.14; e spiega Guittone, *Partito sono*, 6-8: « taupino me, che spero vanitate! / Perduto aggio lo core con la mente, / e son silvaggio dell'umanitate,... ».

[7] *Or*, poco tempo fa.

[8] *solavate*, eravate usi (con metaplasmo di coniugazione).

[9] *dimenticarlo*, dimenticare questa vostra «capacità».

[10] *le pesa*, le duole (cfr. *Inferno*, VI.58-59; giusta un effetto di quella «pesanza», diffusissima in tutta la poesia duecentesca).

[11] *solete*, solevate (in antico le forme presenti di *solere* hanno valore di imperfetto). Cfr. Guittone, *Ora parrà*, 2: «e s'eo varrò quanto valer già soglio».

[12] *la vi*, ve la.

[13] *pur*, ugualmente.

[14] *la morte*, vostra.

[15] *avere restate*, essere cessate (si noti il participio concordato col soggetto).

[16] *e*, paraipotattico.

[17] *questa... meco*, il mio contrasto interno (poi «battaglia di pensieri» in XXXVIII.4; e cfr. XIV.1).

[18] *ello*, v. nota a *Li occhi dolenti*, 76.

[19] *sonetto*, schema identico a *Color d'amore*.

[20] *dubitazione*, incertezza (su colui che dice «io» nei vv. 1-13).

[21] *bene*, in effetti.

[22] *indarno*, inutili.

[23] *L'amaro lagrimar*, cfr. Noffo di Bonaguida, *Le dolorose pene*, 12-13: «e gli occhi con amaro lagrimare / si sfogheranno il cor».

[24] *oi occhi miei*, identico in Petrarca, *Come talora al caldo*, 4.

[25] *così lunga stagione*, per tanto tempo (v. *Amore e 'l cor gentil*, 8).

[26] *de la*, per la.

[27] *come voi vedeste*, «rivolge in testimonianza storica l'ipotesi di *Li occhi dolenti*, 59...» (De Robertis).

[28] *dal mio lato*, per parte mia.

[29] *fellone*, vile, sleale (provenz. *fels*; e cfr. la *fellonia* di *Paradiso*, XVI.95, con Guittone, *Donna, lo reo*, 3; o la «fellonesca operazione» di Amore in Guittone, *Ahi Deo, che dolorosa*, 98; e *Ahi!, con mi dol*, 14: «tanto è duro e fellon vostro coraggio»; Notaro, *Certo me par*, 14; Guido delle Colonne, *La mia gran pena*, 45, etc.).

[30] *ch'i'... cagione*, da eliminarvi ogni motivo di oblio. È forse presente un ricordo di *Amore e monna Lagia*, 3-4: «che 'nd'ha partiti, sapete da cui? / nol vo' contar per averlo in oblio»?

[31] *membrandovi*, ricordandovi.

[32] *cui*, oggetto.

[33] *vanità*, v. XXXVII.2.

[34] *fa pensare*, preoccupa (tormenta).

[35] *spaventami sì*, cfr. *Voi che 'ntendendo*, 22 e 45.

[36] *d'una donna che vi mira*, basti *Convivio*, II.IX.4-5: «E qui si vuol sapere che avvegna che più cose ne l'occhio a un'ora possano venire, veramente quella che viene per retta linea ne la punta de la pupilla, quella veramente si vede, e ne la imaginativa si suggella solamente».

[37] *per morte*, per effetto di morte. V. il gioco con *morta* del v. 13 (e *obliare* rimanda a *obliereste* del v. 5), come anche la costruzione ad incastro del medesimo verso.

[38] *sospira*, «Ma il nesso *core-sospira* (e cfr. *Oltre la spera*, 2, qui XLI, 10, e *Amor che ne la mente* [*Conv.*, III], 35-6), in questo verso

piano e disteso, ci richiama all'altro *core-dolcezza* rilevato per le rime della lode... e addirittura *dolcezza-sospiri* (cfr. *Vede perfettamente*, 14 [XXVI,13], Cavalcanti, *Posso degli occhi miei* , 3 — cfr. peraltro *Lasso, per forza*, 1-2, 9-10, qui XXXIX, 8, 10, *Deh peregrini*, 10, qui XL,10, e già *Li occhi dolenti*, 57-8). E aggiungasi il chiudere sulla stessa parola di *Tanto gentile*, 14» (De Robertis).

XXXVIII [xxxix]. Ricovrai[1] la vista di quella donna in sì nuova condizione[2], che molte volte ne pensava sì come di persona che troppo[3] mi piacesse; e pensava di lei così: «Questa è una donna gentile, bella, giovane e savia[4], e apparita[5] forse per volontade d'Amore, acciò che la mia vita[6] si riposi». E molte volte pensava più amorosamente, tanto che lo cuore consentiva in lui[7], cioè nel suo ragionare[8]. **2** E quando io avea consentito ciò, e[9] io mi ripensava[10] sì come da la ragione mosso[11], e dicea fra me medesimo: «Deo, che pensero è questo, che in così vile[12] modo vuole consolare me e non mi lascia quasi altro pensare?». **3** Poi si rilevava[13] un altro pensero, e diceame: «Or tu se' stato in tanta tribulazione[14], perché non vuoli tu ritrarre te da tanta amaritudine? Tu vedi che questo è uno spiramento[15] d'Amore, che ne reca[16] li disiri d'amore dinanzi, ed è mosso da così gentil parte[17] com'è quella de li occhi de la donna che tanto pietosa ci s'hae[18] mostrata». **4** Onde io, avendo così più volte combattuto in me medesimo, ancora ne volli dire alquante parole; e però che la battaglia de' pensieri[19] vinceano coloro che per lei[20] parlavano, mi parve che si convenisse[21] di parlare a lei; e dissi questo sonetto[22], lo quale comincia: *Gentil pensero*; e dico «gentile» in quanto ragionava di gentile donna, ché per altro[23] era vilissimo.

5 In questo sonetto fo due parti di me, secondo che li miei pensieri erano divisi. L'una parte chiamo cuore, cioè l'appetito; l'altra chiamo anima, cioè la ragione[24]; e dico come l'uno dice con[25] l'altro. E che degno sia di chiamare l'appetito cuore, e la ragione anima, assai è

manifesto a coloro a cui mi piace che ciò sia aperto[26]. **6**
Vero è che nel precedente sonetto io fo [27] la parte del
cuore contra quella de li occhi, e ciò pare contrario [28] di
quello che io dico nel presente; e però dico che ivi lo cuore anche intendo per lo appetito, però che maggiore desiderio era lo mio ancora di ricordarmi de la gentilissima
donna mia, che di vedere costei, avegna che alcuno [29] appetito n'avessi già, ma leggiero parea [30]: onde appare che
l'uno detto [31] non è contrario a l'altro.

7 Questo sonetto ha tre parti: ne la prima comincio a
dire a questa donna come lo mio desiderio si volge tutto
verso lei [32]; ne la seconda dico come l'anima, cioè la ragione, dice al cuore, cioè a lo appetito; ne la terza dico
com'e' le risponde. La seconda parte comincia quivi:
L'anima dice; la terza quivi: *Ei le risponde*.

8   Gentil pensero [33] che parla di vui
         sen vene a dimorar meco sovente [34],
         e ragiona d'amor sì dolcemente [35],
         che face consentir lo core in lui [36].   4
9   L'anima dice [37] al cor: «Chi è costui,
         che vene a consolar la nostra mente [38],
         ed è la sua vertù tanto possente [39],
         ch'altro penser non lascia star con nui? [40]».   8
10   Ei le risponde: «Oi anima pensosa [41],
         questi è uno spiritel novo d'amore,
         che reca innanzi me li suoi [42] desiri;   11
         e la sua vita, e tutto 'l suo valore,
         mosse [43] de li occhi di quella pietosa
         che si turbava [44] de' nostri martìri».   14

---

[1] *Ricovrai*, ricuperai (il vedere quella donna...); cfr. *Spesse fiate*, 11.

[2] *in sì nuova condizione*, in uno stato tanto diverso (il cui valore è
ben chiarito da Dante in *Convivio*, II.II: «Sì com'è ragionato per me
nell'allegato libello, più da sua gentilezza che da mia elezione venne
ch'io ad esser suo consentissi, ché passionata di tanta misericordia si di-
mostrava sopra la mia vedova vita, che gli spirti de li occhi miei a lei si
féro massimamente amici, e così fatti, dentro a lei poi fèro tale, che il
mio beneplacito fu contento a disposarsi a quell'imagine».

[3] *troppo*, oltre ogni limite.

[4] *gentile... savia*, cfr. «una gentile donna giovane e bella molto» in XXXV.2; e *Voi che 'ntendendo*, 46-47; «Mira quant'ell'è pietosa e umile / saggia e cortese ne la sua grandezza».

[5] *apparita*, il solito participio debole.

[6] *la mia vita*, io.

[7] *consentiva in lui*, s'accordava con questo pensiero (ricavato per sillessi dal precedente verbo *pensava*).

[8] *ragionare*, sostantivato come in *Voi che 'ntendendo*, 2.

[9] *e*, paraipotattico.

[10] *mi ripensava*, tornavo a pensare di mia volontà.

[11] *sì... mosso*, cfr. II.9.

[12] *vile*, sleale, indegno (che lo rendeva infedele a Beatrice).

[13] *si rilevava*, si alzava contro di esso.

[14] *tribulazione*, termine scritturale (e non stilnovistico), come anche la successiva «amaritudine» (cfr. *Isaia*, XXXVIII.15; e v. *Convivio*, IV.XXV.10; quindi da Guittone, *Padre dei padri miei*, 3 a Pieraccio Tedaldi, *Deh, Vergine Maria*, 12).

[15] *spiramento*, suggerimento. Cfr. *Purgatorio*, XXX.133.

[16] *ne reca*, da unirsi a *dinanzi* (= ci fa sentire direttamente).

[17] *parte*, luogo.

[18] *s'hae*, si è (riflessivo con l'ausiliare *avere*).

[19] *la battaglia de' pensieri*, cfr. *Convivio*, II.II.3: «convenne prima che questo nuovo amore fosse perfetto, molta battaglia intra lo pensiero del suo nutrimento e quello che li era contraro». È oggetto di *vinceano*.

[20] *per lei*, a favore di lei.

[21] *si convenisse*, fosse opportuno.

[22] *sonetto*, schema identico a *L'amaro lagrimar*.

[23] *per altro*, da ogni altro punto di vista.

[24] *l'appetito... ragione*, «In quanto la difesa di Beatrice è qui affidata all'anima contro il cuore e là al cuore appunto contro gli occhi. Dante scioglie l'apparente contraddizione affermando che, quando scriveva il precedente sonetto, il suo tendere alla donna gentile non era ancora così forte, che in lui prevalesse sul desiderio di rievocare l'immagine di Beatrice: e questo desiderio o appetito appunto, personificato nel cuore, parlava allora in favore della donna gloriosa. Ora invece tutto il suo appetito è rivolto alla nuova apparizione pietosa, e a lottar contro di esso è rimasta solo la ragione» (Sapegno). Un'opposizione *anima-cuore* è anche quella di Cavalcanti, *L'anima mia*, 1-2.

[25] *con*, a (v. *Donne ch'avete* , 2, «con voi»).

[26] *mi piace... aperto*, mi immagino che questo fatto sia chiaro.

[27] *fo*, pongo (faccio distinzione quindi fra una parte del cuore e quella degli occhi).

[28] *e ciò pare contrario*, v. *Amor che ne la mente*, 73-74: «Canzone, e' par che tu parli contraro / al dir d'una sorella che tu hai». Nel sonetto precedente il cuore, o appetito, richiama Dante all'«osservanza» di Beatrice, in contrasto con gli occhi che si compiacevano della donna gentile; in questo sonetto invece l'appetito stesso conduce Dante ad amare la donna gentile, in opposto alla ragione che vorrebbe rimandar-

lo a Beatrice. Contraddizione sì, ma apparente, perché prima il cuore appetiva più il ricordo di Beatrice che la vista della donna gentile, mentre ora mira solo alla vista della donna gentile.

[29] *alcuno*, un qualche.

[30] *parea*, risultava.

[31] *l'uno detto*, quanto affermo nell'uno.

[32] *lo mio... lei*, citazione di *Quantunque volte*, 17: «a lei si volser tutti i miei disiri».

[33] *Gentil pensero*, v. lo *spiritel novo d'amore* del v. 10 (ma anche il pensiero per la nuova donna in *Voi che 'ntendendo*, 42: «uno spiritel d'amor gentile»).

[34] *meco sovente*, cfr. *Amor che ne la mente*, 3.

[35] *ragiona... dolcemente*, «e' Amore che, di oggetto del "ragionare" che era, e la formula era già in Cavalcanti, *Biltà di donna*, 3, ora "ragiona nella mente" e dà senso a quel parlare della sua donna — ma l'identificazione dei due termini è gia in *Voi che 'ntendendo*, 18, "di cui parlava me sì dolcemente"» (De Robertis).

[36] *face consentir... lui*, fa accordare l'«appetito» con lui (per il verbo cfr. XXXVIII.1; e per una trasposizione del concetto sul piano meditativo, *Voi che 'ntendendo*, 4: «che lo 'ntelletto sovr'esse disvia»).

[37] *L'anima dice*, cfr. *Amor che ne la mente*, 5-7: «Lo suo parlar sì dolcemente sona, / che l'anima ch'ascolta e che lo sente / dice:...».

[38] *vene... mente*, cfr. Cavalcanti, *Io temo che la mia disaventura*, 13: «che consolasse mia vita dolente».

[39] *ed è... possente*, a riscontro *Inferno*, II.11: «guarda la mia virtù s'ell'è possente».

[40] *ch'altro... nui*, v. *Voi che 'ntendendo*, 20: «Or apparisce chi lo fa fuggire».

[41] *pensosa*, affaticata nel voler sapere chi è costui.

[42] *suoi*, di sé.

[43] *mosse*, derivò (De Robertis cita a proposito l'*incipit* «Amor, che movi tua vertù da cielo»).

[44] *si turbava*, aveva compassione (contro il valore più usuale del verbo che, nel Due-Trecento, consiste nell'idea dell'adirarsi).

XXXIX [XL]. Contra questo avversario de la ragione[1] si levoe un die, quasi ne l'ora de la nona[2], una forte[3] imaginazione in me, che[4] mi parve vedere questa gloriosa Beatrice con quelle vestimenta sanguigne[5] co le quali apparve prima[6] a li occhi miei; e pareami giovane in simile etade in quale io prima la vidi[7]. **2** Allora cominciai a pensare di lei; e ricordandomi di lei secondo l'ordine del tempo passato[8], lo mio cuore cominciò dolorosamente a pentere[9] de lo desiderio a cui[10] sì vilmente s'avea lasciato possedere alquanti die contra la costanzia de la ragione: e discacciato[11] questo cotale malvagio desiderio, sì si rivolsero[12] tutti li miei pensamenti a la loro gentilissima Beatrice. 3. E dico che d'allora innanzi cominciai a pensare di lei sì con tutto lo vergognoso cuore[13], che li sospiri manifestavano ciò molte volte; però che tutti quasi diceano nel loro uscire quello che nel cuore si ragionava[14], cioè lo nome di quella gentilissima, e come si partio da noi[15]. E molte volte avvenia che tanto dolore avea in sé alcuno pensero[16], ch'io dimenticava lui[17] e là dov'io era[18]. 4 Per questo raccendimento de' sospiri[19] si raccese lo sollenato[20] lagrimare in guisa che li miei occhi pareano due cose che disiderassero pur[21] di piangere; e spesso avveniva che per lo lungo continuare del pianto, dintorno loro si facea[22] uno colore purpureo, lo quale suole apparire[23] per alcuno martirio che altri[24] riceva. 5 Onde appare che de la loro vanitade[25] fuoro degnamente guiderdonati[26], sì che d'allora innanzi non potero mirare persona che li guardasse sì che loro potesse trarre[27] a simile intendimento. 6 Onde io, volendo che cotale desiderio malvagio e vana tentazione paresse[28] distrutto, sì che alcuno dubbio non potessero inducere le rimate parole[29] ch'io avea dette innanzi, propuosi di fare uno sonetto ne lo quale io comprendesse[30] la sentenzia di questa ragione[31]. E dissi allora: *Lasso! per forza di molti sospiri*; e dissi «lasso» in quanto mi vergognava di ciò, che[32] li miei occhi aveano così vaneggiato[33].

7 Questo sonetto non divido, però che assai lo manifesta la sua ragione.

8   Lasso[34]! per forza di molti sospiri[35],
           che nascon de' penser che son nel core[36],
           li occhi son vinti[37], e non hanno valore[38]
           di riguardar persona che li miri[39].   4

9   E fatti son[40] che paion[41] due disiri

di lagrimare e di mostrar dolore,
e spesse volte piangon sì, ch'Amore
li 'ncerchia [42] di corona di martìri [43].   8

10   Questi penseri, e li sospir ch'eo gitto [44],
diventan ne lo cor sì angosciosi,
ch'Amor vi tramortisce [45], sì lien dole [46];   11
però ch'elli hanno in lor li dolorosi [47]
quel dolce nome [48] di madonna scritto,
e de la morte sua molte parole.   14

---

[1] *questo avversario de la ragione*, il pensiero «malvagio» che aveva costretto il cuore (*questo* si ricollega appunto ai vv. 5 e 10 di *Gentil pensero*).

[2] *ne l'ora de la nona*, a segnalare il momento «rigeneratore» dell'esperienza dantesca.

[3] *forte*, pressoché «irresistibile».

[4] *che*, copulativo.

[5] *vestimenta sanguigne*, cfr. II.3.

[6] *prima*, per la prima volta (v. II.1).

[7] *in simile... vidi*, a otto anni e quattro mesi (v. II.2).

[8] *secondo... passato*, secondo la regolare successione cronologica degli eventi.

[9] *pentere*, pentirsi (della coniugazione etimologica).

[10] *a cui*, dal quale (dativo d'agente).

[11] *discacciato*, cfr. *Tre donne*, 10; *Fiore*, CXIII.9, e soprattutto Dante da Maiano, *Lasso, per ben servir*, 4.

[12] *si rivolsero...*, cfr. *Purgatorio*, XXX.124-138. E v. ancora *Quantunque volte*, 17.

[13] *con tutto lo vergognoso cuore*, nonostante l'opposizione del cuore, che ancora provava vergogna per il suo «comportamento». Cfr. *Donna pietosa*, 18.

[14] *si ragionava*, veniva detto.

[15] *come... noi*, l'episodio del suo allontanamento da noi (la sua morte cioè). Il commiato della donna gentile sarebbe descritto anche nel sonetto dantesco per Lisetta, *Per quella via che la bellezza corre*, dove Dante «... espone... una tentazione vinta in nome della donna che abita il suo cuore (Beatrice)» (Contini); ed è testo rispondente «alla tematica del contrasto fra due opposte suggestioni amorose, ampiamente svolta nella *Vita Nuova* a *Voi che 'ntendendo* » (Pazzaglia).

[16] *alcuno pensero*, soggetto di *avea*.

[17] *lui*, il cuore.

[18] *là dov'io era*, cfr. *Io mi senti' svegliar*. 10; e Cavalcanti, *Gli occhi di quella*, 16: «in guisa ch'i' non so là 'vi 'i mi sia».

[19] *Per... sospiri*, cfr. anche *Purgatorio*, XXIII.46-47: «Questa favilla tutta mi raccese / mia conoscenza alla cangiata labbia».

[20] *sollenato*, alleviato (già in XII.2).

²¹ *pur*, esclusivamente.

²² *si facea*, si generava.

²³ *lo quale suole apparire*, calco del cavalcantiano *Veder poteste*, 3: «lo qual sòl apparir quand'om si more».

²⁴ *altri*, qualcuno.

²⁵ *vanitade*, v. XXXVII.2; e, poco più avanti, la *vana tentazione*.

²⁶ *guiderdonati*, ricompensati.

²⁷ *sì che loro potesse trarre*, da poterli indurre (ad analogo comportamento; vale a dire, a guardare detta persona con intenzione d'amore).

²⁸ *paresse*, risultasse.

²⁹ *rimate parole*, cfr. XIII.7. Sono esse a preoccupare Dante, forse anche perché in un primo momento comprendevano le stesse *Voi che ' ntendendo* e *Amor che ne la mente*, a fuorviare il lettore dalla giusta intelligenza della «novità».

³⁰ *comprendesse*, racchiudessi (v. XII.7 e XXXVII.3).

³¹ *la sentenzia... ragione*, il senso generale (ma anche preciso) di quanto narrato (v. XIV.13 e XXII.17).

³² *di ciò, che*, del fatto che.

³³ *aveano... vaneggiato*, si eran mostrati tanto leggeri.

³⁴ *Lasso!*, cfr. *Venite a intender*, 7, e *Quantunque volte*, 1.

³⁵ *per forza... sospiri*, a causa dei molti sospiri (v. anche Cavalcanti, *Pegli occhi fere*, 14).

³⁶ *che nascon... core*, cfr. ancora Cavalcanti, *Se Mercé*, 5-9: «d'angosciosi dilett'i miei sospiri, / che nascon della mente ov'è Amore / vanno sol ragionando dolore / e non trovan persona che li miri»; e pure *S'io prego*, 10: «piange ne li sospir' che nel cor trova».

³⁷ *vinti*, piegati, affranti (v. *Li occhi dolenti*, 3).

³⁸ *non hanno valore*, son privi della forza; e cfr. *Donna pietosa*, 26: «... che tu non hai valore?», con Cavalcanti, *L'anima mia*, 5.

³⁹ *persona che li miri*, ovviamente con intenzione amorosa (v. Cavalcanti, *Se Mercé*, 8: «e non trovan persona che li miri»).

⁴⁰ *fatti son*, sono diventati tali.

⁴¹ *paion*, sembrano trasformati in. È una sorta di riduzione allo stremo; e cfr. *Color d'amore*, 11-13.

⁴² *li 'ncerchia*, li circonda (cfr. *Inferno*, IV.107; con G. Alfani, *Guato una donna*, 8-10: «lo quale sbigottì sì gli occhi miei, / che li 'ncerchiò di stridi / l'anima mia...»). Significativo il richiamo a *Voi che savete ragionar*, 7-8: «però che intorno a' suoi sempre si gira / d'ogni crudelitate una pintura».

⁴³ *corona di martìri*, cfr. *In abito di saggia messaggera*, 10.

⁴⁴ *gitto*, getto (Notaro, *Meravigliosamente*, 41-43; Bonagiunta, *A me adovene*, 11: «per lacrime ch'eo getto, tutto coco»; e Dante, *Inferno*, XXVI.90; *Donne ch'avete*, 33). «Dice la veemenza del sospirare» (Barbi).

⁴⁵ *vi tramortisce*, perché appunto dimora nel cuore, come enuncia a chiare lettere *Donna pietosa*, 31.

⁴⁶ *sì lien dole*, v. *Voi che 'ntendendo*, 30: «sì ancor len dole».

⁴⁷ *li dolorosi*, è apposizione del soggetto, enfaticamente posposta co-

me ad esempio in *Non mi poriano*, 14: «ch'eo stesso li uccidrò, que' scanoscenti».

48 *quel dolce nome*, quasi come il cuore inciso di S. Ignazio caro all'agiografia medievale. Il verso nasce da *Lo doloroso amor*, 15-16: «Qual dolce nome che mi fa il cor agro, / tutte fïate ch'i' lo vedrò scritto...».

XL [xli]. Dopo questa tribulazione [1] avvenne, in quello tempo [2] che molta gente va per vedere quella imagine benedetta [3] la quale Iesu Cristo lasciò a noi per essemplo [4] de la sua bellissima figura, la quale vede la mia donna gloriosamente [5], che alquanti peregrini passavano per una via la quale è quasi mezzo de la cittad [6] ove nacque e vivette [7] e morio la gentilissima donna. 2 Li quali peregrini andavano, secondo che mi parve, molto pensosi [8], ond'io, pensando a lor, dissi fra me medesimo: «Questi peregrini mi paiono di lontana parte [9], e non credo che anche [10] udissero parlare di questa donna, e non ne sanno neente; anzi li loro penseri sono d'altre cose che di queste qui, ché forse pensano de li loro amici lontani [11], li quali noi non conoscemo». 3 Poi dicea fra me medesimo: «Io so che s'elli fossero di propinquo paese, in alcuna vista [12] parrebbero turbati passando per lo mezzo de la dolorosa [13] cittade». 4 Poi dicea fra me medesimo: «Se io li potesse tenere alquanto [14], io li pur [15] farei piangere anzi ch'elli uscissero di questa cittade, però che io direi parole le quali farebbero piangere chiunque le intendesse» [16]. 5 Onde, passati costoro da la mia veduta [17], propuosi di fare uno sonetto, ne lo quale io manifestasse ciò che io avea detto fra me medesimo; e acciò che più paresse pietoso [18], propuosi di dire come se io avesse parlato a loro; e dissi questo sonetto [19], lo quale comincia: *Deh peregrini che pensosi andate*. 6 E dissi «peregrini» secondo la larga significazione del vocabulo; ché peregrini si possono intendere in due modi, in uno largo e in uno stretto: in largo, in quanto è peregrino chiunque è fuori de la sua patria; in modo stretto non s'intende peregrino se non chi va verso la casa di sa' Iacopo [20] o riede [21]. **7** E però è da sapere che in tre modi si chiamano propriamente le genti che vanno al servigio de l'Altissimo [22]: chiamansi palmieri [23] in quanto vanno oltremare [24], là onde molte volte recano la palma; chiamansi peregrini in quanto vanno a la casa di Galizia, però che la sepultura di sa' Iacopo fue più lontana de la sua patria che d'alcuno altro apostolo [25]; chiamansi romei in quanto vanno a Roma [26], là ove questi cu' io chiamo peregrini andavano.

8 Questo sonetto non divido, però che assai lo manifesta la sua ragione.

9   Deh peregrini che pensosi andate,
        forse di cosa [27] che non v'è presente [28],
        venite voi da sì lontana gente,
        com'a la vista [29] voi ne dimostrate,   4
        che non piangete quando voi passate
        per lo suo mezzo [30] la città dolente [31],
        come quelle persone che neente
        par [32] che 'ntendesser la sua gravitate? [33]   8
10   Se voi restaste [34] per volerlo audire,
        certo lo cor de' sospiri [35] mi dice
        che lagrimando n'uscirete pui [36].   11
        Ell'ha perduta la sua beatrice [37];
        e le parole ch'om [38] di lei pò dire
        hanno vertù [39] di far piangere altrui [40].   14

---

[1] *tribulazione*, definisce la crisi causata dal ritorno al pensiero di Beatrice. De Robertis adduce *Matteo*, XXIV.29: «*Statim autem post tribulationem dierum illorum*» («Subito a seguito della tribolazione di quei giorni»).

[2] *in quello tempo...*, durante la settimana santa, probabilmente del 1292.

[3] *quella imagine benedetta*, la Veronica (di cui in *Paradiso*, XXXI.103-108, e anche Petrarca, *Movesi 'l vecchierel*, 9-11), famosa immagine del volto di Cristo che dalla Palestina avrebbe portato a Roma l'emorroissa guarita da Gesù, e chiamata *Ber(o)nice*. Come ben rivela il Rajna, «quella contemplazione delle vere fattezze del Cristo alla fede

ed alle idee medievali, appariva come un'anticipazione del paradiso».

⁴ *per essemplo*, come immagine, ritratto (v. XV.8).

⁵ *gloriosamente*, ora che è assunta nella gloria dei cieli.

⁶ *per una via... cittade*, una via quindi che attraversa quasi a metà Firenze, e che alcuni vogliono identificare con quella via del Corso dove si trovavano le case Portinari.

⁷ *vivette*, perfetto analogico.

⁸ *pensosi*, il motivo è poi chiarito poco oltre. Cfr. i *peregrini pensosi* di *Purgatorio*, XXXIII.16 (ma anche Cino, *Signor, e' non passo*, 4).

⁹ *di lontana parte*, da luoghi lontani (v. *Cavalcando l'altr'ier*, 10; ma il sintagma è già siciliano, nell'anonima canzone *Membrando l'amoroso dipartire*, o anche in Giacomo da Lentini Notaro, *Troppo son dimorato*, 2; v. poi Jacopo d'Aquino, *Al cor m'è nato*, 17: «Ancor ch'io sia lontano in altra parte»).

¹⁰ *anche*, mai (provenzalismo).

¹¹ *li loro... lontani*, contesto affine in *Purgatorio*, VIII.4-6: «e che lo novo peregrin d'amore / punge, se ode squilla di lontano / che paia il giorno pianger che si more».

¹² *in alcuna vista*, in qualcosa del loro aspetto, o atteggiamento.

¹³ *dolorosa*, perché rimasta «vedova».

¹⁴ *tenere alquanto*, trattenere per un po'.

¹⁵ *pur*, assolutamente (si noti la collocazione arcaica dopo pronome proclitico, come in Brunetto, *Tesoretto*: «Io pur domandai»; Rustico Filippi: «Ti pur miri e lisci»; G. Alfani: «io la pur miro» etc.).

¹⁶ *le quali... intendesse*, conforme a *Donne ch'avete*, 8 (più distante Cavalcanti, *Poi che di doglia cor*, 8 «fare' ne di pietà piangere Amore»); v. anche Petrarca, *Io son sì stanco*, 5-6: «Ben venne a dilivrarmi un grande amico, / per somma et ineffabil cortesia...».

¹⁷ *passati... veduta*, trascorsi lontano dalla mia vista.

¹⁸ *più paresse pietoso*, apparisse tale da commuovere di più.

¹⁹ *sonetto*, schema identico al precedente.

²⁰ *la casa di sa' Iacopo*, il santuario di Santiago de Compostela, in Galizia, luogo tradizionale di pellegrinaggio nel Medioevo, e così chiamato per il fatto che le reliquie del santo sarebbero state reperite nell'835 da Teodomiro, vescovo di Iria, in un luogo cui era stato condotto da una stella (*Campus Stellae*). Si ricordi fra l'altro che per la *via di Sa' Iacopo* si intendeva usualmente la Via Lattea, ritenuta segnale notturno ai pellegrini diretti in Galizia. Il luogo è citato, a proposito di un supposto viaggio di Guido Cavalcanti, anche nell'*incipit* di un sonetto ironico di Muscia da Siena, *E'cci venuto Guido in Compastello* (e v. *Paradiso*, XXV.16-18). In *sa'* è la tipica apocope del fiorentino.

²¹ *riede*, torna indietro (lat. *redit*).

²² *vanno... Altissimo*, intraprendono un pellegrinaggio per rendere omaggio a Dio.

²³ *palmieri*, quelli «cint[i] di palma..., a mostrare che sono stati al Sepolcro, ed hanno avuto vittoria di loro viaggio» (l'Anonimo Fiorentino su *Purgatorio*, XXXIII.78).

²⁴ *oltremare*, in Terrasanta.

²⁵ *la sepultura... apostolo*, «la leggenda attribuisce la casa di S. Ja-

copo in Galizia all'apostolo S. Jacopo, figlio di Zebedeo, ossia figlio del tuono, il quale in vita, benché con poco successo, era andato in Ispagna a predicare il Vangelo. Tornato in Giudea, fu decollato sotto Erode Agrippa, ma la barca alla quale i discepoli affidarono il di lui corpo fu dai venti trasportata in Galizia» (Witte).

[26] *in quanto... Roma*, secondo ancora il Rajna « Ρωμαῖος [ha] preso il significato di pellegrino molto lontano dall'Italia e da tutto l'occidente; in un paese non greco, e dove nondimeno la lingua greca era ampiamente propagata: nella Palestina... *Romei* non furono... in origine dei non romani, che andavano a Roma, bensì dei romani in senso largo che si vedevano arrivare in tutt'altro luogo. I pellegrinaggi alla tomba di S. Pietro venutisi a mettere accanto a quelli di Palestina, e spesso di certo compiuti unitamente fin dal quinto secolo, contribuirono di sicuro alla conservazione ed alla propagazione del vocabolo, come quelli che gli vennero a dare una specie di nuovo contenuto. Per effetto di una falsa etimologia ciò che indicava la provenienza parve significare lo scopo del viaggio; e delle false etimologie non è poca davvero l'efficacia».

[27] *cosa*, ancora col valore di «creatura», come in *Donne ch'avete*, 43, e altrove.

[28] *che non v'è presente*, da voi lontana.

[29] *a la vista*, mostrando infatti aspetto di stranieri.

[30] *passate... mezzo*, attraversate nel pieno centro (v. XL.1).

[31] *la città dolente*, come in *Inferno*, III.1, ma certo per motivi meno sfumati (e cfr. XXXVIII.1).

[32] *neente par*, cfr. Cavalcanti, *Tu m'hai sì piena*, 7-8: «per questa fiera donna, che nïente / par che piatate di te voglia udire».

[33] *gravitate*, afflizione. Cfr. Guittone, *Ora parrà*, 51; Cavalcanti, *Se vedi Amore*, 8, etc. (e *Paradiso*, X.135; XXXII.127). Foster-Boyde rilevano l'ispirazione della domanda rivolta a Cristo da Cleofa sulla via di Emmaus: «*Tu solus peregrinus es in Jerusalem, et non cognovisti quae facta sunt in illa his diebus?*» («Tu, unico pellegrino in Gerusalemme, non hai avuto notizia dei fatti là accaduti in questi giorni?»).

[34] *restaste*, vi fermaste (cfr. *Voi che portate*, 10).

[35] *lo cor de' sospiri*, più che genitivo di specificazione (al pari, p.e., del cavalcantiano *di doglia cor*), sarà da intendersi come riferimento ormai antonomastico all'*incipit* del sonetto precedente (senza escludere il valore strumentale di *de'* rilevato dal Barbi).

[36] *pui*, in rima guittoniana con *altrui*.

[37] *la sua beatrice*, cfr. II.1. È «importante la riduzione del nome alle sue funzioni etimologiche» (Contini). Si ricordi che per Leo Spitzer solo dopo la morte della donna «beatrice» diventa nella *Vita Nuova* nome proprio e non puro appellativo. Ma v. l'«inventore» Cino, *Novellamente Amor*, 4: «ella sarà del meo cor beatrice», e Petrarca, *Vergine bella*, 52, con *Sì come eterna vita*, 7, e *Gentil mia donna*, 37.

[38] *om*, pronome indefinito.

[39] *vertù*, la capacità.

[40] *altrui*, la gente. V. Guittone, *Deo, como pote*, 6: «chi m'odia a morte, si 'nde avria cordoglio»; Rustico Filippi, *Tant'è lo core*, 8; Cavalcanti, *Poi che di doglia*, 8; Petrarca, *Se quell'aura soave*, 14: «ch'avria vertù di far piangere un sasso».

XLI [XLII]. Poi mandaro[1] due donne gentili a me pregando che io mandasse loro di[2] queste mie parole rimate; onde io, pensando la loro nobilitade, propuosi di mandare loro e di fare una cosa nuova[3], la quale io mandasse a loro con esse, acciò che più onorevolemente[4] adempiesse li loro prieghi. E dissi allora uno sonetto, lo quale narra del mio stato, e manda' lo[5] a loro co lo[6] precedente sonetto accompagnato, e con un altro che comincia: *Venite a intender*.

2 Lo sonetto[7] lo quale io feci allora, comincia: *Oltre la spera*; lo quale ha in sé cinque parti. **3** Ne la prima dico ove va lo mio pensero, nominandolo per lo nome d'alcuno suo effetto[8]. **4** Ne la seconda dico perché va là suso, cioè chi lo fa così andare. **5** Ne la terza dico quello che vide, cioè una donna onorata là suso; e chiamolo allora «spirito peregrino», acciò che[9] spiritualmente[10] va là suso, e sì come peregrino lo quale è fuori de la sua patria[11], vi stae. **6** Ne la quarta dico come elli la vede tale, cioè in tale qualitade[12], che io no lo posso intendere[13], cioè a dire che lo mio pensero sale ne la qualitade di costei in grado che[14] lo mio intelletto no lo puote comprendere; con ciò sia cosa che lo nostro intelletto s'abbia a[15] quelle benedette anime sì come l'occhio debole a lo sole[16]: e ciò dice lo Filosofo nel secondo de la Metafisica. **7** Ne la quinta dico che, avvegna che io non possa intendere là ove[17] lo pensero mi trae, cioè a la sua mirabile qualitade, almeno intendo questo, cioè che tutto è lo cotale pensare de la mia donna[18], però ch'io sento lo suo nome spesso nel mio pensero: e nel fine di questa quinta parte dico «donne mie care», a dare ad intendere che sono donne coloro a cui io parlo[19]. **8** La seconda parte comincia quivi: *intelligenza nova*; la terza quivi: *Quand'elli è giunto*; la quarta quivi: *Vedela tal*; la quinta quivi: *So io che parla*. **9** Potrebbesi più sottilmente ancora[20] dividere, e più sottilmente fare intendere; ma puotesi passare[21] con questa divisa, e però non m'intrametto[22] di più dividerlo.

10   Oltre la spera che più larga gira²³
           passa ²⁴ 'l sospiro ch'esce del mio core:
           intelligenza nova ²⁵, che l'Amore
           piangendo ²⁶ mette in lui, pur su ²⁷ lo tira.   **4**

11   Quand'elli è giunto là dove disira ²⁸,
           vede una donna, che riceve onore ²⁹,
           e luce ³⁰ sì, che per lo suo splendore
           lo peregrino spirito la mira ³¹.   **8**

12   Vedela tal ³², che quando 'l mi ridice ³³,
           io no lo intendo, sì parla sottile ³⁴
           al cor dolente, che lo fa parlare ³⁵.   **11**

13   So io che parla di quella gentile,
           però che spesso ricorda ³⁶ Beatrice,
           sì ch'io lo ³⁷ 'ntendo ben, donne mie care.   **14**

---

¹ *mandaro*, si colleghi a *pregando*: mi mandarono a pregare.

² *di*, partitivo.

³ *una cosa nuova*, un testo scritto appositamente, per l'occasione (e non attinto all'arsenale delle vecchie cose per rima).

⁴ *più onorevolmente*, in modo meglio adeguato alla loro nobiltà.

⁵ *manda'lo*, con la consueta riduzione (mandailo).

⁶ *co lo*, anticipato per anastrofe rispetto ad *accompagnato*.

⁷ *lo sonetto*, schema ABBA ABBA, CDE DCE, come in altri ultimi della *Vita Nuova*.

⁸ *nominandolo... effetto*, definendolo attraverso una sua particolare manifestazione (identificandolo quindi per via di metonimia con il *sospiro*).

⁹ *acciò che*, in quanto.

¹⁰ *spiritualmente*, «Si noti il deciso rifiuto dell'interpretazione naturalistica, vitalistica della parola *spirito*, e la sottrazione di quest'esperienza, salvo per "alcuno effetto" esterno, alla sfera del sensibile: con riproposta dunque, in termini nuovi (e per la prima volta, direi, in termini di rappresentazione), del rivolgimento proclamato nel capitolo XVIII (e della distinzione iniziale di II,9)» (De Robertis).

¹¹ *fuori de la sua patria*, «oltre la spera»; «Dante espone esplicitamente uno dei motivi-chiave del libretto: la *Vita Nuova* in quanto "vita rinnovata da Amore", significa per lui anche il recupero della sua vera patria, il regno dello spirito, i Valori assoluti; Beatrice era la sua manifestazione vivente, il "miracolo", che rappresentava quei valori e tanto più li rappresenta ora che è morta, che può esprimere cioè — secondo Dante — la sua intera potenzialità. Ripercorrendo perciò un cammino che era stato dell'intera cultura medievale da Agostino e Boezio in poi, l'Alighieri (dopo il controllatissimo "segnale" posto nel capitolo precedente, con la figura dei pellegrini) riafferma il senso sostanziale del li-

bretto: il raggiungimento dei Valori assoluti, su un piano di certezze che non può non essere, per lui, metafisico (non per nulla è proprio su questi due capitoli, e sul sonetto, che è potuta sorgere l'ipotesi, in realtà infondata, che Dante fornisse qui le prime anticipazioni della *Commedia*). Lo stesso motivo dello "spirito peregrino" sarà in *Convivio*, IV, XII, 15» (Antonelli).

[12] *in tale qualitade*, cioè divina (v. il sostantivo per *Spesse fiate*, 2, e *Videro li occhi miei*, 6).

[13] *che io... intendere*, «più che al solito "che 'ntender no la può chi no la prova" di *Tanto gentile*, 11 (di cui tuttavia l'inizio della sirima del sonetto porta qualche eco), il richiamo è a "Io dico che pensando il suo valore / Amor sì dolce mi si fa sentire" ecc. di *Donne ch'avete*, 5 sgg., per il rapporto di *pensiero* (nella canzone "sentimento", ossia contemplazione) e *intelletto*, e addirittura alla strofa proemiale di *Amor che ne la mente mi ragiona*, dove il pensiero che "ridice" la "qualità" della sua donna non è altro che Amore che ragiona nella mente (cfr. *Conv.*, III, III.14 e IV.4; e si tenga presente l'intermediario di *Gentil pensero che parla di vui*), e l'*intendere*, il *comprendere* (entrambi i termini tornano qui) è distinto dall'*ascoltare, sentire, udire*» (De Robertis).

[14] *sale... che*, «si profonda tanto» nella conoscenza di costei (cfr. *Paradiso*, I.8-9: «nostro intelletto si profonda tanto / che dietro la memoria non può ire»).

[15] *s'abbia a*, stia in rapporto con.

[16] *sì... sole*, si ricordi ancora Cavalcanti, *Biltà di donna*, 13: «quanto lo ciel de la terra è maggio»; e più pertinente *Amor che ne la mente*, 59-60: «Elle soverchian lo nostro intelletto / come raggio di sole un frale viso»; con Guinizzelli, *Al cor gentil*, 41-42; fino a *Paradiso*, XXX.25-27. Come termine di paragone per indicare le bellezze della donna, l'immagine della luce solare era assai nota nella lirica occitanica e in quella siculo-toscana: cfr. p.e. Notaro, *Madonna ha 'n sé*, 5-6; Bonagiunta, *Ben mi credea*, 22-24; *Vostra piacenza*, 12-14; Monte, *Oi dolze Amore*, 35-36; *Sì come i marinar'*, 11-13; Chiaro, *La gioia e l'alegranza*, 11-12; Guinizzelli, *Tegno de folle 'mpresa*, 23-24 etc. *Debole* vale «naturalmente debole al confronto», giusta anche *Convivio*, III.VIII.14.

[17] *là ove*, ciò a cui.

[18] *tutto... donna*, tutto questo pensiero ha per oggetto la mia donna.

[19] *donne... parlo*, vedi il collegamento con la tematica centrale della *Vita Nuova* fissata in *Donne ch'avete*.

[20] *più sottilmente ancora*, con distinzioni ancora più ricercate.

[21] *passare*, lasciar correre (usuale nelle formule di preterizione).

[22] *non m'intrametto*, non mi impegno a.

[23] *Oltre... gira*, al di là del Primo Mobile, ché è fra i cieli il più ampio e veloce (cfr. *Purgatorio*, XXXIII.90; *Paradiso*, XIII.24; XXIII.112; XXVII.99; XXVIII.54 etc.): quindi nell'Empireo «immobile per avere in sé, secondo ciascuna parte, ciò che la sua materia vuole» (*Convivio*, I.III.8). *Spera* per «cielo» è anche in *Paradiso*, III.51; XXII.62; XXIII.107-108, etc.

²⁴ *passa*, penetra (cfr. Guinizzelli, *Al cor gentil*, 53).

²⁵ *intelligenza nova*, virtù ora appunto infusa direttamente da Amore.

²⁶ *piangendo*, tramite il dolore.

²⁷ *pur su*, continuamente verso l'alto (v. *Purgatorio*, IV.38).

²⁸ *là dove disira*, al luogo verso cui si appunta ogni suo «intendimento».

²⁹ *vede... onore*, cfr. *Voi che 'ntendendo*, 17: «ove una donna gloriar vedia».

³⁰ *luce*, splende (cfr. *Paradiso*, XXXI.71, ma anche *Amor che ne la mente*, 34).

³¹ *mira*, contempla.

³² *Vedela tal*, ricorda *Tanto gentile*, 9.

³³ *ridice*, v. *Paradiso*, I.9 (con *Voi che 'ntendendo*, 18-19).

³⁴ *io no lo intendo... sottile*, pressoché identico poi in *Paradiso*, XV.39: «ch'io non lo 'ntesi, sì parlò profondo». Nel confronto con il primo emistichio del v. 14 scatterà la polemica interrogazione di Cecco Angiolieri, disposto a cogliere una contraddizione (solo apparente e come tale giustificata da Dante al momento della stesura della prosa, XLI.7) per voce del sonetto *Dante Allaghier, Cecco, 'l tu' servo e amico*. Si produsse uno scambio, probabilmente ingiurioso anche da parte del fiorentino, di cui è conservato il solo versante angioliersco (*Dante Alighier, s'i' so' bon begolardo*, con un sonetto «di procura» trasmesso sotto il nome di Guelfo Taviani). *Sottile* vale qui «oscuro» come nei *sottil motti* guittoniani (*La gioia mia* , 7), e in *Convivio*, IV.II.13: «e dice *sottile* quanto a la sentenza de le parole, che sottilmente argomentando e disputando procedono».

³⁵ *che lo fa parlare*, «in quanto è dal suo rimpianto che è nata l' ''intelligenza nova'' d'amore e il bisogno di esprimerla» (De Robertis).

³⁶ *ricorda*, cita il nome di.

³⁷ *lo*, il suo parlare.

XLII [XLIII]. Appresso questo sonetto apparve a me una mirabile visione, ne la quale io vidi cose che¹ mi fecero proporre² di non dire più di questa benedetta infino a tanto che io potesse più degnamente trattare di lei. **2** E di venire a ciò io studio³ quanto posso, sì com'ella sae veracemente⁴. Sì che, se piacere sarà di colui a cui tutte le cose vivono⁵, che la mia vita duri per alquanti anni⁶, io spero di dicer di lei quello che mai non fue detto d'alcuna. **3** E poi piaccia a colui che è sire de la cortesia⁷, che la mia anima se ne possa gire a vedere la gloria de la sua donna, cioè di quella benedetta Beatrice, la quale gloriosamente mira ne[8] la faccia di colui *qui est per omnia secula benedictus*[9].

---

[1] *io vidi cose che*, v. *Amor che ne la mente*, 3-4: «move cose di lei meco sovente / che...», e anche *Paradiso*, I.5-6: «e vidi cose che ridire / né sa né può chi di là su discende».

[2] *proporre*, decidere.

[3] *studio*, mi applico.

[4] *veracemente*, senza infingimenti (forse da collegare a *studio*).

[5] *a cui... vivono*, «che è la causa finale di ogni vita» (Contini), con citazione del Mattutino dei defunti: «*Regem, cui omnia vivunt*» (su *Luca* XX.38).

[6] *che la mia vita... anni*, tema già virgiliano, eleva a segno di grandezza il lavoro intellettuale, nella prospettiva tutta cristiana della speranza.

[7] *sire de la cortesia*, Dio, generoso dispensatore di misericordia (cfr. XII.2 per Beatrice), ma anche fonte di quelle virtù cortesi da cui è informata tutta l'esperienza terrena d'amore (l'espressione sarà anche del Passavanti).

[8] *mira ne*, fissa ogni sua attenzione.

[9] *qui... benedictus*, riprodotta come dossologia è qui una citazione da San Paolo (*Rom.*, I.25; IX.5; II *Cor.*, XI.31), che agisce da chiusa formulare in registro scrittorio: a completare appunto circolarmente l'invenzione iniziale di *Incipit vita nova*. Si noti la ricercata coesione fra *benedetta Beatrice* e *benedictus*.

SOMMARIO